Dans la même collection :

Mille ans de contes – tome 1
Mille ans de contes – tome 2
Mille ans de contes – nature
Mille ans de contes – animaux
Mille ans de contes – théâtre
Mille ans de contes – mer
Mille ans de contes – mythologie
Mille ans de contes – Indiens d'Amérique du Nord

Cécile Gagnon remercie le Conseil des Arts du Canada
pour son soutien.

ISBN : 2.84113.432.6

Impression : Bussière Camedan Imprimeries
(St-Amand-Montrond)
N° d'imprimeur : 4/1174
Dépôt légal : novembre 1997

Imprimé en France

mille ans de contes

Québec

Textes choisis et commentés par Cécile Gagnon
Illustrations de
Anne Michaud

MILAN

Sommaire

Avant tout 6

Démons et merveilles (contes merveilleux) 13
La Princesse au grand nez 14
Le Ruban magique 25
La Belle Perdrix verte 34
Le Sorcier du Saguenay 42
Ti-Jean et le Cheval blanc 57
Ti-Jean, le violoneux 62
L'Oiseau vair 68
Le Cadeau de la sirène 74

Du coq à l'âne (histoires d'animaux) 77
Quand les oies vont en voyage 78
Gustave refuse d'hiberner 81
Procès d'une chenille 83
Léon 88
Conte-fable 92
Coucher de soleil 96

N'oublie pas mon petit soulier (histoires de Noël) 109
Le Père de Noëlle 110
La Halte du Père Noël 115
Rikiki 125
Le Poisson de Noël 138
Sarah et Guillaume chez le Père Noël 147
Le Drôle de Noël de Robervalkid 151
La Retraite du Père Noël 156
Pinashuess 160

Au temps où les bêtes parlaient (récits étiologiques) 167
Le Premier Été sur la toundra 168
La Naissance des oiseaux 172
La Légende du huart 174
Kugaluk et les Géants 181
Le Secret de Moustique 185
Le Prince du gel 188
Petit Coyote et le Sirop d'érable 194
La Légende des brûlots 199
Grand Pin et Bouleau 202
L'Oiseau-Vent 206
Nanabozo vole le feu 209
Pourquoi la grenouille a de longues pattes 213
Mistapéo et la mousse à caribou 216
Tonnerre des eaux 218

Enfer et contre tous (histoires de diables) 223
Le Beau Danseur 224
La Tuque percée 229

Le Diable Frigolet 233
La Chasse-Galerie 238
Le Diable des Forges 246

Astucieusement vôtre (contes de la débrouillardise) 255
La Jument de Ti-Jean 256
Barbaro-les-grandes-oreilles 261
La Hotte du colporteur 269
Quatre-poils-d'or-dans-l'dos 278
Le Petit Bonhomme de graisse 284
Les Astuces de Pois-Verts 288
Comment l'orphelin devint un grand chasseur 296
La Baleine 300
Ukaliq au pays des affaires perdues 308

Histoires à dormir debout (fantômes et revenants) 313
Le Loup-Garou 314
La Traversée du père Dargis 320
Le Passager clandestin 323
Le Trésor du buttereau 330
Le Fantôme de l'érablière 336
Le Fantôme de l'avare 339

De sacrés caractères (grandes figures) 345
Madeleine de Verchères 346
Auguste Le Bourdais 349
Jos Montferrand 355
Alexis le Trotteur 360
Jean de la Lune 363
Maria Chapdelaine 368

Vous avez dit blizzard (histoires de la nature) 375
Léo et les presqu'îles 376
L'Herbe qui murmure 391
Les Messagers de l'hiver 400
Une femme changée en loup 405
Le Courrier des îles 407
Dialogue 421
Plumeneige 424
Le Petit Capuchon rouge 428
Jules Tempête 434
Fier Champignon du bois 439

Compte et raconte (index alphabétique des titres) 445
Par ordre d'apparition (index des personnages) 448
Montre en main (index en fonction du temps de lecture) 455
Du plus petit au plus grand (index en fonction de l'âge) 457
Glossaire 459
Bibliographie 461

Avant tout

« Dis, tu me racontes une histoire ? »

Une histoire à raconter tous les soirs pendant des années, cela fait beaucoup d'histoires. Une histoire gaie pour les jours de pluie, une histoire de loup pour le plaisir d'avoir peur bien au chaud dans son lit, une histoire courte quand maman est pressée, une histoire longue parce qu'on a été très sage… cela fait beaucoup d'histoires différentes.

Pour répondre à la demande des enfants quels que soient leur âge, leur goût ou leur humeur, voici une collection de recueils de contes extrêmement variés : *Mille ans de contes* tomes 1 et 2, *Mille ans de contes – nature*, *Mille ans de contes – animaux*, *Mille ans de contes – mer*, *Mille ans de contes – mythologie*. On y trouve de grands contes classiques *(Peau-d'Âne, Cendrillon, Le Petit Chaperon rouge, Le Petit Poucet)*, des contes moins connus et des histoires d'auteurs contemporains. Il existe également une anthologie de textes dramatiques : *Mille ans de contes – théâtre*.

La classification de *Mille ans de contes – Québec* est nouvelle : contes merveilleux, histoires d'animaux, contes de Noël, contes des origines, histoires de diables, contes de la débrouillardise, histoires de fantômes et de revenants, récits sur les grandes figures de cette province ainsi que des contes sur la nature et l'hiver. Le recueil rassemble des légendes *(Nanabozo vole le feu)*, des histoires moins connues appartenant à la tradition orale et se rattachant au pays en particulier (*Le Fantôme de l'érablière*) et des histoires écrites par quelques-uns des meilleurs auteurs québecois contemporains.

Les textes anciens et certains contes très longs ont été soigneusement adaptés pour faciliter leur lecture à haute voix. Le texte d'origine, qui a servi de base de réécriture, a été modernisé et condensé lorsque cela s'avérait nécessaire. D'autres contes, issus directement de la tradition orale, ont été au contraire étoffés, par l'adjonction de dialogues par exemple.

Notre but est d'offrir aux jeunes auditeurs des histoires drôles ou émouvantes selon le cas, mais toujours agréables à écouter.

Un petit retour en arrière

Le Canada avant les Blancs est peuplé de nombreux groupes autochtones, inégalement répartis. À l'est du pays, sur le territoire qui constitue aujourd'hui le Québec, vivent trois grandes familles culturelles distinctes. Les Algonquiens, qui en occupent la plus grande partie, sont des chasseurspêcheurs qui se déplacent au gré des saisons. Les Iroquoiens sont sédentaires et pratiquent l'agriculture. Ils peuplent les rives du Saint-Laurent. Le nord du pays, qu'on appelle aujourd'hui Nunavik, est quant à lui occupé par les Thuléens, plus connus sous le nom d'Inuits. En 1534, lorsque Jacques Cartier explore le golfe du Saint-Laurent, il se retrouve face à des peuples détenant tous une riche culture et des traditions solides. (Il est à noter qu'aujourd'hui encore, le Québec abrite dix grandes nations autochtones. L'histoire du pays, ancienne et contemporaine, est imprégnée de la présence de ces nations. Les noms qui jalonnent le territoire parlent d'eux-mêmes : Shawinigan, Rimouski, Maniwaki, Kamouraska, Métabetchouan, etc.) Au nom de François Ier, roi de France, Jacques Cartier prend possession du Canada. Ce n'est que sous le règne d'Henri IV que débute la colonisation du pays sous l'influence de Samuel de Champlain. Ce dernier fonde la ville de Québec en 1608, dont le nom provient d'un mot algonquien qui signifie « rétrécissement des eaux », car c'est à cet endroit que le fleuve Saint-Laurent est le plus étroit. Les premiers colons de la Nouvelle-France réussissent à survivre dans ces espaces vierges et sauvages grâce aux tribus autochtones, à leurs connaissances du piégeage, des moyens de transport, de la chasse et de la pêche. Il faut quand même souligner qu'à cette époque, les incidents entre colons et Iroquois ne sont pas rares, comme vous pourrez le constater dans le récit relatant la légende de Madeleine de Verchères.

En 1760, l'Angleterre fait la conquête du Canada au cours de la guerre de Sept Ans. Les batailles sont passées, les légendes sont restées. En 1791, le Canada est divisé en deux provinces : le Haut-Canada, presque entièrement anglais, et le Bas-Canada, le Québec actuel, à majorité francophone.

En 1840, le gouvernement anglais impose l'union des deux Canadas et en 1867, le Canada uni devient une confédération au sein de laquelle le Québec est une province distincte, une province chargée de secrets, de neige, de vent, de lacs et de rivières, une province dont les habitants sont fiers et courageux. Il suffit de lire le récit sur la vie de Maria Chapdelaine pour comprendre l'acharnement et la détermination des premiers colons, de parcourir *Comment l'orphelin devint un grand chasseur*, un conte inuit, pour se rendre compte que l'esprit de débrouillardise est omniprésent dans le folklore québécois. Le savoir-faire traditionnel demeure, il est transmis de génération en génération et symbolise l'alliance du présent et du passé.

Le Québec

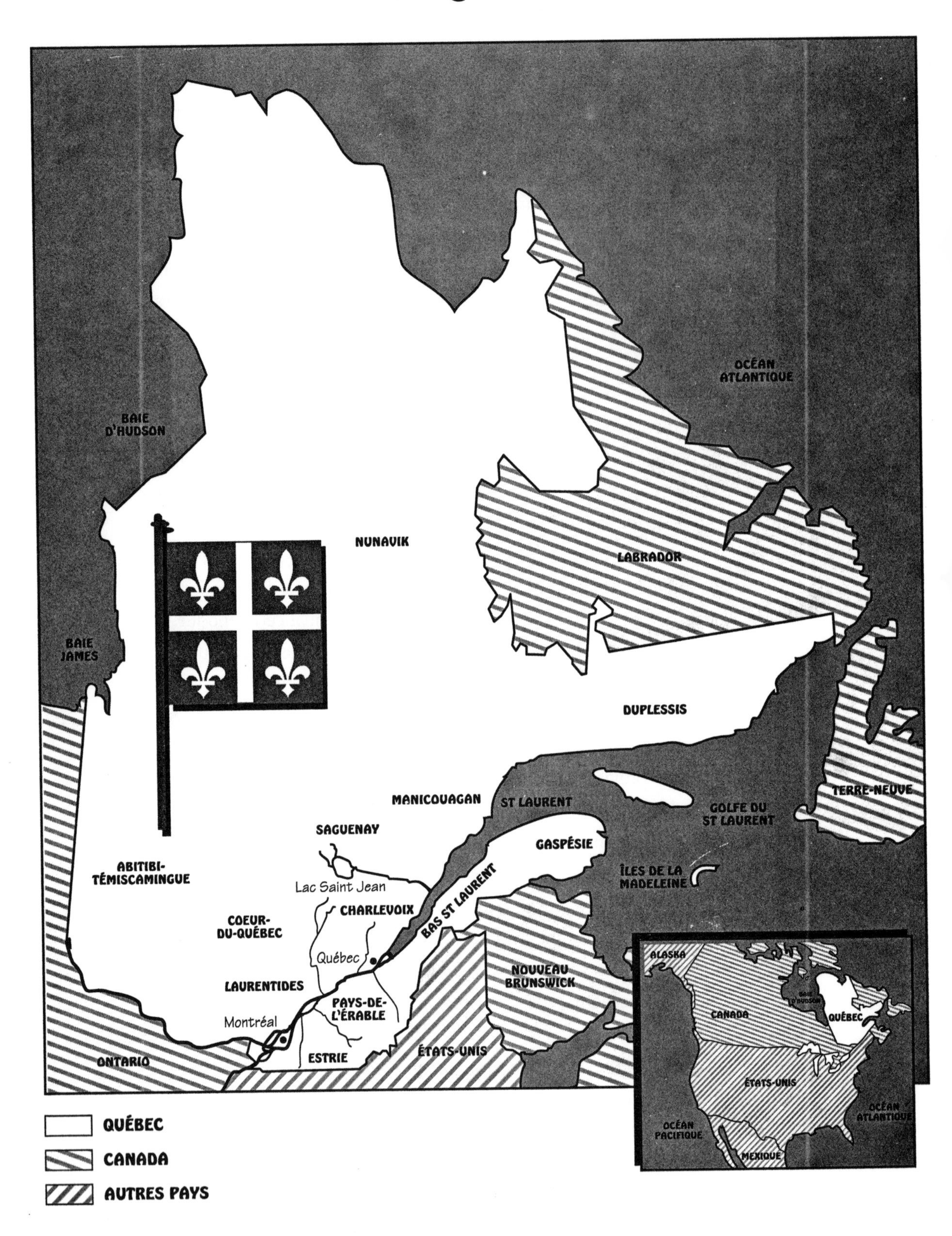

BAIE D'HUDSON
OCÉAN ATLANTIQUE
NUNAVIK
LABRADOR
BAIE JAMES
DUPLESSIS
TERRE-NEUVE
MANICOUAGAN
ST LAURENT
GOLFE DU ST LAURENT
SAGUENAY
GASPÉSIE
ABITIBI-TÉMISCAMINGUE
ÎLES DE LA MADELEINE
Lac Saint Jean
CHARLEVOIX
BAS ST LAURENT
COEUR-DU-QUÉBEC
Québec
NOUVEAU BRUNSWICK
LAURENTIDES
PAYS-DE-L'ÉRABLE
Montréal
ESTRIE
ÉTATS-UNIS
ONTARIO
ALASKA
BAIE D'HUDSON
CANADA
QUÉBEC
ÉTATS-UNIS
OCÉAN ATLANTIQUE
OCÉAN PACIFIQUE
MEXIQUE
QUÉBEC
CANADA
AUTRES PAYS

Le français du Québec

Vous remarquerez que dans certains contes, la structure grammaticale française est différente de celle que nous connaissons aujourd'hui. Au Québec, l'emploi du français du XVIIe siècle est resté très présent, renforcé par les expressions des colons venus de différentes régions de France : Normandie, Île-de-France, Centre-Ouest, etc. et enrichi du vocabulaire des Inuits et des Amérindiens. Les contacts avec ces derniers se sont traduits par l'emprunt de mots aujourd'hui passés dans le langage courant. La langue québécoise peut sembler parfois archaïque pour un Français, elle emploie encore des tournures syntaxiques et des mots devenus rares, mais elle reste malgré tout le témoin d'un « mélange » assez extraordinaire ! Elle est également influencée par la langue anglaise utilisée dans le reste du continent. Pour aider à la compréhension de certaines expressions, un glossaire se trouve à la fin de l'ouvrage page 459.

Pourquoi conter ?

Ce n'est pas un hasard si l'enfant est tellement avide d'histoires. Pour lui, l'heure du conte est un moment de tendresse, de plaisir et de connaissance : il s'en passe des choses dans les contes ! Parfois, on a même l'impression qu'ils contiennent trop de violence ou d'absurdités. Mais ce n'est là qu'une opinion du XXe siècle. Depuis toujours, on considère au contraire que les contes sont la base de l'éducation morale.

De nos jours, les psychologues affirment que les contes aident l'enfant à résoudre les conflits affectifs. Il prendra confiance en lui-même en voyant que malgré la taille du géant, Kugaluk arrive à le vaincre. Certains parents voudraient bannir les personnages qui, selon eux, font peur aux enfants. En fait, ces personnages sont très utiles. Ils permettent de donner un visage à l'angoisse qui étreint parfois les jeunes enfants. Comment dire la peur d'être abandonné, la peur de ne pas être aimé ? L'angoisse est une peur qu'on ne peut pas exprimer. La présence du géant et de sa femme dans *Kugaluk et les géants*, permet d'extérioriser cette angoisse. C'est d'eux dont on a peur, bien sûr ! Alors on va les fuir, les combattre de cent façons, les anéantir. Et quand on s'en est débarrassé, on a le cœur soulagé. Parce que les géants ont disparu ? Non, parce que toutes ces grandes manœuvres prouvent à l'enfant que l'adulte tient à lui, qu'il le protège de tous les dangers, en un mot qu'il l'aime.

Les histoires sont aussi, pour l'enfant, un moyen d'exercer son intelligence. En les écoutant, il développe sa mémoire auditive et s'entraîne à retenir la

structure d'un récit, premier pas vers la lecture intelligente, celle qui consiste à déchiffrer non seulement des signes mais surtout le sens d'un récit.
Chaque type de texte aide au développement de l'enfant :
– les contes merveilleux et les légendes développent l'imagination, la créativité et la logique ;
– les histoires écrites par les auteurs contemporains, qui mêlent des thèmes éternels à des situations d'aujourd'hui, incitent le jeune auditeur à créer lui aussi des histoires où les ogres, les sorcières et les princesses vivent en pleine actualité.

Pour permettre à l'adulte de mieux connaître le conte qu'il va lire, une introduction indique l'origine de chaque texte : texte d'auteur, conte folklorique... Quand il s'agit d'un conte folklorique, nous précisons son origine géographique. Vous trouverez page 8 une carte du Québec sur laquelle il sera plus facile de localiser les régions dont les contes sont issus. Les contes se sont transmis oralement pendant des siècles avant d'être mis par écrit. Les premières personnes qui s'intéressèrent aux contes les utilisèrent comme matière première de leurs œuvres : les auteurs de fabliaux au Moyen Âge, Rabelais, Perrault ont directement puisé dans la tradition orale et l'ont adaptée. Les frères Jacob et Wilhelm Grimm furent les premiers à rechercher systématiquement les contes et à les publier sans adaptation littéraire (1812-1815). À leur suite, des folkloristes notèrent les contes dans tous les pays d'Europe. En France, ce fut seulement vers 1870 que commencèrent les collectes sérieuses et les publications. Au Canada, le recensement des contes et légendes commença en 1911. Aujourd'hui, un catalogue international et des catalogues nationaux régulièrement mis à jour font l'inventaire de tous les contes recueillis et les classent par thèmes. On s'aperçoit ainsi que le même conte peut être raconté dans de nombreux pays, avec des variantes. Les éducateurs trouveront dans *Mille ans de contes – Québec* des sources pour inviter les enfants à créer leur propre version des contes, comme le font les conteurs et les écrivains. Ce patrimoine est universel. Chacun peut raconter les contes à sa guise, avec toutes les variations que lui inspire sa fantaisie, le seul critère étant la satisfaction de l'auditoire.

Quel conte choisir ?

La présentation du recueil est également conçue pour aider l'adulte dans son rôle de conteur. Les textes sont classés par thèmes (contes merveilleux, histoires d'animaux, contes de Noël, etc.). Chaque texte est précédé de renseignements pratiques symbolisés par un dessin :

Âge minimum conseillé pour écouter cette histoire. Il n'y a pas d'âge maximum !

Durée moyenne en lecture continue, c'est-à-dire sans s'interrompre pour donner éventuellement des explications. Libre à l'adulte de jouer avec l'histoire, de la rallonger, de la mimer, d'expliquer...

Lieux où se déroule l'histoire.

Personnages principaux.

Ainsi, d'un coup d'œil, l'adulte peut visualiser si ce conte est adapté à l'âge de l'enfant, et si sa durée correspond au temps dont il dispose. Il peut proposer à l'enfant : « Veux-tu une histoire de loup-garou ? », ou bien : « Veux-tu une histoire sur la fille du Père Noël ? », ou encore : « Veux-tu une histoire sur les ours polaires ? » En fin de livre, différents index lui faciliteront le choix.
Les dessins aideront l'enfant à comprendre certains passages en illustrant diverses situations mais nous avons voulu qu'ils restent discrets, pour ne pas bloquer l'imagination créatrice de l'enfant : les mots, laissés libres de parler à son cœur, lui suggéreront des images à lui, correspondant à son humeur, à sa personnalité.

Comment conter ?

L'heure du conte, ce n'est pas seulement une histoire que l'on raconte. C'est aussi toute une ambiance que le conteur va créer autour d'un récit en particulier.
Les enfants adorent les rituels et sont toujours ravis par un peu de mise en scène. Pourquoi s'en priver ?
Les éducateurs peuvent par exemple installer un coin spécial avec les coussins et une lumière atténuée. À la maison, aussi, pensez à l'éclairage : un feu de cheminée ou des bougies créent immédiatement une ambiance magique. Pour jouer le jeu jusqu'au bout, le conteur ou la conteuse peuvent porter un vêtement particulier, un accessoire (châle, chapeau) et s'installer dans un siège réservé à ce moment. Il existe d'autre part de nombreux fonds musicaux

qui n'ont pas été créés pour illustrer des contes mais qui peuvent tout à fait servir de fond d'ambiance.

« Cric, crac, les enfants !
Parli, parlo, parlons !
Pour en savoir le court et le long,
Passez l'crachoir à Jos Violon.
Sacatabi, sac-à-tabac,
À la porte les ceusses qu'écouteront pas ! »
Vous pouvez utiliser des formulettes de ce genre qui marquent l'entrée dans l'histoire. À partir de cet instant, l'auditeur et le conteur sont complices dans l'univers du conte, autour d'une parole à la fois simple (par la structure des phrases, par le vocabulaire) et solennelle. Le ton sera différent selon qu'il s'agit d'une histoire d'animaux, d'une légende, d'un conte merveilleux, mais la façon de dire est toujours importante : il faut veiller à parler lentement et clairement, en ménageant des temps de repos, de silence, qui permettent à l'enfant de « digérer » les événements qu'il vient d'apprendre. Pour l'enfant, ce ne sont pas des moments de vide mais d'activité mentale : il réfléchit à ce qu'il vient d'entendre, imagine la suite, savoure telle ou telle situation qui l'intéresse particulièrement.

Si vous souhaitez en savoir plus, une bibliographie à la fin du livre vous propose un choix de titres de référence.
Cécile Gagnon a rassemblé les textes de ce recueil avec un immense plaisir car elle s'est nourrie des contes et légendes de son pays depuis toujours. Elle est l'auteure* de romans et albums pour les jeunes, illustratrice et traductrice. Elle a été rédactrice en chef de deux revues enfantines et directrice de collection. Elle est productrice de spectacles de conteurs et chargée de cours à l'université du Québec à Montréal.
Au titre de présidente et de membre de divers organismes, elle consacre son énergie à promouvoir la littérature de jeunesse québécoise. Elle est membre de l'Union des écrivaines* et écrivains québécois, de l'Association des écrivains québécois pour la jeunesse et de la Charte des auteurs et illustrateurs pour la jeunesse de France.
Le plaisir de conter nous a guidés tout au long de notre travail. Nous souhaitons qu'au fil des années, adultes et enfants ne cessent de partager ce plaisir.

* Au féminin, les Québécois utilisent couramment les termes auteure et écrivaine.

Démons et merveilles

La Princesse au grand nez

Adapté d'un conte populaire.

Les contes populaires transmis par les vieux avaient leurs sources dans les contes des provinces de France d'où venaient les colons. Mais, au fil des ans, ils subirent bien des transformations.

À partir de 5 ans

15 min

Chambre
Château
Ville

Frères
Jeune homme
Princesse
Roi

Un roi avait trois fils. Avant de mourir, au bout de son âge, le roi leur dit :

— À ma mort, vous irez dans mon écurie. Vous y trouverez un vieux bol. Secouez-le et ce qui en tombera sera votre héritage.

Quand le roi meurt, les fils vont à l'écurie. Le plus vieux prend le bol et le secoue. Il en tombe une bourse et sur la bourse ces mots sont écrits : « Chaque fois que vous mettrez la main dedans, vous aurez cent écus. » Le prince dit à ses frères :

— Ça y est, ma fortune est faite !

Le deuxième secoue le bol. Il en tombe un cornet. Sur le cornet, c'est écrit : « Soufflez par un bout et vous aurez cent mille hommes à votre service. Soufflez par l'autre bout et vous n'aurez plus rien. »

Le deuxième fils est bien content de son sort.

Le troisième, Petit-Jean, secoue le bol. Il en tombe une ceinture. Sur la ceinture, c'est écrit : « Mettez la ceinture sur vous et ce que vous souhaiterez, vous l'aurez. »

Petit-Jean dit aux autres :

— Ma fortune est faite, moi aussi. Je sais où je vais aller.

— Où donc ? demandent les frères.

— Chez la princesse du Tomboso, répond Petit-Jean.

Les deux princes savent qui est cette princesse, dont ils ont entendu parler comme étant plus belle que la lune. Mais ils ne l'ont jamais vue et ils ne possèdent pas de ceinture magique. Alors une grande jalousie s'empare d'eux, ils disent à leur jeune frère :

— Tu vas te faire voler ton bien ; la princesse est sans doute plus ratoureuse* que toi.

— Pas de danger, dit Petit-Jean. Avec ma ceinture sur moi, je pourrai toujours revenir ici.

Et en disant ces mots, il boucle sa ceinture et fait le souhait de se trouver auprès de la princesse du Tomboso. Pouf ! le voilà parti. Jean se retrouve instantanément dans une chambre du château aux côtés de la princesse dont la beauté l'éblouit. La princesse pousse un cri et dit :

— Êtes-vous un envoyé du ciel ou de la terre ?

— Je suis un homme de la terre et je vous rends visite, dit Jean.

— Mais comment avez-vous pu entrer chez moi sans alerter les gardes ?

— C'est très simple. Je porte une ceinture qui me transporte où j'ai envie d'être. Je lui ai dit : « Emmène-moi dans la chambre de la princesse du Tomboso », et elle m'a transporté ici.

— Je ne peux vous croire, dit la princesse, c'est impossible.

— Bien, vous allez voir, déclare Petit-Jean.

Aussitôt il fait le souhait d'être dans une autre chambre et il disparaît. Puis, il fait le souhait de revenir chez la princesse et il reparaît.

— C'est extraordinaire ! s'écrie la princesse. Quel est votre nom ?

— Petit-Jean, on me nomme.

— Petit-Jean, prêtez-moi votre ceinture magique pour voir si elle peut agir pour moi aussi.

— Non, non ; je ne peux pas.

— Petit-Jean, je vous en prie, fait la princesse en l'implorant et en le regardant de ses yeux doux.

Petit-Jean se laisse séduire et lui tend sa ceinture. Elle la boucle aussitôt à sa taille et pouf ! la voilà partie dans la chambre du roi son père.

— Père ! Un scélérat se trouve dans ma chambre qui veut me ravir l'honneur.

La ceinture magique.

Le roi, fou de colère, envoie sa garde dans la chambre de la princesse. Les gardes saisissent Petit-Jean, le ruent de coups de la tête aux pieds et lorsqu'ils le croient sept fois mort, ils le jettent au bord du chemin. C'est là qu'il demeure pendant trois jours et trois nuits. Enfin, au bout de ce temps,

il reprend ses esprits. « Si je rentre à la maison, mes frères vont m'achever, c'est certain », pense-t-il. Mais Petit-Jean meurt de faim et ne sait où aller. Alors, il prend la route du retour.
Le soir, les deux frères voient venir un pauvre bougre sur le chemin qui mène au château. Ils reconnaissent Petit-Jean et se doutent bien de la perte de sa ceinture. Ils lui lancent des menaces et des injures. Mais Petit-Jean entre quand même au château tandis que l'aîné dit :
— On va t'enfermer dans une chambre le reste de tes jours ! On ne peut avoir confiance en toi.
Et l'aîné fait ce qu'il dit. Pendant tout un mois, les deux princes tiennent Petit-Jean enfermé. Puis, un jour, il dit à celui qui a la bourse :
— Si tu voulais me prêter ta bourse, j'irais racheter ma ceinture à la princesse.
— Je n'ai aucune confiance en toi qui as perdu ta ceinture, dit le frère. Ah ! non, tu n'auras pas ma bourse !
— Mais écoute d'abord mon plan. Je vais dire la vérité à la princesse et je vais lui proposer d'acheter ma ceinture. Si elle me dit que je n'ai pas de quoi la payer, je ferai sortir des écus de ta bourse jusqu'à ce qu'elle soit satisfaite. Je remplirai sa chambre d'écus jusqu'au plafond s'il le faut ! Et, puisque ta bourse est toujours pleine… je finirai par y arriver !
Le frère grogne. À la fin, il accepte tout en prévenant son frère :
— Si jamais tu perds aussi ma bourse, cette fois, tu mourras.
— Ne t'en fais pas, je réussirai, assure Petit-Jean qui reprend goût à la vie.
Petit-Jean prend donc la bourse de son frère et retourne au château de Tomboso. En arrivant là-bas, il demande à voir la princesse. Elle accepte de le recevoir.

— Bonjour, princesse, dit Petit-Jean. Je viens reprendre ma ceinture.

— Votre ceinture ? Quelle ceinture ? dit la princesse.

— Je sais que vous l'avez toujours. Je vais vous donner beaucoup d'écus pour la racheter.

— Beaucoup d'écus ? En as-tu donc tant que ça, Petit-Jean ? demande la princesse en riant.

— J'en ai assez pour en remplir votre chambre, jusqu'au plafond, répond Petit-Jean.

— Ah ! comment peux-tu mentir de la sorte ! Même mon père n'aurait pas assez d'écus pour en recouvrir le plancher de cette chambre, s'écrie la princesse.

— Ah ! mais moi j'ai une bourse ici, une bourse magique qui donne autant d'écus que je veux.

Et Petit-Jean ouvre la bourse, y plonge la main, et aussitôt cent écus roulent sur le plancher.

La princesse ouvre de grands yeux.

— Avec une bourse pareille, il est vrai, vous pouvez racheter n'importe quelle ceinture, dit la princesse, pensive. Mais ferait-elle de même, si j'y mettais ma main ?

— Sans doute, répond Petit-Jean.

— Donnez-la-moi un instant et je vous rends votre ceinture, dit la princesse.

— C'est impossible, fait Petit-Jean.

La bourse aux cent écus.

Mais la princesse, ratoureuse* comme pas une, fait tant et tant que Petit-Jean lui tend la bourse. Et comme elle a la ceinture magique autour de la taille elle fait le souhait d'être chez son père.

— Tiens ! fait le roi. Te voilà ?

— Vite, mon père, dit la princesse. Il y a encore ce scélérat dans ma chambre qui m'importune !

Les gardes surgissent, rouent Petit-Jean de coups comme la première fois et quand ils le croient sept fois mort, ils le jettent du haut de la muraille hors du château sur une route poussiéreuse. Pendant sept jours, il reste couché sans manger ni boire. Il reprend ses esprits et songe à retourner chez les siens. Mais il sait que, cette fois, ses frères le tueront. Piteux et affamé, il décide de reprendre la route quand même.

Les frères, qui se doutent de sa déconfiture, le voient arriver, tout plein de poussière et la mine basse.

— Tu as perdu la bourse, dit l'aîné ! Alors, tu vas rester dans la cheminée. Tu auras un os à ronger et un cruchon d'eau. Rien de plus, pour le reste de tes jours.

Pendant un mois, Petit-Jean reste dans la cheminée. Puis, un jour, il dit à son frère qui possède le cornet :

— Si tu voulais me prêter ton cornet, j'irais reprendre ma ceinture et la bourse de notre frère.

— Si tu penses que je te fais confiance ! Jamais ! s'écrie le frère du milieu.

— Mais ne crains rien, fait Petit-Jean, je n'irai pas chez la princesse. Elle ne pourra pas me prendre le cornet. Je resterai plutôt dans la ville et je soufflerai dans le cornet. J'aurai cent mille hommes à mon service ; j'assiègerai la ville et après, je reprendrai mes biens.

Le frère grogne un peu mais doit se rendre à l'évidence : le plan a du bon sens. Finalement, il prête son cornet à son frère qui le met sous son bras et part à la ville. Il entre par la grande porte et souffle dans le cornet. Cent mille soldats se présentent qui demandent :

— Que désirez-vous, maître ?

— Assiéger cette ville, répond Petit-Jean.

À ce moment, vient justement à passer par là le roi et sa fille dans leur beau carrosse doré. Ils sont surpris par la présence de ces nombreux soldats. Et, surtout, la princesse est très étonnée de voir qui est à la tête des troupes. Petit-Jean s'avance vers eux et dit à la princesse :

— Remettez-moi ma ceinture et ma bourse, sinon j'assiège la ville et je vous fais passer au fil de l'épée !

— Ah ! Grand Dieu ! s'écrie la princesse. Je vous remets votre bien. Mais comment avez-vous fait, mon général, pour réunir tant d'hommes sous vos ordres en si peu de temps ?

— Ce n'est rien, fait Petit-Jean, je n'ai que la peine de souffler dans mon cornet et cent mille hommes arrivent à mon service.

— Un tel pouvoir dans un petit cornet ! s'étonne la princesse. Je ne vous crois pas.

— Attendez donc !

Et Petit-Jean souffle dans un bout du cornet. Aussitôt les champs se vident. Les soldats disparaissent. Puis, il souffle de l'autre côté, l'armée reparaît. Il souffle encore, elle disparaît.

— Arrêtez ! arrêtez ! crie la princesse. Je vous rends vos biens.

Elle détache la ceinture de sa taille, prend la bourse et s'approche de Jean.

— Mais, dit-elle, je voudrais voir si c'est pareil quand c'est moi qui souffle.

Et encore une fois, Petit-Jean cède et la princesse souffle dans le cornet. Aux cent mille hommes qui lui demandent : « Que désirez-vous ? », elle répond :

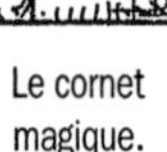

Le cornet magique.

— Prenez cet homme, marchez sur lui jusqu'à ce qu'il soit mort.

À ces mots toute l'armée marche sur lui et le voilà aplati par cent mille hommes. Il reste là, un mois, sur le sol et finalement, la connaissance lui revient. Cette fois, pas question de revenir chez ses frères, il ne lui reste plus qu'à mourir.

Il se lève lentement et se met à marcher dans un petit sentier dans le bois. Il arrive près d'un marais et au bord il voit un pommier chargé de fruits. Pas très loin du pommier, il reconnaît un prunier qui ploie sous les prunes. Il pense : « Avant de mourir, je vais au moins me rassasier de pommes et de prunes. »

Alors, il se traîne jusqu'à l'arbre et arrive, malgré sa faiblesse, à grimper sur une branche. Il mange une pomme qu'il trouve délicieuse. Puis, une autre et une autre. Et tout à coup, il s'aperçoit que son nez a tellement poussé qu'il touche par terre.

— Tonnerre ! dit-il, je vais mourir avec un long nez.

Et il se traîne avec son nez énorme vers le prunier. Et là, il se met à manger des prunes qu'il trouve sucrées et juteuses. Et soudain, il se rend compte que son nez rapetisse à vue d'œil et que, après trois prunes, il est comme avant. Un nez ordinaire.

« Tiens, se dit-il, on mange une pomme, le nez grandit. On mange des prunes, le nez rapetisse. C'est vraiment une bonne affaire ! »

Au lieu de se préparer à mourir, il tresse deux paniers avec les joncs, qu'il remplit de pommes et de prunes. Et le lendemain matin il se dirige vers la ville et s'en va au marché sur la place. L'une des servantes de la princesse du Tomboso est là pour acheter des fruits pour elle. Elle voit les pommes et les prunes toutes fraîches : elle en achète et les rapporte au château.

La princesse est ravie et elle se met à manger des pommes. Et son nez se met à grandir tant et tant qu'elle marche dessus et trébuche. Elle finit par se coucher dans son lit avec son nez qui traîne par terre.

Le roi est prévenu de la maladie de sa fille. Vite il fait venir le médecin. Le médecin arrive au chevet de la princesse. Il prend son pouls et le trouve normal. Il dit au roi :

— La princesse a une maladie bizarre car son pouls est normal et elle n'a pas de fièvre.

Puis s'adressant à elle il demande :

— Montrez-moi votre langue.

La princesse, qui se cachait le visage et surtout le nez dans ses oreillers, refuse de se montrer. Elle crie et hurle et dit que le médecin est un bon à rien et qu'il l'a insultée.

Alors, on jette le médecin dehors. Pendant ce temps, Petit-Jean rôdait près des portes du château Il voit sortir le médecin et lui dit :

— Monsieur le docteur, je pense que je peux guérir la princesse. Prêtez-moi donc votre manteau et votre chapeau noir.

Le docteur les lui prête et Petit-Jean, qui porte un panier de prunes couvert d'herbes à son bras, dit aux gardes :

— Laissez-moi voir la princesse : je suis médecin et j'ai ici des herbes qui peuvent la guérir.

On fait entrer Petit-Jean avec son panier. Il prend le pouls de la princesse et dit la même chose que le médecin précédent.

— Faites-moi voir votre langue.

Et la princesse refuse, la tête toujours cachée dans les oreillers. Petit-Jean insiste et la princesse se soulève pour appeler ses servantes. Et alors Petit-Jean saisit la princesse par les épaules et écarte les oreillers.

— Ah ! s'écrie Petit-Jean, voilà votre mal, princesse, un nez géant !

Ah !
un nez géant !

La princesse est furieuse et veut le faire jeter dehors mais, prenant une prune de son panier, il la lui tend :

— Mangez cette prune tout de suite, dit-il d'une voix autoritaire.
La princesse mange la prune et son nez rapetisse de quelques centimètres.
— Vous voyez, je vais vous guérir. Mais votre maladie est aggravée par autre chose.
— Par quoi donc ? demande la princesse.
— Par le fait que vous avez des objets qui ne vous appartiennent pas et qui enlèvent tout pouvoir à mes remèdes. Si vous ne me les remettez pas, je ne peux vous guérir.
— Ah ! fait la princesse, j'ai une petite ceinture de rien du tout, justement.
Et elle la remet au médecin qui lui fait manger une autre prune. Son nez rapetisse encore mais il n'est pas parfait.
— Mais vous avez encore en votre possession un autre objet qui n'est pas à vous.
— Ah ! celui-là, je ne vais pas vous le donner.
— Bon, alors je m'en vais, dit Petit-Jean. Ma médecine ne peut vous sauver.
La princesse se ravise et, à contrecœur, elle donne la petite bourse au médecin qui lui fait manger une autre prune. Son nez rapetisse encore de quelques centimètres mais il n'est pas parfait.
— Et maintenant, fait Petit-Jean, il reste encore un autre objet que vous avez et que vous devez me remettre.
— Oh ! il y a bien un petit cornet de rien du tout que m'a remis un jeune homme. Mais je ne crois pas....
— Alors, adieu princesse.
— Voilà, voilà, fait la princesse en lui remettant le cornet.
La princesse mange une autre prune et son nez rapetisse encore. Il est moins long qu'avant mais il mesure encore un bon pied.

— Je ne suis pas tout à fait guérie, s'écrie la princesse en tâtant son nez.
— Oh ! c'est ce que je peux faire de mieux, dit le médecin en enlevant son manteau et son chapeau noir.
La princesse reconnaît alors Petit-Jean mais il est trop tard. Il lui dit :
— Je vous quitte maintenant, princesse du Tomboso. Vous m'avez volé tout mon bien et, pour vous en remercier, je vous laisse un pied de nez. Désormais on vous appellera la princesse du pied-de-nez.
Petit-Jean sort du château avec la ceinture, la bourse et le cornet et pouf ! il retourne chez ses frères qui l'accueillent à bras ouverts.
Et moi, j'ai marché toute la nuit pour venir, ici, vous raconter cette histoire.

Le Ruban magique

Adapté d'un conte populaire.

Ce conte qui vient de la région de Québec a sûrement des racines en France d'où sont venus les ancêtres au XVIIe siècle. Mais en parcourant les âges, il s'est localisé et a emprunté des façons de dire aux conteurs locaux. Dans ce récit, des géants veulent s'emparer d'un ruban magique mais le héros déjoue leurs plans. Il sera sauvé par des fées après des péripéties assez tragiques.

Ici, comme dans beaucoup d'autres contes, les fées sont dotées d'une grande puissance et associées à la bonté tandis que les géants sont plutôt liés à la méchanceté.

À partir de
6 ans

12 min

Lac
Maison

Frère
Géants
Reine
Roi
Sœur

Il était une fois un roi et une reine qui avaient deux enfants tout jeunes : un garçon et une fille. Comme ils désiraient savoir ce que l'avenir réservait à leurs enfants, ils firent venir un astrologue pour faire tirer l'horoscope de chacun.

On leur prédit que lorsque leur fille et leur garçon seraient devenus grands, ils se mettraient en ménage et auraient ensemble des enfants. Ceci déplut infiniment au roi et à la reine car, on le sait bien, une sœur ne doit pas épouser son frère ! Alors pour éviter cette catastrophe, les parents envoyèrent la petite fille dans un couvent situé dans un pays très très éloigné du palais. Et la vie reprit son cours. Le garçon grandit en compagnie de la cour et de ses parents. Un jour, il demanda à sa mère :

— Il me semble, ma mère, que quand j'étais tout jeune, je jouais avec une petite sœur. On ne m'a jamais dit qu'elle était morte mais je ne la vois jamais et je n'entends pas parler d'elle.

La reine dit à son fils :

— Tu ne verras jamais ta sœur.

Surpris, le prince dit :

— Ah ! c'est donc qu'elle vit toujours ?

— Oui, reprit la reine, mais tu ne la verras jamais, répéta-t-elle.

Le prince eut beau questionner de mille façons sa mère et son entourage, il n'apprit rien de plus. Sa mère refusait toujours de lui révéler ses raisons.

Le temps passa ; le prince grandit encore et, un jour, il se mit à réfléchir : « Ma petite sœur doit être cachée dans un couvent quelque part. Il faut que je la trouve. »

Alors, il s'en alla de ville en ville cherchant dans tous les couvents s'il ne trouverait pas une jeune fille qui pourrait ressembler à la princesse. Et voilà que dans l'une de ces villes, il passa devant un couvent où l'on avait affiché à la fenêtre le portrait des novices qui allaient prononcer leurs vœux le dimanche suivant. Il examina ces portraits et soudain, il reconnut un visage qui ressemblait autant à celui de sa mère qu'au sien.

Sans attendre, il frappa à la grande porte qu'une religieuse ouvrit en disant :

— Oh ! monsieur, nul homme ne peut entrer ici.

Mais le prince ne se laissa pas arrêter. Il bouscula la religieuse et entra de force. À l'intérieur, il inspecta toutes les chambres et finit par dénicher celle qu'il cherchait. Dès l'instant où il reconnut sa sœur, il ne voulut plus la quitter. Il s'installa à ses côtés. Les religieuses, affolées, firent appel au roi pour qu'il vînt chercher son fils parce qu'il semait un grand désordre dans leur demeure.

Le roi, songeant aux prédictions des astrologues, s'empressa d'aller chercher ses deux enfants pour les ramener au bercail. Il pensait bien qu'ils devaient être punis de mort pour leurs gestes, mais comment ?

Ne sachant quel châtiment convenait, il appela ses messagers et dit :

— Réunissez tous les savants du royaume. Je dois leur demander conseil !

Quand ils furent tous là, le roi leur dit :

— Comment dois-je châtier mon fils et ma fille que voici ensemble ?

L'un après l'autre, les sages donnèrent leur opinion. À la fin, l'un d'eux dit au roi :

— Pour un père, c'est une terrible épreuve que de voir mourir ses enfants. À votre place, je les ferais monter sur un bâtiment et je les enverrais sur la mer. La mer se chargerait de les faire périr loin de vos yeux. Vous avez justement dans le port, ajouta-t-il, un vieux navire qui ne peut plus naviguer…

Une violente tempête se déclencha.

Le roi trouva le conseil judicieux et il s'empressa de le mettre à exécution. Il fit donc monter son fils et sa fille à bord de son vieux bâtiment et les envoya sur la mer sans équipage, en pensant bien qu'ils trouveraient la mort tôt ou tard.

Le navire vogua longtemps et puis, bien sûr, une violente tempête se déclencha qui le brisa en deux. Le prince périt mais la jeune fille réussit à se sauver en abordant une île à la nage.

Elle vécut tant bien que mal sur cette île, se nourrissant d'herbes, de racines et de poissons qu'elle réussissait à attraper. Le temps passa et, un jour, elle donna naissance à un petit garçon qu'elle éleva du mieux qu'elle put en lui racontant sa triste histoire.

La mère était débrouillarde, le fils était adroit. Avec un arc et des flèches, il tuait le gibier de l'île et nourrissait ainsi sa mère. Un jour qu'il poursuivait un bel oiseau, celui-ci se posa sur une branche d'arbre et parla :

— Pauvre enfant ! dit-il, au lieu d'essayer de me tuer pourquoi ne vas-tu pas sur la berge devant le lieu où ton père s'est noyé. Tu pourrais récupérer le trésor qu'il y a laissé. Il te serait plus utile.

Le petit garçon connaissait le lieu du naufrage car sa mère le lui avait souvent indiqué. Il s'y rendit aussitôt et trouva un paquet de linge. Il l'ouvrit et découvrit de beaux vêtements et sept mètres de ruban ! Il endossa les vêtements et tortilla le ruban autour de son bras. Subitement, il sentit une grande force en lui. Il se mit à marcher.

Il se demandait bien si c'était ça le trésor dont avait parlé l'oiseau, quand il vit devant lui un cheval tout attelé. Il le monta et retourna chez sa mère et lui dit :

— Maintenant que j'ai un cheval, je vais aller explorer l'île. Attendez-moi.

Et il se mit en route avec le ruban bien enroulé autour de son bras. Il traversa des montagnes et des forêts et finit par découvrir une maison, assez spacieuse et en bon état, au bord d'un joli lac d'eau douce. Il en fit le tour, inspecta les abords et ne vit personne. Sur le chemin du retour il trouva un jardin de roses sauvages : il en fit des bouquets et les apporta à sa mère. Il lui dit, en arrivant :

— Maman, venez avec moi. J'ai trouvé une belle maison : nous allons l'habiter.

— Une maison ? mais à qui est-elle ? demanda la mère.

— Il n'y a personne : elle est sûrement inoccupée. Allons-y !

La mère hésitait mais le petit garçon finit par la convaincre et ils s'installèrent dans la maison qui semblait vide. Le petit garçon faisait tous les travaux sans se fatiguer car le ruban le rendait très fort. Il pouvait déraciner un arbre d'un seul geste et le débiter sans se forcer. Mais au bout de quelque temps, le petit garçon dit :

— Maman, restez ici ; moi, je vais aller explorer plus loin pour voir si je ne trouve pas autre chose.

« J'ai trouvé une belle maison ! »

Alors, sa mère qui se trouvait très bien dans cette maison attendit. Mais, à peine son fils parti, sept géants, qui étaient les véritables propriétaires de la maison, sortirent de leur cachette.

La princesse fut saisie d'une grande frayeur en les voyant, mais ils la rassurèrent :
— Ne crains rien. Tu peux rester ici tant que tu veux. Mais ton fils nous fait peur. Il est trop fort. C'est pour cette raison qu'on se cache quand il est là. Nous pensons qu'il doit avoir un secret et nous voudrions le découvrir.
— Que puis-je faire ?
— C'est très simple, dit un géant. Demain, quand reviendra ton fils, fais semblant d'être malade. Couche-toi et dis-lui que pour guérir, il te faut absolument la mousse qu'on voit sur le lac. Il ira en chercher et nous découvrirons son secret.
Le lendemain, le garçon rentra et trouva sa mère couchée.
— Maman, qu'est-ce que vous avez ?
— Ah ! mon fils, je suis souffrante, gémit-elle.
— Où trouverai-je un docteur pour vous soigner ?
— Je n'en veux pas. Tout ce qu'il me faut pour me guérir, c'est la mousse du lac mais c'est dangereux d'aller en chercher…
— Ne vous en faites pas, j'irai.
Le fils sortit et s'en alla aussitôt au bord du lac. Il enleva les beaux habits qu'il portait et enfin il retira de son bras le ruban qu'il avait entortillé. Les géants, qui l'observaient en cachette, virent le manège et se dirent :
— C'est le ruban qui lui donne sa force. Allons lui prendre.
Et ils se précipitèrent sur lui, l'attrapèrent – ce qui fut facile, car il n'avait plus son ruban – et ils l'emmenèrent dans la grande maison. Là ils dirent :
— Nous allons couper ton garçon en morceaux. Mais avant, que veux-tu qu'on lui fasse ?
— Crevez-lui les yeux, dit-elle.
Les géants firent ce que la mère demandait. Puis ils coupèrent

le garçon en morceaux et le mirent dans un sac. Ils attachèrent le sac au dos du cheval et envoyèrent le cheval dans la forêt. Le cheval erra à l'aventure puis il arriva au jardin plein de roses où le garçon avait un jour cueilli des bouquets pour sa mère. Ce jardin appartenait à des fées. Lorsqu'elles virent approcher un cheval avec une poche sur le dos, elles l'arrêtèrent et ouvrirent le sac.

— Oh ! dirent-elles, c'est le petit garçon qui est venu cueillir des roses ! On l'a tué : il est tout en morceaux !

Les fées se mirent à recoller ensemble les morceaux du corps du garçon mais celui-ci ne reprit pas vie.

— Si notre grand-mère était là ! s'écrièrent les fées. Elle saurait comment faire pour le remettre sur pieds.

Alors les fées se rendirent chez leur grand-mère ; elle dut se faire tourmenter tant et plus avant de consentir à leur venir en aide.

— Grand-mère, suppliaient les fées, aidez-nous à redonner la vie à ce garçon ! Il est si beau !

Enfin, la grand-mère accepta. Elle regarda le garçon et dit :

— Vous avez raison, il est bien beau, en effet ! Je vais lui souffler dessus.

Elle souffla, souffla, souffla tant et si bien que le garçon ouvrit les yeux et se leva. Les fées étaient ravies. Elles dirent :

— Maintenant que tu es en vie, il faut que tu restes avec nous.

— Mais il me faut retourner chez ma mère, protesta le garçon.

Mais il se désespéra bientôt car il ne voyait rien. Ses yeux étaient crevés. Les fées eurent beau supplier leur grand-mère encore une fois de rendre la vue au garçon, elle n'y parvint pas. Malgré sa cécité, le jeune homme monta son cheval et gagna la forêt en espérant que la bête le mènerait sans encombre là

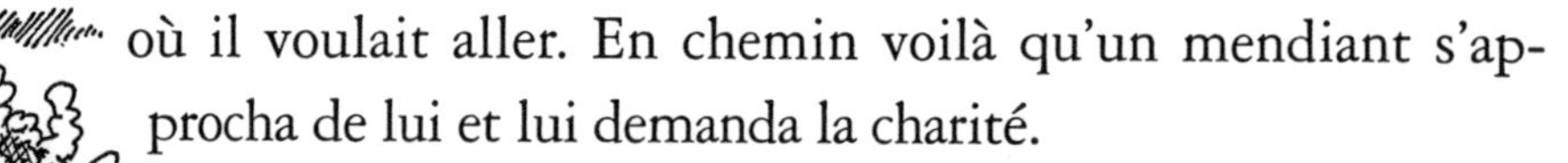

où il voulait aller. En chemin voilà qu'un mendiant s'approcha de lui et lui demanda la charité.

— Pauvre monsieur, répondit le garçon, vous me demandez la charité ? Vous êtes sans nul doute plus riche que moi. Je n'ai rien du tout, ni même de quoi manger...

— Si tu étais si pauvre, dit le mendiant, tu ne serais pas vêtu de ces habits et ton cheval ne serait pas si bien attelé ! Ta famille doit être riche.

— De famille, monsieur, je n'ai qu'une mère. Et je n'ai plus mes yeux pour voir. Tout ce que je peux faire, c'est vous laisser monter derrière moi sur ma selle.

Le mendiant accepta et ils firent route tous les deux. À un moment donné, le garçon dit :

— J'ai grand soif.

— Nous sommes près d'un ruisseau, dit le mendiant.

— Je l'entends, en effet, mais je ne le vois pas.

Le mendiant indiqua où coulait le ruisseau ; le garçon descendit de cheval et se mit à boire. Plus il buvait, plus sa vue revenait. Bientôt il put voir comme avant.

— Prenez mon cheval, dit-il au mendiant. Faites-en ce que vous voudrez. Maintenant que je vois, je n'en ai plus besoin.

Et il partit à pied en direction de l'endroit où il avait voulu abattre un oiseau avec sa flèche. Il commença à fouiller sous les buissons et les branchages pour trouver sa flèche perdue et l'oiseau le vit. Il s'approcha et dit :

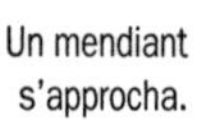

Un mendiant s'approcha.

— Bonjour mon garçon ! Tu devrais aller encore au bord de la mer voir ce qu'a laissé pour toi ton père au lieu de chercher ta flèche.

Le garçon, surpris, se rappela du paquet qu'il avait trouvé auparavant. Il se dit que l'oiseau avait sans doute raison. Il s'y rendit et il trouva, cette fois, des vêtements encore plus beaux avec un sabre et un cheval sellé et tout bridé d'or. Il y avait aussi un rouleau de ruban de quatorze mètres de longueur. Enchanté de sa découverte, le garçon entortilla le ruban sur son bras, revêtit les habits et sauta sur le cheval. Le ruban, qui était deux fois plus long que le premier, lui procurait instantanément une force redoublée.

Pendant ce temps, les géants avaient senti qu'un homme à cheval venait dans leur direction sur le chemin. Ils dirent à la femme :

— L'homme qui vient est peut-être ton fils. Une chose est certaine : il est plus fort que celui qui est venu avant. Nous n'allons pas rester ici : nous allons nous cacher.

Quand le garçon arriva, il alla trouver sa mère qui vivait dans la maison avec les géants.

— Je ne pensais jamais te revoir, dit-elle en sanglotant.

— Vous ne méritez pas de m'embrasser, dit le fils. Vous allez me dire où sont les géants.

Toute à sa peine, la mère dit :

— Pauvre enfant ! répondit-elle, ils sont là-bas, dans une grotte fermée par une énorme pierre. Il faut la force de sept géants pour arriver à la bouger.

Le garçon, qui avait son ruban magique sous ses vêtements, trouva la grotte et il ôta la pierre qui en fermait l'entrée d'une seule main. Il entra, saisit son sabre et trancha le cou des sept géants en criant :

— Restez dans votre grotte pour l'éternité !

Puis, il repoussa l'énorme pierre sur l'ouverture et retourna voir sa mère. Il lui fit ses adieux et il s'en alla trouver les fées qui lui avaient sauvé la vie. Il resta en leur compagnie le reste de ses jours.

La Belle Perdrix verte

Adapté d'un conte populaire.
Ce conte merveilleux met en scène Ti-Jean (voir l'introduction de Ti-Jean et le Cheval blanc*), le débrouillard par excellence, qui déjoue toutes les embûches et finit par épouser la princesse. Ici, on rencontre la perdrix verte : dans un autre contexte, cet oiseau a dû être tout autre ; mais au Québec, la gélinotte huppée, que l'on nomme communément « perdrix », est très abondante et fait le bonheur des chasseurs.*

À partir de 6 ans

10 min

Carrosse
Château

Aigle
Princesse
Ti-Jean

Un vieux et une vieille étaient très pauvres. Ils avaient trois garçons en âge de gagner leur vie. Un jour, le père dit à ses fils :

— Choisissez-vous chacun un métier.
Le fils aîné choisit d'être cordonnier ce qui réjouit ses parents.
Le deuxième dit :
— Moi, je veux être ferblantier.
— Fort bien. Et toi, Ti-Jean ? dirent les parents s'adressant au plus jeune.
— Moi, je serai chasseur.
— Chasseur ! s'écria le père. Mais tu ne gagneras rien. C'est un métier de paresseux.
— C'est mon choix, répliqua Ti-Jean. Si je tue un gros gibier…
Les parents tentèrent de le faire changer d'avis, sans succès. Le lendemain Ti-Jean partit à la chasse. Il visa un lièvre, le manqua et se mit à le poursuivre dans le sous-bois.
— Hé ! Ti-Jean, ne tire pas sur moi, fit soudain une voix.
Inquiet, Ti-Jean regarda autour de lui. Il vit, juchée sur un rocher, une perdrix… verte. Il n'en croyait ni ses yeux ni ses oreilles. Une perdrix verte qui parlait !
La perdrix lui dit :
— Oui, je suis une perdrix. J'étais une belle et riche princesse mais une tante-fée m'a changée en perdrix. Si tu voulais faire ce que je te dis, un jour, tu deviendrais mon mari et tu serais riche et heureux.
Ti-Jean se dit que l'occasion était trop belle pour refuser.
— Que dois-je faire ? demanda-t-il.
La perdrix, lui indiquant la tour d'un château au loin, lui dit :
— Ce soir, tu te rendras au château. À vingt-et-une heures, sept diables arriveront pour jouer à la balle-au-camp et ils se serviront de toi comme balle. Après ça, tu seras en charpie

La perdrix verte.

mais je viendrai te soigner et tu comprendras mon pouvoir. Ta famille va tout faire pour t'empêcher de partir. Surtout, ne parle pas de notre rencontre.

De retour chez lui, Ti-Jean est mal accueilli :

— Tu ne rapportes rien ! Tes frères, eux, ont travaillé et gagné chacun une piastre. Ce soir, tu te coucheras de bonne heure pour aller te faire engager pour faucher.

— Non, répliqua Ti-Jean. Cette nuit, je coucherai dans le bois où je poserai des pièges.

Malgré la mauvaise humeur des parents, Ti-Jean n'en fit qu'à sa tête. Le soir venu, il s'en alla dans la forêt et marcha dans la direction indiquée par la perdrix, vers le château. Il entra, fit le tour des salles qui étaient richement décorées et ne trouva personne. Puis il monta le grand escalier, trouva une chambre confortable et s'y installa. Il attendit en somnolant.

Tout à coup, il entendit du bruit et des voix :

— Où est caché ce grain de sel ?

— Montons, il doit être en haut.

Ti-Jean s'éveilla tout à fait et attendit en tremblant. La porte s'ouvrit et il vit entrer sept petits diables musclés et aux yeux brillants. Ils s'emparèrent de lui et l'emportèrent dans la grande salle d'en bas.

— Ah ! la bonne partie qu'on va faire.

Toute la nuit, les diables jouèrent en se servant de Ti-Jean comme d'une balle. Ti-Jean, frappé, rebondissait, était frappé encore. Tous ses membres lui faisaient mal mais il ne laissait rien paraître. Enfin, les diables s'enfuirent, le laissant évanoui sur le sol.

Toute la nuit, les diables jouèrent.

À l'aube, une jolie jeune fille vêtue de vert se pencha sur lui et il ouvrit les yeux.

— Ti-Jean, c'est moi, Perdrix verte.

— Que vous êtes belle !
— Je te l'avais dit, fit la princesse en soignant miraculeusement ses blessures. Maintenant, écoute-moi. Demain matin, je serai ici, devant le château avec mon carrosse et nous partirons ensemble de l'autre côté des mers. Attention, sois en avance, car mes chevaux filent comme le vent et ne s'arrêteront que dix secondes.
— J'y serai, fit Ti-Jean, qui se sentait entièrement guéri.
— Prends ce mouchoir qui m'appartient. Cache-le sur toi et sois prudent. À plus tard.
Et la princesse s'en alla. Ti-Jean retourna chez lui, encore une fois les mains vides, mais le cœur rempli d'espoir. Ses parents et ses frères rirent de lui en le voyant arriver bredouille.
— Ce soir, dit sa mère, tu ne vas pas coucher dehors encore une nuit !
— Au contraire, fit Ti-Jean : je dois aller visiter mes pièges.
Sa mère, à bout d'arguments, décida de verser dans le thé un somnifère pour l'empêcher de partir. Ti-Jean but le thé sans se méfier et peu après tomba profondément endormi.
Il s'éveilla pourtant à trois heures du matin, la tête lourde, et se mit aussitôt en route. Il arriva au rendez-vous devant le château et s'assit sur un gros rocher. La fatigue le gagna peu à peu et il s'endormit de nouveau. À quatre heures précises, un carrosse s'engagea dans l'allée. La perdrix verte était à bord et lui fit signe de monter ; mais Ti-Jean dormait et le carrosse continua son chemin au grand désespoir de la princesse qui prit soin, en passant, de glisser sa bague au doigt de Ti-Jean.
Ti-Jean s'éveilla et vit au loin la poussière des roues. Il comprit qu'il venait de rater sa chance. Mais en voyant la bague qu'il avait au doigt, Ti-Jean reprit courage et se dit qu'il fallait qu'il allât à la recherche de la perdrix verte coûte que coûte.

— Je vais marcher, marcher jusqu'à ce que je la retrouve, même si je dois traverser les mers.

Et Ti-Jean se mit en route. Il marcha trois jours et trois nuits et arriva au bord de la mer. Là, près d'une tour qui semblait abandonnée, il entendit une voix dire :
— N'aie pas peur ! Approche, je sais qui tu cherches.
Ti-Jean approcha de la tour et entra. Il découvrit un homme assis dans un fauteuil qui lui dit :
— Je suis le roi des oiseaux et je sais que tu cherches la belle perdrix verte.
— Ah ! fit Ti-Jean, étonné, vous l'avez vue passer ?
— Non, dit le roi des oiseaux, mais ceux qui m'ont annoncé ta visite doivent l'avoir vue. Je vais appeler mes oiseaux.
Le roi siffla et soudain la tour se remplit d'oiseaux de toutes sortes et de toutes couleurs, auxquels le roi demanda :
— Avez-vous vu la belle perdrix verte ?
— Non, répondirent les oiseaux. L'aigle peut-être...
— Où est l'aigle ? dit le roi. Pourquoi n'obéit-il jamais ? Et le roi siffla de nouveau. Dans un grand bruit d'ailes, un immense aigle arriva et, se posant sur la fenêtre, dit :
— Ah ! mon roi, j'étais de l'autre côté des mers quand j'ai entendu votre appel. Je causais avec la belle perdrix verte qui me parlait avec tristesse du jeune homme qu'elle a dû abandonner de ce côté-ci des mers. Et voilà que sa tante, la mauvaise fée, l'oblige à épouser le prince galeux...
Ti-Jean écoutait ces mots et son cœur battait fort.
— La belle perdrix verte doit se marier dans quatre jours, continua l'aigle.
— Je suis Ti-Jean, le jeune homme dont elle parle, dit Ti-Jean. C'est moi qui devais la rejoindre. Mais comment aller

au-delà des mers en quatre jours ? Aucun bateau ne pourra faire ce voyage en si peu de temps.
— Je ne vois qu'une solution, dit le roi des oiseaux. Si l'aigle voulait bien te porter jusque-là...
— Ô puissant aigle, implora Ti-Jean, voudrais-tu me conduire auprès de la belle perdrix verte ?
— Si j'avais trois jours de repos, je le pourrais sans peine. Mais...
— Il faut que tu essaies. Le temps presse. Le sort de la belle perdrix verte est en jeu !
— Je veux bien essayer, mais je t'avertis, fit l'aigle, je suis un gros mangeur ! Il me faut beaucoup de provisions.
Le roi des oiseaux procura de la viande à Ti-Jean qui partit en se cramponnant aux plumes du grand aigle.
— Quand je crierai « hap ! » tu me nourriras.
L'aigle partit et bientôt survola la mer. Puis au bout de longues heures de vol, le « hap ! » retentit. Mais il n'y avait plus de viande dans la gibecière de Ti-Jean. Alors, les forces de l'aigle déclinèrent et l'aigle et son voyageur tombèrent dans les vagues. Heureusement, ils étaient tout près du rivage et ils purent bien vite se mettre au sec. Ils aperçurent un château au loin. C'était justement celui de la belle perdrix verte. Ti-Jean courait déjà quand l'aigle dit :
— Pas si vite. As-tu oublié le prince galeux ? Je ne t'ai pas conduit ici pour te voir échouer bêtement. Personne ne croira que tu aies pu traverser les mers en si peu de temps. Alors, écoute mes conseils.
Ti-Jean s'arrêta et, malgré son empressement, écouta l'aigle.
— D'abord tu vas te présenter au château et demander à voir l'intendant. Tu lui demanderas s'il n'a pas besoin de quelqu'un pour...

« Si l'aigle voulait bien te porter jusque-là ! »

Ti-Jean cuisinier.

Ti-Jean fit ce que lui recommandait l'aigle. Il se présenta au château et se fit engager comme cuisinier, car de grands banquets étaient prévus pour célébrer le mariage de la princesse avec le prince galeux.

Au château, la princesse se désolait. Elle se mit à observer le nouveau cuisinier et se rendit compte qu'il portait au cou un mouchoir brodé. En l'observant de plus près, elle acquit la certitude que ce mouchoir était celui qu'elle avait donné à Ti-Jean avant son départ.

— Comment ce cuisinier a-t-il pu l'obtenir ? demanda Perdrix verte à sa mère.

— Je n'en sais rien, dit la reine. Ça me semble impossible.

— Allez-donc lui demander son nom, dit Perdrix verte à sa servante.

Celle-ci revint en disant :

— Le cuisinier refuse de dire son nom. Il dit qu'il vient de l'autre côté des mers. Il ne veut dire rien d'autre.

— Oh ! fit la princesse. Il est plutôt insolent. Mais c'est peut-être lui quand même.

— Voyons, dit la reine, comment aurait-il pu traverser les mers en si peu de temps ? Vous voyez bien que ce n'est pas lui.

Perdrix verte restait songeuse, soudain elle dit :

— Quelle bonne odeur arrive de la cuisine ! J'aimerais bien un peu de cette tarte aux pommes qui embaume le palais. La servante apporta la tarte entière à table et la reine et la princesse se servirent de belles portions. La tarte semblait terriblement appétissante.

— Tiens ! fit la princesse en mordant une part. Il y a quelque chose dans la tarte…

Et elle retira une bague, la bague même qu'elle avait glissée au doigt de Ti-Jean le matin de son départ en carrosse. Elle s'écria :

— Maman ! C'est Ti-Jean. Voilà la preuve éclatante de son identité.

Et la belle Perdrix verte s'en alla en courant à la cuisine où s'affairaient les marmitons et le cuisinier.

Toute la cour, alertée par la reine, descendit aux cuisines. Ti-Jean raconta enfin ses aventures à tout le monde, depuis le début.

Le lendemain furent célébrées les noces de Perdrix verte, non pas avec le prince galeux, mais avec Ti-Jean, qui avait franchi les mers sur le dos de l'aigle. Le prince galeux, de dépit, retourna dans ses terres et on ne le revit jamais.

Le Sorcier du Saguenay

Dans la région du Saguenay les paysages sont grandioses : la rivière coule dans des fjords et côtoie d'énormes caps couverts de forêts. Cette rivière a inspiré bien des récits et parfois, le réel s'y mêle à la légende.
Cette histoire a été imaginée par Maxine, une femme écrivain de Québec qui fut un prolifique auteur, surtout de romans historiques pour les jeunes, autour de 1920. Elle donne ici une origine légendaire aux deux caps majestueux qui surplombent le Saguenay : le cap Trinité et le cap Éternité.

À partir de
7 ans

21 min

Village
Wigwams

Géants
Jeune fille
Sorcier

Plusieurs centaines d'années avant la découverte du Canada par Jacques Cartier, ce pays était habité par différentes nations et tribus d'Indiens.

Une de ces tribus s'était établie sur les bords du Saint-Laurent, à un endroit où ce fleuve est d'une immense largeur, aux environs de la place qui s'appelle aujourd'hui Tadoussac. Ces Indiens étaient les Montagnais, nation bonne et pacifique, vivant de pêche et de chasse.

Pour prendre le poisson, ils confectionnaient de solides filets, tressant à cette fin de longues herbes marines que leurs doigts habiles savaient rendre solides et durables.

Les grandes forêts leur fournissaient le gibier qu'ils tuaient avec leurs flèches ou qu'ils prenaient dans les pièges ingénieux de leur propre invention. Leurs wigwams étaient placés ensemble, par groupes, pour se donner une protection mutuelle contre les loups. Ces groupes de wigwams formaient autant de petits villages, peu éloignés les uns des autres.

Les loups n'étaient pas le seul danger qu'avaient à craindre les Montagnais : ils avaient pour ennemis une nation appelée « les Géants ». Ces hommes étaient des colosses ! Quelques-uns avaient huit pieds de hauteur. Ils avaient des figures sournoises, cruelles, et de longues dents pointues. On devinait qu'ils étaient cannibales... Cette nation était établie une quarantaine de milles plus loin.

Aux moments les plus inattendus, ils remontaient le fleuve en bandes, dans leurs canots d'écorce, atterrissaient à peu de distance des établissements montagnais, fonçaient à l'improviste sur ces paisibles Indiens, en tuaient un grand nombre, et retournaient avec des prisonniers dont on n'avait plus jamais de nouvelles.

À l'époque où se passe cette histoire, il y avait chez les Montagnais une jeune fille appelée Sagnah. C'était une orpheline. Son père avait été fait prisonnier par les terribles Géants, et n'était jamais revenu, et sa mère était morte de chagrin.

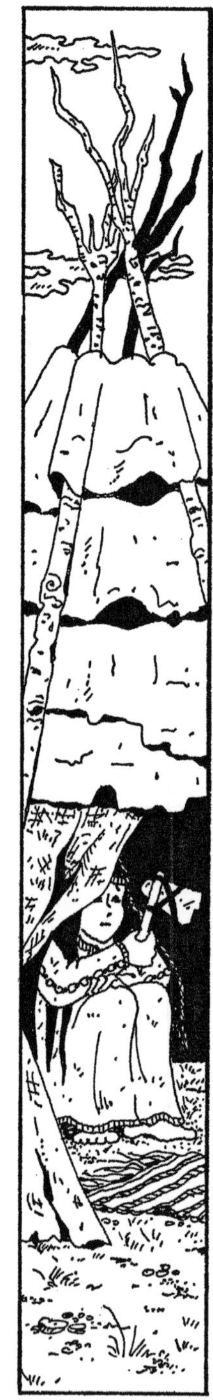

Elle s'était blottie au fond d'un wigwam, un tomahawk à la main.

Sagnah était une favorite dans sa tribu ; chacun aimait à la choyer et à la gâter. C'était une belle et brave enfant, intelligente, pleine de vivacité, parfois un peu trop espiègle, mais d'une grande bonté de cœur.

Elle aimait à jouer avec les autres enfants de la tribu, et pouvait nager, grimper et danser aussi bien qu'eux tous ; mais son grand charme était sa belle voix. Son chant ravissait les Indiens. Ils s'assemblaient parfois sur la grève autour d'un grand feu, faisaient chanter Sagnah et ses notes pures vibraient, claires et harmonieuses, dans l'air du soir.

Lorsque Sagnah eut seize ans, on la fiança à un jeune chef de sa tribu et le mariage devait avoir lieu quelques jours plus tard... mais, tout à coup, dans la nuit, les Géants arrivèrent et firent un affreux carnage !

Une terrible bataille s'engagea et après bien des pertes de vies de part et d'autre, les Géants se virent forcés de prendre la fuite, mais ils emmenaient avec eux plusieurs prisonniers et parmi ceux-ci, la pauvre petite Sagnah !

Pendant la bataille, la jeune fille s'était blottie au fond d'un wigwam, un tomahawk dans la main, bien résolue à se défendre, mais deux Géants foncèrent dans la cabane, la désarmèrent, et l'emportèrent comme si elle eût été un petit enfant...

Impuissante à se défendre, Sagnah ne perdit cependant pas courage. Sa principale inquiétude était son fiancé, le jeune chef qu'elle devait épouser dans si peu de jours... Était-il, lui aussi, prisonnier ?

Au premier arrêt, on la mit par terre et on lui lia les bras et les jambes. Les autres prisonniers, solidement ligotés, n'étaient pas très éloignés, et elle pouvait les distinguer parfaitement ; son fiancé n'était pas parmi eux.

« Alors, se dit-elle, il va vouloir venir à mon secours et se fera sûrement tuer. Ah ! Si je pouvais lui envoyer un message ! »

À ce moment, sur un arbre, tout près d'elle, un pic, cramponné à l'écorce, frappait le tronc de son bec noir et agitait un peu les ailes, comme pour attirer l'attention.

— Petit oiseau, lui dit-elle, que ne peux-tu voler vers mon fiancé !

À sa grande surprise, l'oiseau se rapprocha et lui dit :

— Donne-moi ton message !

— Comment ? Tu parles, toi ? s'écria Sagnah.

— Oui. Hâte-toi !

— Vole vers mon fiancé, le jeune chef. Dis-lui de ne pas chercher à me suivre. Ma seule chance de m'évader sera la ruse ! Dis-lui d'être aux aguets et d'attendre... Vole, petit oiseau, vole !

L'oiseau s'envola à tire-d'aile, et Sagnah se sentit un peu plus d'espoir au cœur.

« Cet oiseau doit appartenir à quelque fée ou à quelque sorcier ! » se dit-elle.

Au bout de quelque temps, les ennemis reprirent leur route. Elle fut ramassée comme un paquet, jetée sur l'épaule d'un des gros Géants, et emmenée vers les canots qu'ils allaient reprendre pour retourner dans leur pays. Elle ne résista pas, ferma les yeux, et feignit d'être endormie ou sans connaissance...

Après de longues heures, ils arrivèrent enfin au camp des Géants. Les femmes et les enfants de la tribu les reçurent avec des cris de joie. Armés de branches et de bâtons, ils se ruaient vers les prisonniers pour les frapper.

— Qu'on ne touche pas à celle-ci ! cria le Géant qui avait amené Sagnah.

C'était (elle l'apprit plus tard) un des chefs de la tribu, un des quatre frères qui gouvernaient la nation

— Amenez-la, continua-t-il, dans un wigwam spécial. Je la réserve pour la grande fête qui aura lieu pour célébrer notre visite chez les Montagnais. Quant aux autres prisonniers, je vous les donnerai bientôt pour les faire cuire et les manger... dans huit ou dix jours au plus.

Sagnah frémit... Ainsi, c'était là le sort affreux qu'avait eu son père ! Et c'était celui qu'on lui réservait ? Non ! cent fois non ! Il fallait, à tout prix, empêcher cette fin atroce ! Sachant qu'elle avait quelque temps de répit, elle résolut de déjouer par la ruse les plans de ses terribles geôliers.

Épuisée, Sagnah s'endormit. Après un long et lourd sommeil, elle se réveilla au fond d'un wigwam. Deux vieilles Indiennes étaient là, en gardiennes, auprès d'elle.

— Bonjour ! dit Sagnah, avec son plus charmant sourire.

— Où donc te crois-tu, petite sotte, pour avoir ce sourire sur les lèvres ?

— Je n'en sais rien, mais je crois que c'est peut-être le camp de quelque Géant. Un grand combat a eu lieu entre ma tribu et les Géants, et ces derniers m'ont prise et amenée ici.

— Et que penses-tu qu'ils veulent faire de toi ?

— Je ne sais pas, répondit Sagnah, toujours souriante, mais j'espère bien qu'on va me donner à manger... j'ai une faim terrible !

— Manger ? Sans doute, tu vas manger, encore manger, et encore et encore manger !

— Pourquoi tant manger ? demanda Sagnah en riant.

— Parce que tu es trop mince, trop maigre ! dit la vieille avec un ricanement.

Au bout de quelque temps, on lui apporta de la nourriture.

— Je vous en prie ! dit-elle, déliez-moi les mains afin que je puisse manger, et les pieds aussi, de grâce ! Je ne chercherai sûrement pas à me sauver entourée, comme je suis, de Géants !

À ce moment, le chef entra et les gardiennes lui demandèrent si elles pouvaient délier la prisonnière, et il consentit en grommelant.

Sagnah, voyant que la nourriture n'était sûrement pas de la chair humaine, prit un bon repas, car elle avait vraiment faim. Puis, elle tressa ses longs cheveux noirs et défroissa sa tunique de cuir. Regardant les Indiennes elle leur dit :

— Suis-je bien ainsi ?

— Bien ? Tu as l'air d'une sotte fille des Montagnais, se préparant à servir de dîner à notre grand chef !

— Non ! dit Sagnah, sans cesser de sourire, je suis sûre qu'il ne voudrait pas me manger, du moins pas tout de suite !

Et, sans paraître du tout inquiète, elle se mit à causer et à rire avec les deux vieilles gardiennes, si bien qu'elles devinrent presque de bonne humeur !

Au bout de quelque temps, elle leur dit :

— Aimez-vous les chansons ? J'en sais de belles que j'ai apprises chez nous. Et, de sa voix claire et pure, elle se mit à chanter des refrains de son pays.

À ce moment, le chef entra de nouveau mais elle ne parut pas le voir et continua son chant.

La chanson finie, elle se retourna et regarda le Géant.

— Ah ! Tu étais là ? dit-elle, as-tu aimé ma chanson ?

— Comment t'appelles-tu ? dit celui-ci, sans répondre à sa question.

— Sagnah, répondit-elle, et toi ?

— Apprends, jeune fille, s'écria-t-il d'une voix tonnante, que je suis Patitachekao, chef, avec mes trois frères, de la tribu des

Elle se mit à chanter des refrains de son pays.

Géants ! Mon nom, Patitachekao, signifie « Tue et mange », et j'ai l'habitude de faire honneur à mon nom !
— Comme c'est terrible ! Es-tu toujours fâché comme ça ?
— Attention ! Si tu me manques de respect, je te ferai fouetter !
— Oh ! Ne fais pas cela, dit Sagnah, encore souriante, (mais en réalité tremblante de frayeur), si tu me fais battre, je ne pourrai plus manger… et je vais maigrir !
Personne encore n'avait osé parler de la sorte au chef des Géants, et il se demanda si cette jeune fille ne serait pas une sorcière, déguisée en Montagnaise. Il fit venir ses trois frères, Géants à l'air aussi féroce et cruel que lui-même, et fit causer Sagnah devant eux. Cachant sa terreur, elle sourit bravement à ces méchants chefs et, à leur demande, chanta une de ses plus belles chansons.
Les quatre Géants sortirent du wigwam et tinrent conseil : si cette jeune fille était une sorcière, il fallait la brûler et non pas la manger, et si elle n'était pas une sorcière, pourquoi ne pas la garder et la soigner, et ne la manger que dans quelques mois ?
Sagnah entendit leur conversation et elle résolut de prouver qu'elle n'était pas une sorcière. On la consulta sur différents sujets, on la questionna… Sagnah répondait comme une enfant, et posait elle-même des questions qui semblaient si naïves, que les Géants se dirent : « Elle ne comprend pas suffisamment pour avoir peur, c'est pourquoi elle rit et chante. Ce n'est sûrement pas une sorcière ! »
Les deux vieilles restaient ses gardiennes. Elles lui apportaient sa nourriture, et écoutaient son babil et son chant.
Un jour, le chef Patitachekao entra, encore plus maussade et grondeur que d'habitude. En passant près d'une des vieilles, il

lui donna un coup de pied sur la jambe, et la frappa à la figure avec une branche qu'il tenait à la main. Le coup de pied fut si fort que la jambe fut presque cassée, et, se tenant le front d'où le sang coulait, la vieille sortit en boitant.

— Chante ! ordonna le chef à Sagnah.

Elle commença tout de suite à chanter. Quand elle eut fini, il lui dit :

— Veux-tu avoir la vie sauve ?

— Oh oui ! dit Sagnah ; vas-tu me laisser retourner dans mon pays ?

— Non ! dit le Géant, mais je puis t'épouser et te faire devenir membre de la tribu.

— Je suis déjà fiancée à un chef de ma propre nation. Si tu es chef toi-même, tu ne voudrais pas me faire manquer à ma parole ?

— Tous les chefs ont été tués à notre dernière attaque, dit-il, ton fiancé a dû être de ce nombre !

Sagnah se doutait bien que ceci n'était pas la vérité, mais elle feignit de croire ce qu'il disait et lui répondit :

— Veux-tu me donner trois jours pour m'habituer à cette pensée de devenir une des vôtres, et chaque jour me laisser faire une promenade en dehors du wigwam ; le troisième jour, si tu m'entends chanter, tu sauras que je suis prête à devenir ta femme !

Le chef y consentit et sortit du wigwam fort satisfait.

L'Indienne qui avait reçu le coup de pied revint en boitant à la cabane, paraissant très souffrante. Le bâton du chef lui avait cruellement blessé la tête, et elle avait l'air bien affaiblie. Sagnah lui banda la jambe et lui mit de l'eau fraîche sur la tête, essayant de la soulager ; puis elle s'assit auprès d'elle et se mit à chanter.

Au bout de quelque temps, l'autre Indienne sortit du wigwam. Alors la blessée dit à Sagnah :

— Écoute ! Je vais mourir, les coups du chef m'ont tuée ! Je ne verrai pas le jour ! Parce que tu as été compatissante et bonne pour moi, et que tu es si vaillante, si courageuse, je vais te donner deux présents : prends ce morceau de cuir et cette tige creuse. Le carré de cuir te rendra invisible, si tu le places sur la tête, et avec la tige creuse tu peux appeler le bon sorcier de la grande forêt qui a juré d'exercer une terrible vengeance sur toute nation qui mange de la chair humaine ; mais pour les punir, il faut que le bon sorcier les prenne en flagrant délit.

— Où puis-je trouver le bon sorcier ?

— Il viendra à n'importe quel endroit en dehors du camp si tu souffles dans la tige creuse. Ne lui dis rien… Laisse croire que tu vas épouser le chef et partager leur festin… dit la femme d'une voix faible.

Elle se retourna et ne parla plus. Au matin, elle était morte. Ce jour-là, Sagnah partit pour sa première promenade en dehors du wigwam. Après avoir marché un peu, elle mit le morceau de cuir sur la tête et s'aperçut bientôt que personne ne pouvait la voir. Alors elle se mêla aux Géants et ainsi, elle apprit que les prisonnières avaient été tuées et qu'on se préparait à en faire un festin pour célébrer le mariage du chef Patitachekao avec la fille des Montagnais.

Le lendemain, elle sortit de nouveau et, se rendant invisible, elle suivit le chef jusqu'à l'endroit où il se rendait pour conférer avec ses trois frères. Elle découvrit qu'ils avaient décidé de faire une autre attaque sur les villages aussitôt après les noces. Les frères étaient aussi féroces et cruels que Patitachekao ; cependant l'un d'entre eux dit :

— Que ferons-nous si le sorcier de la grande forêt a connaissance de nos festins ?
— Personne ne le lui dira, et il ne peut entrer dans le camp sans ce tomahawk magique que j'ai à ma ceinture !
— Qu'en feras-tu pendant la noce ?
— Je ne puis, pour le mariage, le garder sur moi, cela me porterait malheur, mais je vais le cacher sous la peau d'ours qui est dans mon wigwam, de bonne heure demain matin ; je le reprendrai après le festin et jamais le sorcier ne pourra l'avoir !
— C'est bien, dirent-ils, le mariage à midi et le festin ensuite !
Sagnah courut à son wigwam et eut tout juste le temps de redevenir visible, lorsque le chef parut :
— Ta réponse, Sagnah ? dit-il.
— Nous ne sommes qu'au deuxième jour, et tu m'as donné trois jours ! dit Sagnah.
— C'est vrai, répondit le Géant, mais je compte te trouver demain prête et consentante pour le festin de la noce !
Sagnah eut un frisson de terreur, mais sourit bravement et répondit :
— Je crois que tu m'entendras chanter un peu avant midi demain...
Et le Géant partit content.
Le lendemain, au petit jour, Sagnah se rendit invisible et partit vers le wigwam du chef pour voir ce qu'il faisait.
Il n'y était pas, alors elle entra, souleva la peau d'ours, trouva le tomahawk et le cacha sous sa tunique avec la tige creuse. Puis elle se sauva aussi vite que possible jusqu'en dehors du camp des Géants. Là elle redevint visible, le carré de cuir ne lui donnant le don d'invisibilité que dans les limites du camp.

Elle prit la tige creuse et souffla dedans... la tige rendit un son rauque et sifflant... Tout à coup, une ouverture apparut dans les branches... un bruissement de feuilles se fit entendre... et le bon sorcier parut !

Le bon sorcier parut !

Il paraissait vieux comme le monde ; ses cheveux et sa longue barbe étaient d'une blancheur de neige ; sa figure annonçait la force et la volonté ; ses yeux étaient profonds et perçants.

— Qui me réclame ? demanda-t-il.

Sagnah se présenta au bon sorcier et lui raconta sa terrible histoire et son enlèvement à la veille de son mariage ; elle lui décrivit les invasions répétées de Géants dans les domaines des Montagnais, les prisonniers enlevés pour être ensuite tués et mangés, et lui parla du mariage et du festin atroce qui devaient avoir lieu le jour même.

Le bon sorcier, courroucé mais triste, répondit :

— Les misérables ! Pour les punir, il faudrait que je puisse les prendre sur le fait et hélas ! je ne puis entrer dans leur camp !

— Tu le peux, dit Sagnah, avec cette arme magique ! Prends-la et, de grâce, agis au plus vite ! Dis-moi, vais-je être obligée d'épouser ce monstre ?

— Quand doit avoir lieu le festin ? demanda-t-il.

— La noce doit se faire à midi et le festin ensuite !

— Lorsque tu donneras ta réponse, tantôt, tu diras : « Le festin se fera, la noce suivra. » Il ne faut pas te laisser persuader autrement et, sois sans crainte, je te sauverai... et je punirai les coupables ! ajouta-t-il avec colère.

Sagnah s'enfuit vers le camp ; se rendant invisible, elle ne craignait pas d'être poursuivie. Elle atteignit son wigwam, se rendit de nouveau visible et se prépara pour la noce.

Lorsqu'elle fut prête, elle se mit près de l'entrée et, pensant à son lointain fiancé, elle se mit à chanter un beau refrain d'amour.

Patitachekao arriva avec ses trois frères, anxieux de connaître sa réponse :

— Sagnah, que dis-tu ce matin ?

— Le festin se fera, la noce suivra, dit Sagnah.

— Non, la noce se fera d'abord ! dit le chef.

— Pourquoi ne pas commencer par le festin ? dit Sagnah en souriant. Nous serions ensuite si joyeux et si bien disposés, et de bonne humeur pour la noce !

Ils consentirent tous les quatre et à midi on vint chercher Sagnah ; tout était prêt... Les Géants étaient assemblés en dehors, pour le festin. De grandes chaudières d'eau bouillante avaient été préparées pour recevoir les morceaux de jambes et de bras des malheureux prisonniers. Les futurs mariés furent placés aux sièges d'honneur et les trois frères étaient auprès d'eux.

De grandes chaudières d'eau bouillante avaient été préparées.

Lorsque l'horrible cuisson fut terminée et que l'on commença à servir les mets, Sagnah eut un frisson de peur : « Si le sorcier ne venait pas ?... Qu'arriverait-il ? »

Tout à coup, une clameur épouvantable retentit, la terre trembla et, au milieu de la stupeur générale, le sorcier apparut ! Dans chacune de ses mains il tenait une énorme masse de pierre. D'une voix semblable au roulement du tonnerre, il leur jeta ces terribles paroles :

— Misérables mangeurs de chair humaine ! Bien souvent je vous ai avertis ! Vous alliez encore faire un de vos horribles festins ! Écoutez-moi ! Mon pouvoir vous empêche de bouger, mais vous pouvez m'entendre... Jamais plus vous ne commettrez ce crime atroce ! Ma malédiction va vous atteindre et ce sera pour toujours ! Votre tribu va être anéantie, vos wigwams détruits, la terre même où vous avez vécu va disparaître !

Les Géants semblaient pétrifiés… tremblants de rage, ils étaient incapables de bouger et de crier.

— Sagnah, continua le sorcier, hâte-toi de fuir ce camp maudit ! Cours, fuis ! En dehors de ces limites de malheur, tu trouveras du secours !

Sagnah s'enfuit, sans oser se retourner, et, en peu de temps, elle parvint à sortir du camp. Là, à sa grande joie, elle trouva son fiancé avec une troupe de guerriers.

Il avait reçu, par un pic enchanté, un message du bon sorcier, après en avoir reçu un de Sagnah, de la même manière, quelque temps auparavant. La nuit suivante, une grande tempête se déchaîna et un terrible tremblement de terre ébranla cette partie du pays.

Dans les villages des Montagnais, aucun dommage ne fut causé par la tempête, mais une quarantaine de milles plus loin, de grands changements avaient eu lieu. Le sorcier avait poursuivi de sa malédiction la perfide et cruelle nation des Géants. Là où Patitachekao avait vécu se dressait un rocher géant, là où était le wigwam de ses trois frères se dressait un autre rocher géant, à triple sommet et, au pied de ces rochers gigantesques, roulaient les masses fougueuses d'une rivière en colère, dont les flots semblaient recouvrir un abîme sans fond…

La tribu des Géants, leurs wigwams, leurs villages n'existaient plus… tout avait disparu sous la malédiction du sorcier de la grande forêt.

Environ un an plus tard, Sagnah et son mari se rendirent un jour dans cette partie du pays pour voir les transformations qu'avait opérées le tremblement de terre. Ils remontèrent en canot la nouvelle rivière et, comme ils passaient près du premier gros rocher se dressant comme un colosse en sentinelle dans la rivière, l'Indien dit :

— Regarde, Sagnah !

Et le rocher répéta :

— Regarde, Sagnah !

— Le chef des Géants ! murmura Sagnah à mi-voix.

Puis, lorsqu'ils virent l'autre rocher avec le triple sommet, Sagnah dit :

— Les trois frères !

Et le rocher répéta :

— Les trois frères !...

Leur canot glissait rapidement sur les eaux sombres de la rivière inconnue, et ils revinrent en sûreté dans leur village.

— Il faudra appeler cette rivière « Sagnah », en souvenir de ta terrible aventure, dit le jeune chef.

Et le rocher répéta : « Les trois frères ! »

Ils vécurent heureux pendant bien des années. Leurs enfants apprirent l'histoire du rapt de leur mère par le chef d'une tribu maudite, et ils appelaient toujours la rivière qui provenaient de cette époque, la rivière « Sagnah », comme leur père le leur avait appris.

Plus tard, les colons français et les chasseurs appelaient cette rivière Sagnah ou Sagnay et, finalement, elle devint Saguenay, comme nous la nommons aujourd'hui. Mais, aucun de ces voyageurs ne savait que les deux énormes rochers, s'élevant à une hauteur de deux mille pieds au-dessus de la masse des eaux, étaient les chefs de la cruelle nation cannibale que le sorcier avait transformés en Géants de pierre.

Même de nos jours, ils demeurent immuables et gardent à jamais les flots sombres du Saguenay, mais nous leur avons donné d'autres noms : nous les appelons le « cap Éternité » et le « cap Trinité ».

Ti-Jean et le Cheval blanc

Adapté d'un conte populaire.

De peur de voir un vaste patrimoine oral tomber dans l'oubli, des ethnologues et des folkloristes se mirent dès 1911 à recueillir dans les campagnes et les villages du Québec, les contes et les chansons. Les plus connus furent Marius Barbeau, E. Z. Massicotte, Adélard Lambert, Luc Lacourcière, Germain Lemieux, Carmen Roy, Ernest Gagnon, Gustave Lanctôt. On retrouve une multitude de ces contes de la tradition orale recueillis par les spécialistes dans les classeurs du Musée national à Ottawa et aux archives de folklore de l'université Laval, à Québec. Beaucoup de contes de la tradition orale québécoise ont leurs racines dans les provinces de France ; les colons qui arrivèrent en Nouvelle-France au XVII*e siècle transmirent ces contes de génération en génération en leur faisant subir de nombreuses transformations. On retrouve aussi ces contes dans d'autres régions du pays, en Acadie et même en Louisiane, là où se sont déplacés les anciens.*

Cette histoire, qui met en scène le héros par excellence des contes du Canada français, Ti-Jean, a été recueillie en 1915 dans la Beauce par Marius Barbeau.

Ti-Jean (ou P'tit Jean ou Tit Jean) est le garçon pauvre, le débrouillard qui se mesure victorieusement avec la bête-à-sept-têtes, le bœuf à cornes d'or, avec un géant ou une sorcière. Dans d'autres cultures on le retrouve sous d'autres noms comme celui de Malice en Haïti ou de Boton le lièvre en Afrique. Et il va de soi que Ti-Jean finit toujours par épouser la princesse.

À partir de 6 ans

5 min

Château
Montagne

Cheval
Princesse
Ti-Jean

Il était une fois un jeune garçon qui s'était engagé chez un seigneur. Le seigneur lui trouvait mille qualités et appréciait son ardeur au travail. Il lui fit faire le tour de son domaine et lui fit visiter son château ; il lui indiqua une porte en disant :

— N'entre jamais dans cette chambre ou je te mettrai à mort.
Le garçon qui s'appelait Ti-Jean prit bonne note de cette recommandation.

Et voici qu'un jour, le seigneur était parti et Ti-Jean resta seul au château. Il se mit à se promener dans la demeure et il passa devant la porte que le seigneur lui avait défendu d'ouvrir. Curieux, il se demanda : « Qu'est-ce qu'il peut bien y avoir dans cette chambre ? »

Il finit par prendre la clef et il ouvrit la porte. La chambre était vide. Au milieu du plancher il y avait un bassin couvert d'une toile. Il souleva la toile et trempa son doigt dans le contenu. Il vit que son doigt était tout doré. C'était un bassin plein d'or.

Ti-Jean sortit et referma la porte à clef. Vite, il s'en fut à la cuisine et lava son doigt. Mais il eut beau recommencer dix fois il ne réussit pas à faire disparaître l'or. Alors, il enveloppa son doigt dans un linge.

Peu de temps après, le seigneur revint au logis et lui demanda :

— Qu'est-ce que tu as au doigt ?

— Je me suis blessé, répondit Ti-Jean.

— Montre-moi ta blessure.

— Non, non, ce n'est rien du tout.

Le seigneur arracha le linge enroulé comme un pansement.

— Ah ! ah ! dit le seigneur. Tu es entré dans la chambre et tu as trouvé le bassin d'or. Pour cette fois, je te garde en vie mais prends bien garde d'y retourner ou je te mettrai à mort.

Le seigneur partit encore en voyage. Ti-Jean s'ennuyait, alors il décida d'aller regarder le bassin d'or dans la chambre interdite. Il prit donc la clef et ouvrit la porte car il lui était venu une belle idée.

Ti-Jean trempa sa chevelure dans le bassin. Quand il sortit de la chambre interdite ses cheveux étaient tout dorés. Il se vit dans une glace et se trouva fort beau. Mais il pensa : « Ah ! qu'est-ce que mon maître va dire en me voyant ainsi ? »

Il mit un bonnet sur ses cheveux et, justement parce qu'il savait que le seigneur le tuerait dès son retour, il décida de partir.

Il se vit dans une glace et se trouva fort beau.

Il quitta le château et marcha longtemps. Puis, il finit par arriver chez le roi et là, il se fit engager pour soigner les chevaux. En entrant dans l'écurie il remarqua un petit cheval blanc. Il s'approcha de lui et entendit avec surprise le cheval lui dire :

— Aie bien soin de moi, Ti-Jean. Ne m'attelle pas et je te sauverai de bien des malheurs.

Quelques jours plus tard, le cheval blanc dit à Ti-Jean :
— Tous les sept ans, le roi est forcé de donner l'une de ses filles à la bête-à-sept-têtes. Le jour où cela arrivera, bride-moi, selle-moi et mets ton plus bel habit.
Le fameux jour arriva. Ti-Jean brida et sella le cheval blanc qui lui donna un sabre. Puis, il retira le bonnet qu'il portait, monta le cheval et ils partirent ensemble. En chemin ils rencontrèrent le roi qui avait triste mine. Ti-Jean lui demanda :
— Pourquoi êtes-vous si triste ?
— C'est un jour de grand malheur. Tu vois : j'ai conduit la princesse à la montagne où elle va se faire manger par la bête-à-sept-têtes.
Le petit cheval blanc partit et dépassa toutes les voitures de la suite du roi qui descendaient de la montagne. Il arriva là où on avait laissé la pauvre princesse. Quand elle le vit arriver elle cria :
— Beau prince aux cheveux dorés, allez-vous-en ! La bête va me dévorer mais il ne faudrait pas qu'elle vous prenne aussi.
Et la bête-à-sept-têtes se fit entendre. Elle sortit de sa grotte et aussitôt, Ti-Jean brandit son sabre et s'avança. Ti-Jean coupa six de ses sept têtes. Il ne lui en restait plus qu'une.
— Quartier*, fit la bête.
Ti-Jean s'arrêta, prit la princesse en croupe sur le petit cheval blanc et descendit la montagne.
Et tout à coup, ils entendirent la bête qui revenait vers eux. Cette fois, Ti-Jean eut beaucoup de mal à se défendre contre ses attaques.
— Attends, mon beau ! On n'a pas besoin de sept têtes pour dévorer une princesse ! Une seule me suffit ! cria la bête.

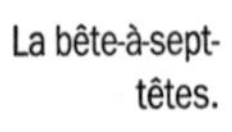

La bête-à-sept-têtes.

Mais Ti-Jean se battit si vaillamment qu'il finit par couper la dernière tête de la bête monstrueuse qui mourut à ses pieds. Ti-Jean descendit de cheval et avec son sabre il coupa les sept langues de la bête et les enveloppa dans son mouchoir.
Ti-Jean abandonna la princesse à son sort et s'en alla. Heureusement, un charbonnier qui passait par-là trouva la princesse et la conduisit chez son père. Rendue là, la princesse était si contente d'avoir été délivrée de la méchante bête et d'avoir retrouvé sa famille qu'elle dit à son père que c'était le charbonnier qui l'avait sauvée.
Le charbonnier, étonné de sa bonne fortune, demanda au roi la main de sa fille. Le roi la lui accorda, croyant que c'était bien lui qui avait délivré la belle.
Alors, le lendemain, on fit une grande fête pour célébrer le retour de la princesse. Après le repas, on se mit à conter des histoires. Quand arriva le tour de Ti-Jean, il raconta comment il avait tué la bête-à-sept-têtes sur la montagne.
Personne ne voulait le croire. Mais Ti-Jean dit :
— Allez donc là-bas, voir si les sept têtes ont leurs sept langues !
Le roi envoya ses messagers à la montagne. Ils revinrent et dirent au roi que les sept têtes n'avaient pas de langues. Elles avaient été coupées.
C'est alors que Ti-Jean sortit son mouchoir et montra à tous les sept langues qu'il avait coupées. Le roi demanda à la princesse :
— Tout cela est-il vrai ?
La princesse reprit ses esprits et dit à son père :
— C'est bien lui, Ti-Jean aux cheveux d'or, qui m'a délivrée.
Ainsi Ti-Jean épousa la princesse et le charbonnier fut brûlé dans un grand feu d'artifice.

Ti-Jean, le violoneux

Adapté d'un conte populaire.
Nous retrouvons ici Ti-Jean (voir l'introduction de Ti-Jean et le Cheval blanc*), le héros par excellence des contes du Canada français. Les péripéties de ces contes sont identiques à celles de contes populaires très anciens en provenance d'Europe.*
De génération en génération, les conteurs ont actualisé ces récits même s'ils ont pour décor un lieu imaginaire. Il est amusant de retrouver ici la soupe aux pois qui est l'un des mets traditionnels des paysans québécois.

À partir de 5 ans

7 min

Palais
Prison

Frères
Princesse
Roi
Ti-Jean

Un roi avait une fille. Elle était d'une grande beauté et ne manquait pas d'intelligence. Le roi était enchanté de sa fille et il voulait lui trouver un mari à sa mesure. Il fit publier un édit annonçant que celui qui pourrait faire un discours qui mettrait sa fille dans l'embarras, de sorte qu'elle ne trouve pas de réponse, aurait sa fille en mariage. De partout, des seigneurs se rendirent chez le roi pour converser avec la princesse. Ceux qui ne réussissaient pas à l'embêter étaient mis en prison pour un an et un jour.

Un seigneur du voisinage avait trois fils. Les deux plus âgés étaient brillants et instruits. Le plus jeune, Ti-Jean, qui manquait de finesse, agissait comme serviteur des deux autres. Les deux plus vieux dirent :

— Allons chez le roi parler à la princesse.

— Faites attention à ce que vous allez dire, leur dit leur père. Rappelez-vous que la prison du roi est pleine !

— N'importe, allons-y ! dirent les fils.

Lorsqu'ils furent partis, leur frère les suivit en cachette. Il savait qu'il fallait trois jours pour se rendre chez le roi. Seule la curiosité motivait son déplacement. Il voulait savoir ce que ses frères allaient faire une fois à destination.

Le premier soir, après la journée de voyage, les deux frères aînés entrèrent dans une maison pour demander l'hospitalité. Ti-Jean entra dans une maison voisine pour ne pas se trouver avec ses frères. Car eux avaient de quoi payer leur logis tandis que lui n'en avait pas. Il s'en fut trouver les domestiques.

— Je n'ai pas de quoi payer votre hospitalité, dit-il, mais je peux travailler pour vous.

Les domestiques, qui avaient beaucoup de travail à faire,

furent d'accord. Ti-Jean se mit à travailler vif comme le vent. Les domestiques enchantés de son ardeur à la tâche voulurent le garder toujours avec eux. Mais il refusa. Le lendemain matin, il partit pour suivre ses frères qui étaient déjà en route. Les serviteurs, qui l'appréciaient beaucoup, lui dirent :

— Tiens ! Voilà une petite serviette ; mets-la dans ta poche. Quand tu auras faim tu n'auras qu'à désirer n'importe quoi et tu l'auras tout de suite.

Ti-Jean les remercia et s'en alla. Il marcha encore une journée entière en suivant ses frères. Le soir, il s'arrêta encore à la maison voisine de celle où s'étaient arrêtés ses frères. Il alla trouver les domestiques. Il leur expliqua qu'il n'avait pas d'argent mais qu'il pouvait travailler pour les aider. Les domestiques furent bien contents car il travaillait vite et bien. Le lendemain matin, au moment de les quitter, l'un d'eux lui dit :

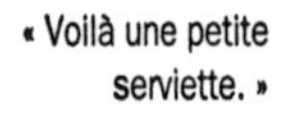

« Voilà une petite serviette. »

— Tiens ! Voilà une petite bouteille. Quand tu auras soif, tu n'auras qu'à souhaiter de l'eau ou du vin et tu l'auras.

Ti-Jean était ravi. Il les remercia en s'écriant :

— Avec ça, je m'arrangerai bien !

Puis, il partit. Ses frères étaient toujours devant lui. C'était la dernière journée de marche avant d'arriver chez le roi. Le soir venu, il fit comme il avait déjà fait : il alla voir les domestiques et leur proposa de le garder à coucher en échange de travaux de jardinage. Il travailla vite et bien et le jardinier-chef fut très content de lui. Le lendemain, il lui donna un petit violon en disant :

— Tu vas aller en prison comme les autres. Tu joueras de ce violon. Tu amuseras les autres à les faire danser et chanter.

Ti-Jean le remercia et suivit ses frères qui s'en allaient rencontrer la princesse. Elle les attendait sur le perron du palais.

Ti-Jean se cacha pour écouter les paroles qu'ils échangeaient. Ses deux frères firent des discours pour tenter d'embêter la princesse mais elle était si vive et futée qu'elle trouvait toujours une réponse ou une réplique à leurs dires. On les mit en prison, séance tenante, avec tous les autres éconduits. Ti-Jean s'approcha à son tour mais au lieu de parler à la princesse, il la menaça du poing. Et il lui lança une série d'injures lui reprochant d'avoir fait emprisonner ses deux frères. La princesse fut tellement surprise de ce comportement qu'elle resta bouche bée. Ti-Jean l'avait véritablement embêtée. Et elle n'avait plus de voix pour répliquer quoi que ce soit. On avertit le roi de ce qui s'était passé.

Il menaça la princesse.

— Tu vas épouser ce garçon puisqu'il t'a embêtée, déclara le roi en se rendant auprès d'elle.

Mais Ti-Jean refusa et demanda plutôt d'aller en prison. Le roi, plein de dépit, accéda à sa demande malgré sa mauvaise humeur.

Quand Ti-Jean arriva dans la prison, il vit bien que tous les prisonniers étaient en larmes. Il les questionna.

— Nous n'avons pas mangé depuis trois jours, dirent les prisonniers.

— Avez-vous faim ? demanda Ti-Jean.

— Quelle question ! Bien sûr que nous avons faim !

Ti-Jean sortit sa serviette de sa poche, l'ouvrit et dit :

— Demandez ce que vous voulez manger.

Le premier prisonnier dit :

— Un poulet rôti et du gâteau.

Le poulet et le gâteau apparurent par magie. Ti-Jean réussit à calmer la faim de tous les prisonniers. Puis, il décida de les faire boire. Il saisit sa petite bouteille et dit :

— J'aimerais du bon vin.

Le vin coula à flots et les prisonniers en burent tant et tant qu'à la fin ils étaient soûls. Ils riaient et ils étaient très gais. Alors, Ti-Jean décida de les faire danser.

Il sortit son violon et se mit à jouer. Les prisonniers se mirent à danser et à chanter bruyamment. Le roi entendit le bruit et les chants.

Il appela ses servantes et leur demanda :

— Qu'avez-vous donné à manger aux prisonniers aujourd'hui ?

— De la soupe aux pois mais ils n'en ont pas voulu.

— Allez leur porter encore à manger ; ils font tant de bruit que je pense qu'ils deviennent fous ! s'écria le roi.

Les servantes allèrent au cachot porter de la soupe aux pois dans de grands chaudrons ; mais dès qu'elles entendirent la musique du violon elles lâchèrent leur fardeau et se mirent à danser. Le roi voyant la soupe renversée se fâcha et courut après les servantes. Mais dès qu'il arriva tout près, il se mit à danser lui aussi. Tous ensemble dansaient, dansaient en compagnie des prisonniers qui, comme les autres, ne semblaient pas pouvoir s'arrêter de danser.

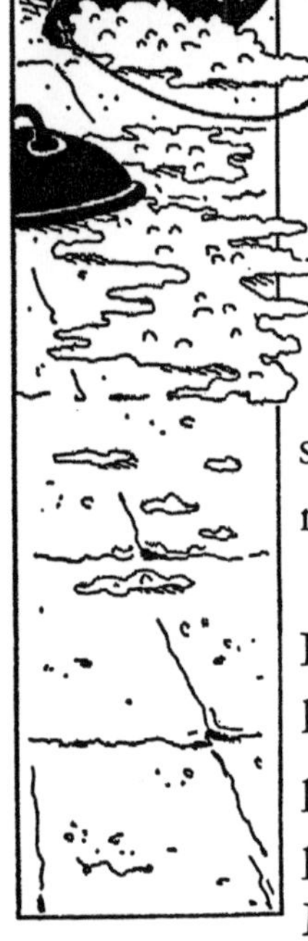

Le chaudron de soupe aux pois se renversa.

La reine s'aperçut de ce qui se passait. Le bruit et les chants lui cassaient les oreilles. Elle décida d'aller trouver ses gens pour leur dire de se taire car tout le village était réuni à la porte de la prison pour écouter les gens danser et chanter. Mais lorsqu'elle fut à deux pas de son mari et de ses servantes, elle ne put s'empêcher de se mettre à danser à son tour.

Et tout à coup le roi se rendit compte que c'était Ti-Jean qui jouait du violon et qui les entraînait tous dans la danse. Il s'écria :

— Ti-Jean ! Arrête donc de jouer de ton violon et je te donnerai la princesse et la moitié de mon royaume.
— Ce n'est pas assez, répondit Ti-Jean tout en continuant de jouer. Videz la prison. Renvoyez tous ces gens chez eux, sinon je continue de jouer...
Le roi donna l'ordre d'ouvrir les portes de la prison et il renvoya tout le monde. Quand tout le monde fut parti, Ti-Jean arrêta de jouer. Deux jours plus tard il épousa la princesse et, ensemble, ils eurent une belle et longue vie.

L'Oiseau vair

Adapté d'un conte populaire.

Pour sauver une princesse prisonnière d'un oiseau ravisseur de jeunes filles, il faut beaucoup d'astuce. En réunissant leur habileté quatre frères finiront par avoir gain de cause. Ce conte met en évidence l'ingéniosité dont doivent faire preuve les jeunes gens et il a connu plusieurs variantes dans les campagnes du Québec où l'on a toujours admiré non seulement l'adresse et la bravoure mais, dans certains cas, une ruse sans pareille qui s'approche de la filouterie.

À partir de
6 ans

8 min

Cachot
Navire

Frères
Oiseau
Princesse
Roi

Il était une fois un roi qui était bien malheureux. On le voyait toujours tout seul errant comme une âme en peine. Quand sa femme vint à mourir, il était déjà miné par le chagrin si bien qu'il ne lui restait plus une larme pour la pleurer.

Les gens savaient bien pourquoi le roi était si triste ; il n'arrivait pas à se consoler de la disparition de sa fille chérie. On savait que, même s'il ne prononçait jamais son nom, il ne pouvait l'oublier. Voici comment la fille du roi avait disparu, dans des circonstances plus que mystérieuses.

La princesse avait été demandée en mariage plusieurs fois mais elle avait refusé tous les prétendants. Et un bon jour, elle avait disparu.

Le roi se torturait les méninges. L'un des prétendants l'avait-il enlevée ? Où était-elle ? En prison quelque part ? Et si elle avait été complice de cette disparition ? Le roi se posait beaucoup de questions qui restaient sans réponse.

Un jour, il fit la rencontre d'un vieil homme qui, pour son âge, paraissait alerte et gaillard. Il lui demanda :

— Qu'est-ce qui vous met en train et de si bonne humeur ?

— Je viens d'apprendre le retour de mes quatre garçons, dit le vieux.

— Qui sont donc vos quatre garçons ? demanda le roi.

— Sire, vous les connaissez sûrement ! fit le vieil homme. Le plus vieux, c'est Fin Devineur. Le deuxième, Fin Voleur. Le troisième Fin Tireur et le plus jeune, Fin Ramancheur*.

Le roi, qui avait consulté tous les tireurs d'horoscopes et les sorciers du pays, se dit, en entendant ce nom de Fin Devineur, qu'il avait intérêt à le consulter s'il voulait retrouver sa fille.

— J'aimerais bien voir vos quatre garçons, dit-il au vieux. Emmenez-les donc au palais.

À l'heure dite, le roi fit préparer pour eux un grand festin et il envoya à leur rencontre son carrosse et son équipage. Les quatre garçons et leur père furent reçus en grande cérémonie. Après les avoir régalés à sa table, le roi les fit passer dans ses appartements et leur déclara :

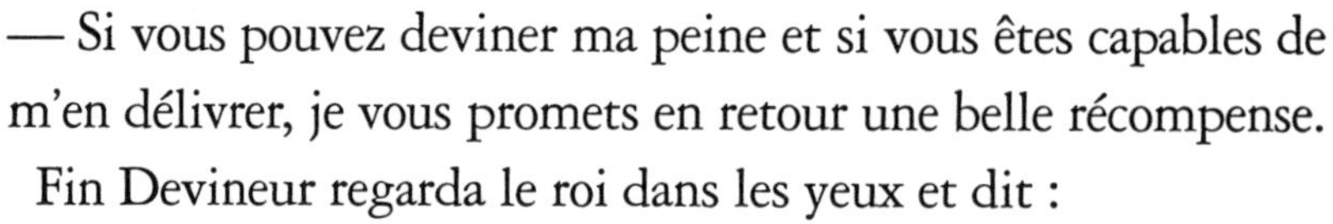

— Si vous pouvez deviner ma peine et si vous êtes capables de m'en délivrer, je vous promets en retour une belle récompense.

Fin Devineur regarda le roi dans les yeux et dit :

— Sire, vous pleurez votre fille que vous avez perdue. Je sais où elle est, votre fille, et je vais vous le dire tout de suite. Il y a dans le monde un homme qui était bien méchant et que sa marraine-fée a chassé de son pays. Elle l'a transformé pour le punir en oiseau vair et il vit dans une forteresse construite à même le roc dominant la mer.

Elle est dans une forteresse au-dessus des flots.

Pour se venger de son mauvais sort, poursuivit Fin Devineur, l'oiseau vair s'en prend aux jeunes filles. Je sais qu'un soir, il est venu rôder aux alentours de votre domaine. Et il a vu votre fille qui se promenait dans le jardin. Il l'a trouvée si belle qu'en un éclair il a foncé sur elle et qu'il l'a prise dans ses serres. Il l'a emportée vers une destination que personne ne connaît sauf Fin Devineur.

Et en disant ces paroles il pointa du doigt son front, il enfla la voix et dit :

— Le repaire de l'oiseau vair est à des milliers de lieues d'ici. La princesse est emmuraillée dans un cachot de sorte qu'elle ne peut se sauver.

Le roi, en entendant ces mots, fut bouleversé. Il était au désespoir de savoir que sa fille était enfermée sous pareille garde. Il décida donc sur-le-champ de la donner en mariage à celui des quatre qui la lui ramènerait vivante.

— Je vous équiperai d'un navire que je ferai charger de provisions pour toute la durée du voyage, promit-il.

— Le voyage pourrait durer des années, répliqua Fin Devineur, car le repaire de l'oiseau vair est très loin.

Mais le roi tint sa promesse et les quatre garçons s'embarquèrent sur le navire équipé, à la recherche de la fille du roi.

Après des semaines et des mois de navigation, après des tempêtes où ils faillirent périr, ils aperçurent enfin un rocher très haut qui dominait la mer. La nuit venue, grâce à la lueur de la lune, ils longèrent des falaises et s'arrêtèrent en face de la tour. Une lumière brillait là-haut à la lucarne grillagée de fer.

— C'est bien là le cachot de l'oiseau vair. Nous voilà rendus, se dirent-ils.

Fin Voleur, qui avait l'habitude de rôder la nuit, grimpa au mât. Il y grimpa jusqu'au bout et aperçut le visage d'une jeune fille appuyée à la vitre du cachot. Il redescendit vivement et trouva une lime et une échelle de corde. Puis, il déroula l'échelle qu'il fixa au bateau et il remonta jusqu'à la tour. Mais la princesse avait éteint sa lampe. Depuis qu'elle était enfermée chez l'oiseau vair, c'était la première fois qu'elle voyait de près un homme vivant. Elle se cacha du mieux qu'elle put car sa frayeur était immense. Quel malheur allait encore lui arriver ? Fin Voleur se mit à limer les barreaux du cachot. Il dégagea une ouverture en silence et la princesse finit par oser le regarder. Elle lui trouva un air honnête et obligeant. Mais ce n'était pas un temps pour les galanteries.

Fin Voleur lui expliqua vite le but de sa présence et pria la jeune fille tremblante de le laisser faire comme il l'entendait. Là-dessus, il sauta dans la pièce sombre, lui jeta un manteau sur les épaules et la pria de se pendre à son cou. Ainsi chargé, il descendit dans l'échelle de corde. La princesse osait à peine souffler, de peur de faire manquer le pas à son sauveur et de dégringoler dans la mer. Tous les deux finirent par gagner le navire où les attendaient les trois autres frères.

La princesse, malgré sa joie, redoutait l'oiseau vair. Elle s'empressa de dire aux quatre frères :

— L'oiseau vair ne dort pas plus de deux heures. S'il se réveille et s'aperçoit que je viens de déserter, il va me reprendre. Alors, dépêchez-vous de partir d'ici.

— N'ayez pas peur, dit Fin Voleur, il ne vous rattrapera pas !

Rassurée, la princesse leur confia :

— Aussitôt que l'oiseau vair sera en vue, vous le viserez sous l'aile gauche. Il a là une petite tache blanche.

À son tour, Fin Devineur multiplia les commandements :

— Toi, Fin Ramancheur*, tiens-toi prêt. Tandis que Fin Tireur se préparera à tirer, toi, si quelque chose se casse ou se brise, tu le répareras.

— L'oiseau vair, en effet, est capable de tous les dégâts, prédit la jeune fille.

Et tout se passa comme prévu. Le bruit du navire en partance réveilla l'oiseau vair qui, constatant la disparition de sa belle captive, entra dans une colère terrible. Il s'élança à leur poursuite.

Une tempête se déclencha qui amena un vent violent et des coups de tonnerre effrayants. La fille du roi tremblait d'effroi tandis que le ciel était zébré d'éclairs. Fin Tireur se préparait à tirer l'oiseau vair malgré la houle et, heureusement, un éclair lui permit de repérer, sous l'aile gauche de l'oiseau, la fameuse tache dont la fille avait parlé. Fin Tireur visa et tira. Aussitôt l'oiseau vair poussa un cri effrayant et tomba. Mais avant d'atteindre la mer, son corps vint frapper l'avant du bâtiment et cassa le mât en deux. Le navire se mit à pencher et tout semblait perdu. Fin Ramancheur*, qui attendait le moment de se rendre utile, répara les dégâts en un tour de main. Le navire portant la princesse et ses sauveteurs reprit la mer pour retourner au pays.

L'oiseau vair.

Le pays les accueillit avec joie. On célébra leur retour et l'on invita les quatre frères à raconter leur chasse à l'oiseau vair. Le roi était si content de revoir sa fille qu'il ordonna une grande fête.
Puis, il commença à penser à sa promesse. Il avait beau tourner et retourner dans sa tête les faits et les exploits de chacun des frères, il n'arrivait pas à fixer son choix sur l'un des quatre. Lequel aurait sa fille en mariage ?
Il se dit : « Sans Fin Voleur, la clairvoyance de Fin Devineur n'aurait servi à rien. Sans Fin Tireur, l'oiseau vair aurait repris ma fille et regagné la tour où il l'aurait enfermée encore une fois. Et que dire à cette heure de Fin Ramancheur* qui les a sauvés d'un naufrage certain en réparant le vaisseau à temps ? »
À la fin, le roi décida de s'en remettre au jugement de sa fille puisque, après tout, c'était bien elle qui était la première intéressée dans l'affaire et c'était son bonheur à elle qui était en jeu.
Questionnée par son père, la fille du roi se répandit en compliments sur la vaillance de celui qu'elle avait aperçu en premier et qui, pour la sortir du cachot, avait grimpé jusqu'à elle sur une échelle de corde.
— Quand Fin Voleur est apparu au clair de lune, je l'ai trouvé tout de suite si grand et si beau ! s'écria-t-elle.
Alors le roi accorda à Fin Voleur la main de sa fille. Quant aux trois autres, Fin Devineur, Fin Tireur et Fin Ramancheur*, qui avaient été aussi braves à leur manière, ils reçurent du roi un château et beaucoup d'argent.

Le Cadeau de la sirène

Texte de Jacques Pasquet, extrait de L'esprit de la lune, *128 pages, © éditions Québec/Amérique Jeunesse, collection Clip, Boucherville, 1992.*
Au Nunavik, la terre où l'on s'installe, vit le peuple inuit. Depuis toujours, les Inuits se racontent des histoires pour expliquer le monde dans lequel ils vivent. Ils racontent non seulement avec des mots mais aussi en sculptant dans la pierre. Ce récit a été raconté et sculpté par Taivitialuk Alaasuaq, un habitant de Povungnituk.

À partir de 4 ans

2 min

Plage

Homme Sirène

Un homme marchait sur la plage pour y ramasser du bois. Apercevant un objet d'allure massive, il pensa avoir trouvé un tronc d'arbre échoué. Peut-être même une épave de bateau !

Certain de faire une bonne trouvaille, il pressa le pas. Mais plus il s'en approchait, plus il était troublé. À deux reprises, il lui sembla que la chose avait bougé. Il poursuivit quand même tout en restant sur ses gardes.
Quand il découvrit la forme allongée sur le sable, l'homme se figea de stupeur. Il se trouvait en présence d'un être mi-humain mi-poisson. Partagé entre la curiosité et la peur, il songea à aller avertir les gens du village.
Il s'apprêtait à faire demi-tour lorsque l'étrange créature s'adressa à lui. Incapable, disait-elle, de retourner dans l'eau, elle avait besoin de son aide. Sinon elle allait mourir là.
L'homme hésita. Et si c'était un piège pour s'emparer de lui facilement ? Finalement, il oublia sa crainte et décida de venir en aide à la créature. Elle ne semblait pas méchante.
Il eut à peine le temps d'avancer vers elle de quelques pas qu'elle le mit en garde :
— Surtout ne me touche pas !
— Mais comment pourrais-je te remettre à l'eau sans te toucher ?
La créature lui expliqua alors qu'elle était une sirène :
— Tout humain qui touche une sirène se voit condamné à la suivre jusqu'au fond des mers !
Peu rassuré par de tels propos, l'homme se mit tout de même en quête d'un solide morceau de bois. Remettre la sirène à l'eau ne fut pas une mince tâche. Plusieurs fois les pièces de bois se brisèrent sous son poids.
Ce n'est qu'à force de patience et d'habileté que l'homme y parvint. Une fois dans l'eau, la sirène s'adressa de nouveau à lui :
— Pour te remercier de ton geste, je vais te faire un cadeau. Demande-moi ce que tu aimerais avoir et je te le donnerai. J'en ai le pouvoir.

L'homme trouva la proposition étonnante. À vrai dire, il n'y croyait guère. Il avoua cependant à la sirène qu'un fusil, une machine à coudre et un tourne-disque pareils à ceux du magasin de l'homme blanc feraient bien son bonheur. Depuis le temps qu'il en rêvait !

— Reviens demain, ici même, au lever du jour, lui lança-t-elle avant de disparaître vers le large.

Le lendemain, à l'heure dite, l'homme retourna à l'endroit où il avait découvert la sirène. Elle n'était plus là, mais sur la plage se trouvaient un fusil, une machine à coudre et un tourne-disque.

Son précieux trésor dans les bras, l'homme rentra fièrement au village raconter aux siens son étonnante aventure.

Ce jour-là, les gens comprirent pourquoi l'homme blanc possédait tant de choses dans son magasin. Il avait sûrement rencontré beaucoup de sirènes !

Quant à moi le conteur, je vous le dis, c'est ainsi que ça s'est passé à cette époque où les sirènes possédaient beaucoup. Et si on ne les voit plus de nos jours, c'est qu'elles ont tout donné et n'ont plus rien !

Du coq à l'âne

Quand les oies vont en voyage

Texte de Cécile Gagnon.

Deux fois par année, les grandes oies blanches traversent bruyamment le ciel du Québec en formant de grands V. Elles sont en migration. En cours de route, elles s'abattent souvent dans un champ pour se reposer. Mais leur halte préférée est la grève au pied du cap Tourmente près de Québec où, en mars et en novembre, elles séjournent par centaines de milliers. Mais les jeunes oies arrivent-elles toujours toutes à destination ?

À partir de 4 ans

3 min

Ciel
Maison

Fillette
Oies sauvages

En mars, toutes les familles d'oies sauvages se préparent pour la grande migration. Les grandes et les petites oies attendent avec impatience le jour où Kapi, l'oie de tête, donnera le signal du départ. Elles s'impatientent :

— Sais-tu quand on part ?
— Est-ce pour demain ?
— As-tu fait tes exercices ?
Tika, petite oie de six mois à peine, écoute les vieilles oies raconter leurs voyages. Elle n'en peut plus d'attendre.
— Quand est-ce qu'on part ? demande-t-elle à tout instant.
Ah ! Comme elle a hâte de survoler les montagnes, les cités, les forêts dont elle ne sait rien !
Enfin, le grand jour arrive. Kapi fait savoir à toutes qu'il est temps de prendre la route du nord. La colonie se rassemble puis s'élève dans le ciel. Au début, on dirait une cour d'école à l'heure de la récréation : les oies volent dans toutes les directions. Puis, chacune prend sa place et le long voyage commence.
Tika est si contente qu'elle bat des ailes plus qu'il ne faut et lance de grands cris dans l'air froid du matin. Mais, au bout de quelques heures, elle commence à sentir la fatigue.
— Est-ce qu'on s'arrête ? demande-t-elle.
— Pas maintenant, répondent ses voisines. Plus tard, après la traversée des montagnes.
Tika se sent lourde, lourde ; ses ailes lui font mal. Pour éviter de penser à sa fatigue, elle regarde en bas. Elle voit des rochers, de la neige. Une tache rouge attire son attention. Qu'est-ce que c'est ? Une maison ?
Le point rouge l'attire. Sans s'en rendre compte, Tika quitte ses compagnes et se laisse descendre. Elle se pose doucement sur le sol tout près d'une maison de montagne coiffée d'un toit rouge. Soudain, une petite fille aux joues roses est là qui la regarde. La petite fille prend Tika dans ses bras et la porte dans la maison.
Tika se laisse faire : elle est tellement fatiguée !

— Papa ! Regarde qui est tombé du ciel ! dit la petite fille d'une voix joyeuse.

Toute la journée, Tika se fait dorloter auprès du feu qui ronronne dans la cheminée. Les mains douces de la petite fille la caressent, sa voix lui chante des berceuses. Tika s'endort.

Puis, à l'heure où le soleil se glisse derrière les montagnes, des cris lointains se détachent dans le silence. Ce sont encore des oies qui passent. Tika s'agite, ouvre ses ailes. On est bien dans une maison, mais...

Une immense volée d'oiseaux blancs dessinaient un grand V dans le ciel.

La petite fille a compris. Elle détache le ruban rouge qui retient ses cheveux et l'attache solidement au cou de Tika, sans serrer. Puis, elle ouvre la fenêtre et murmure : « Adieu ! »

Tika a repris ses forces : elle s'élance dans le ciel pour rejoindre sa grande famille. Elle emporte avec elle le souvenir d'une maison, de la chaleur du feu et de la douceur des mains qui caressent.

Depuis ce jour, les années ont passé. Là-bas sur la colline, quand mars revient, une grande fille blonde se tient à la fenêtre de la petite maison au toit rouge. Elle surveille le retour des oies sauvages.

Voilà qu'un matin, au-dessus des montagnes passe une immense volée d'oiseaux blancs qui dessinent un grand V dans le ciel sombre. La grande fille sourit en entendant leurs cris rauques. Elle reconnaît Tika, la meneuse, car elle porte à son cou un vieux ruban rouge qui s'agite dans le vent. Un vieux ruban tout fripé et fané.

Gustave refuse d'hiberner

Texte de Cécile Gagnon.
On sait que les ours s'en vont hiberner dès qu'arrivent les froidures de l'hiver. Mais certains n'ont-ils pas envie, comme les enfants, d'attendre un peu pour jouer dans la neige ?

À partir de 3 ans

2 min

Forêt

Ours

Gustave ne connaît pas l'hiver. Et pour cause ! Gustave est un ours. Tout le monde sait qu'à l'automne les ours s'en vont dans une grotte pour passer l'hiver à dormir. Ils hibernent et ne se réveillent qu'au printemps.
Gustave a pris une grave décision.

— Je ne vais pas hiberner, cet hiver, déclare-t-il à son père étonné. Je n'ai pas sommeil !
— Bon ! Fais à ta guise, répond papa ours.
Toute la famille ours s'en va au premier gel. Gustave passe la nuit tout seul au pied du gros sapin. Le premier matin, il s'éveille tôt.
— Il faut casser la glace pour boire au ruisseau ; mais, à part ça, tout est comme avant ! dit Gustave.
Le deuxième matin, Gustave n'en croit pas ses yeux. Tout est recouvert de blanc. Comme c'est beau !
Gustave tâte, palpe, goûte la neige. Avec ses amis, les renards et les lièvres, il s'amuse comme un fou. Ensemble ils jouent à faire des traces de pas dans la neige.
Mais Gustave a froid aux pattes malgré son bon manteau de fourrure. Alors, pour se réchauffer, il participe sur l'étang gelé à une formidable partie de hockey.
Comme gardien de but, Gustave est imbattable. Les Rapidos sont ravis de le compter dans leurs rangs.
Gustave passe un hiver épatant. Il apprend à faire des glissades et il devient vite le champion des batailles de boules de neige.
« Quelle idée d'aller dormir ! pense Gustave. Je ne m'enfermerai plus jamais dans une grotte. L'hiver, c'est bien trop amusant ! »

Procès d'une chenille

Texte de Félix Leclerc, extrait du recueil Adagio, *© éditions FIDES, Saint-Laurent.*

Félix Leclerc est un troubadour et un poète qui a marqué toute la francophonie contemporaine. Non seulement il a composé et chanté des chansons qui lui ont valu le grand prix de l'académie Charles-Cros à trois reprises, mais il nous a enchantés avec des contes poétiques comme celui-ci. Félix Leclerc nous a quittés en 1988.

À partir de 5 ans

7 min

Navire
Ruisseau

Chenille
Insectes

Il y a de ceci bien longtemps. Plus de mille ans. On devait être en juin. En plein champ, à trois lieues de la plus proche maison, au pays des insectes et des fleurs. Un après-midi. Il faisait soleil tout le long du ruisseau, car un ruisseau passait par là. Sur les deux rives, des criquets cachés dans le trèfle s'injuriaient à pleine tête, comme des gamins qui se disent des noms.

Pas de travaillants autour, avec leurs chevaux et leurs pelles. Personne. La terre inventait la moisson, toute seule, dans la paix, comme elle fait toujours en juin. Sur l'eau tiède du ruisseau, deux patineuses se promenaient d'avant et à reculons ; leurs ailes faisaient comme des coiffes blanches au soleil. On aurait dit deux religieuses qui marchaient dans la cour du couvent. Il devait être quatre heures de l'après-midi, l'heure des visites ou de la récréation.

Les deux patineuses, au milieu du ruisseau, loin des oreilles tendues pour tout savoir, bavardaient chacune leur tour, penchant la tête de côté, sans tourner le visage, comme font les sœurs.

La plus vieille disait à sa compagne :

— Tu sais ce que j'ai appris en passant chez les bleuets* tout à l'heure ?

— Non, fit la plus jeune.

— Eh bien, c'est demain que le procès commence.

— Le procès de la chenille ? Alors, on y va. Qui te l'a dit ?

— Un hanneton. Je filais par ici tout à l'heure, reprit l'aînée, et un hanneton m'a crié en passant : « Demain matin, après la rosée, le procès commencera. Soyez-y. Rendez-vous au kiosque, cinquième piquet, où se donnent habituellement les concerts d'été. Dites-le à votre famille, tout le canton y sera. »

En effet, le matin même, on avait surpris, sur les petites heures, une chenille verte, soûle de miel, dans la corolle d'un lis blanc.

Une araignée, qui tissait juste au-dessous, l'avait aperçue et avait donné l'alerte. Aussitôt, deux abeilles policières, guidées par les petits fanaux des mouches-à-feu, étaient accourues pour arrêter la voleuse de miel.

Pauvre voleuse ! On l'avait roulée au cachot, dans une galerie souterraine, chez les fourmis, entre deux haies d'insectes qui hurlaient leur colère au passage.

L'araignée était si indignée du scandale, paraît-il, qu'elle offrit gratuitement son fil pour lier la coupable. Elle la lia si bien que la chenille avait disparu sous les câbles, recouverte comme une momie.

Un gros barbeau, le juge de la place, avait fixé le procès au lendemain, après la rosée, dans le kiosque d'un piquet. Plusieurs places étaient déjà retenues. Tout le monde en parlait.

Tout à l'heure, les criquets ne s'injuriaient pas, ils discutaient la chose, comme des commères, chacune de leur fenêtre.

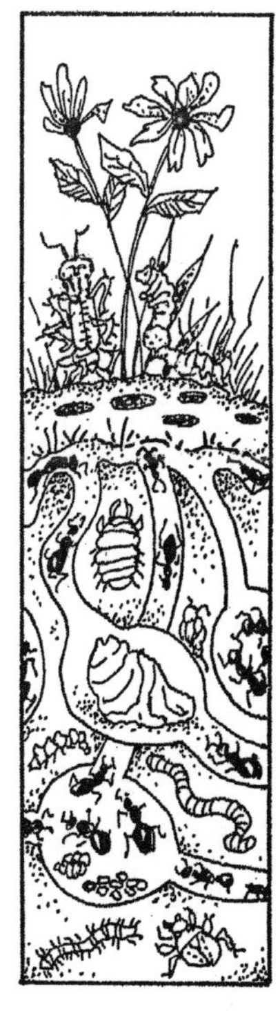

On l'avait roulée au cachot, chez les fourmis !

À bonne heure le lendemain, tout un peuple d'insectes attendait sur le terrain ; des criquets du voisinage avec des petits manteaux noirs, luisants comme de l'écaille ; des faux-bourdons en vestes jaunes ; plusieurs araignées assises sur leur ventre et qui roulaient nerveusement leur peloton de fil ; plus en arrière, des fourmis qui élevaient des petits murs de sable, où elles grimperaient tout à l'heure pour mieux voir ; et des cigales qui plaçaient tous ces gens en faisant beaucoup de bruit avec leur sifflet.

Enfin, le barbeau-juge entra, solennel. La salle se leva en silence. Suivi de plusieurs barbeaux plus jeunes, le juge s'ins talla sur une feuille d'érable qu'on avait étendue au milieu. La cour était ouverte. Les deux abeilles policières, sur un signal, amenèrent l'inculpée sur leurs épaules et brutalement la culbutèrent sur le tapis. Elle roulait inerte, sans se plaindre.

Il y eut un frisson dans l'auditoire. On dut sortir deux jeunes éphémères qui avaient perdu connaissance.

Alors, l'avocat des fleurs, une guêpe savante, débita avec chaleur l'acte d'accusation, toute la marche du drame : comment la chenille s'était faufilée dans le lis, son entrée avec effraction dans la chambre à miel, sa soûlade et la souffrance, l'agonie, puis la mort du beau lis blanc.

Voilà qui était bien dit. L'avocat fut interrompu plusieurs fois par des applaudissements, des réflexions et même des huées. Le barbeau-juge demanda le silence parfait pendant que le jury réfléchirait. Il réfléchit et, par la bouche du plus vieux, une puce qui se grattait toujours, déclara ceci : « Nous avons trouvé la chenille coupable. »

De toutes les loges d'insectes sortit un grand brouhaha. Quelques-uns étaient pour, d'autres contre.

Enfin, le juge se leva et dit :

— La chenille est coupable, mais devant les opinions si partagées, nous ne pouvons la condamner à mort.

Plusieurs crièrent : « L'exil ! l'exil ! »

Ce qui fut décidé. Aussitôt, quatre hannetons cassèrent des brins de foin, les plièrent pour faire un radeau qu'ils traînèrent jusqu'au ruisseau. La foule entière se rua à leur suite. Les maringouins, les mouches, les pucerons, tous, pêle-mêle, étaient sur la grève. Les guêpes applaudissaient. Les abeilles avaient toutes les misères du monde à retenir les bourdons qui voulaient assommer la chenille cachée dans son cocon. Les criquets faisaient de la cabale, essayaient de soulever les discussions. Et plusieurs fourmis retournèrent à l'ouvrage, la tête basse, trop émues pour assister à l'embarquement. Les grandes libellules aux fragiles ailes étaient déjà parties en vitesse pour annoncer la nouvelle dans leurs marécages.

De force, la prisonnière fut déposée au milieu du radeau. Beaucoup la croyaient morte, parce qu'elle était immobile. La méchante araignée s'avança et, avec beaucoup d'orgueil et de malice, ligota son ennemie au plancher du radeau. Enfin, trois insectes patineurs, sur l'ordre du juge, sautèrent sur l'eau, et à grands coups de patins, poussèrent le petit radeau jusqu'au courant. Et le petit navire descendit doucement vers l'exil, ballotté par les vagues qui faisaient de petites glissoires.
Les deux rives étaient noires d'insectes. Un grand nombre pleuraient, d'autres se réjouissaient.
Soudain... Non, c'est difficile à dire et incroyable, la chose que l'on vit...
— Regardez ! Regardez ! cria de toute sa force un maringouin.
Et dans la stupéfaction et presque la terreur, on vit une chose extraordinaire : le cocon s'agiter follement, se percer, se fendre, s'ouvrir, et deux grandes ailes jaunes se déplier au soleil, s'étirer, apparaître tachetées de points noirs ; des ailes cendrées de poudre d'or, avec des dessins dessus, des ailes magiques, brillantes, qui battaient l'air, laissant le radeau continuer seul, passer triomphantes, majestueuses, dans l'avant-midi, au-dessus du peuple consterné qui baisait le rivage.
Le premier papillon était né. Et son premier vol se continuait par-delà les fraises, rouges d'épouvante.
Cette histoire est finie. La leçon fut grande chez les insectes qui avaient jugé la chenille trop sévèrement parce qu'elle était laide et sans défense. Même on sut plus tard que l'araignée qui lui avait bâti le cocon s'était suicidée.
Si l'on accuse le papillon d'être volage, c'est qu'il ne croit en personne. Il connaît la fragilité et l'inconstance des amitiés.

Léon

Texte de Cécile Gagnon, © éditions du Raton Laveur, Saint-Hubert, 1985.
Dans tout le nord du pays, vivent les ours polaires. L'eau glacée, la banquise et les icebergs sont leur lot quotidien. Mais si l'un d'eux descendait vers le sud, qu'arriverait-il ? Cette histoire raconte le curieux voyage de Léon vers le sud et sa découverte de l'herbe et des arbres verts.

À partir de
3 ans

3 min

Iceberg
Nids

Oiseaux
Ours
Raton laveur

Léon habite au pays des neiges. Tout y est blanc, blanc, blanc. Il fait très froid mais Léon a une épaisse fourrure qui le tient bien au chaud.
Un jour, Léon et sa maman sont poursuivis par des chiens.

Derrière les chiens viennent les chasseurs. Léon se sauve à toutes pattes mais les chasseurs attrapent sa maman et la tuent. Ils emportent son corps sur leur traîneau.
Léon reste tout seul. Il est triste. Il a peur. Heureusement, les oies des neiges viennent le consoler. Elles le distraient en lui racontant leurs voyages.
— Dans le sud, j'ai vu des arbres.
— C'est quoi un arbre ? demande Léon.
— Moi, j'ai vu des champs tout verts.
— Des champs tout verts ? s'étonne Léon. Qu'est-ce que c'est ?
Léon se débrouille du mieux qu'il peut sur la banquise. Il pêche, il joue avec les oies sur les icebergs.
Il grimpe sur un gros iceberg qui flotte dans la mer. L'iceberg s'éloigne du rivage sans que Léon s'en aperçoive. Léon ne peut plus revenir.
— Reviens, Léon ! crient les oies.
Mais Léon s'en va. Son iceberg n'est plus qu'un petit point blanc sur la mer verte.
Pendant des semaines et des semaines, Léon reste sur l'iceberg au milieu de l'océan. L'iceberg se déplace lentement. Puis, un beau matin, Léon s'aperçoit que la mer a changé de couleur. Il trempe sa patte dans l'eau.
— Elle est chaude !
Léon regarde devant lui et voit du vert.
— Comme c'est beau !
L'iceberg sur lequel Léon est assis rapetisse de plus en plus. Maintenant, il est à peine plus grand que… son derrière. Léon saute à l'eau et nage jusqu'au rivage. Il met ses pattes sur l'herbe.
— Que c'est doux !

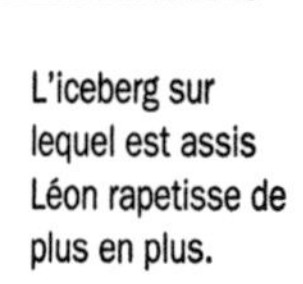

L'iceberg sur lequel est assis Léon rapetisse de plus en plus.

Léon s'avance timidement sur l'herbe. Il rencontre une bête surprenante. Il en fait le tour, la renifle, lui donne un petit coup de patte. Mais la bête ne bouge pas. Alors, Léon se souvient des paroles des oies.
— Un arbre ! C'est un arbre !
Léon lève la tête et s'adresse au tronc et aux bras pleins de poils verts. Il crie :
— Bonjour l'arbre !
Tout à coup, Léon entend bouger tout près.
— Salut ! dit Alexis, le raton laveur.
— Euh… bonjour, dit Léon surpris et content de rencontrer quelqu'un.
— C'est le temps des fleurs, dit Alexis. Tiens, sens-les.
— Celle-ci ne sent rien, mais quelle jolie couleur ! dit Léon.
Ensemble, Alexis et Léon s'amusent à courir dans le bois. Ils sautent, ils grimpent, ils font des cabrioles. Puis, quand le soleil de midi perce à travers le feuillage, Léon s'écroule au pied d'un grand chêne.
— J'ai chaud ! J'ai chaud !
— Ton poil est trop long, remarque Alexis.
— J'ai trop chaud ! répète Léon.
— Je vais te couper le poil, comme ça tu auras moins chaud, dit Alexis.
Léon s'installe sur une souche. L'apprenti coiffeur commence à couper avec ses ciseaux. Clic ! Clic ! Clic ! Les poils blancs tombent sans bruit sur le sol. Léon se sent déjà mieux.
La coupe terminée, Léon se lève.
— Comme je suis léger ! Je n'ai plus chaud du tout.
Soudain, des centaines d'oiseaux surgissent en criant. Ils sont très excités. La nouvelle est passée de bec en bec.
— Un nouveau matériau vient d'arriver !

— Juste au bon moment !

— Moi, je viens de commencer ma construction !

— Laissez-m'en un peu !

À la tombée de la nuit, il ne reste plus un seul poil blanc par terre. Les oiseaux ont tout nettoyé.

— Merci, merci Léon !

— Nos nids sont chauds…

— … et super-confortables !

La lune est bien étonnée. Cette année dans les arbres, tous les nids sont blancs !

Conte-fable

Texte de Gilles Vigneault, extrait du recueil Contes du coin de l'œil, *© éditions de l'Arc, Montréal, 1966.*

Il est difficile de dire si Gilles Vigneault est un poète, un chanteur, un conteur, un monologuiste. En fait, il est tout cela à la fois. Ses chansons, ses histoires enchantent petits et grands sans distinction car elles nous révèlent parfois de façon étonnante qui nous sommes, nous les Québécois. Gilles Vigneault manie une langue riche et sonore qui fait revivre à nos oreilles la démesure de nos étendues et la rigueur de nos saisons. Cette histoire nous plonge au cœur de la forêt.

À partir de 7 ans

3 min

Digue
Ruisseau

Aigle
Castor

Il était une fois, dans un petit bois de bouleaux et de trembles, un petit castor qui s'exerçait à construire sa digue personnelle et sa maison d'hiver aux frais des arbres jeunes et

d'un ruisseau qui passait par là. On était en automne et tout était rousseur. Jusqu'au soleil qui mélangeait de l'or pâle à sa lumière. Sur la rivière toute proche, la digue des parents était prête et le petit castor dont je parle n'avait rien à faire que de jouer. Mais jouer pour jouer n'est pas longtemps intéressant. Tandis que jouer au travail, jouer à faire semblant de ne pas avoir le temps de jouer, voilà le beau jeu quand on a hâte d'être grand. Pour un castor qui sait jouer, le jeu, c'est la digue. Donc, il coupait les trembles jeunes en petits billots pointus des deux bouts et les piquait laborieusement dans la glaise entassée à grand peine au milieu du ruisseau.
Soudain, au beau milieu de ses travaux, un nuage passa devant le soleil et l'ombre enveloppa le jeune bâtisseur. Mais ce n'est pas un nuage. Par la loutre, qui sait toutes choses, c'est un oiseau.
— Je suis l'aigle.
L'ombre était immense maintenant et recouvrait la digue.
— Tu es un petit travailleur. Je te fais peur. Je remonte.
— Non.
Ce mot lui avait échappé.
— Tu veux savoir ?
— Oui.
— Bon. D'en haut on voit tout. On sait tout. On voit venir de loin le chasseur, la crue des eaux, les nuages à pluie, les nuages à neige, les outardes qui déménagent, les perdrix qui s'installent, les caribous qui fuient tout le temps. Et on s'ennuie.
— Et vous n'êtes pas méchant ?
— Méchant, moi ? Les goélands qui vous ont dit ça. Ils voudraient que tout le monde passe pour des mangeurs de tout comme eux. Je ne suis pas méchant. Je suis un aigle. Je ne

suis pas une hirondelle. Tiens, c'en est une qui n'a pas une belle réputation. Pour sa grosseur.
L'aigle avait replié ses ailes et se promenait maintenant le long du ruisseau examinant les travaux d'un œil de connaisseur.
— Est-ce que je peux t'aider ?
Mais la réponse était muette.
— J'aime ton travail, petit, est-ce que tu aimerais que je vienne demain avec gros comme ça de glaise dans mes serres ?
— Excusez-moi, mais ce n'est pas nécessaire.
— Aimerais-tu voir un peu de pays, savoir où le chasseur habite ?
Mais le petit rongeur, qui faisait semblant d'avoir bien de la difficulté avec une écorce, prit un moment avant de répondre :
— Vous êtes vraiment bien bon. Et je vais le dire. Mais pour ce qui est du voyage, mes parents ne seraient pas contents du tout. Et de me voir en l'air avec vous, ils s'imagineraient des drames et des catastrophes et, au retour, ils me puniraient... vous savez, les parents castors, ça ne voit pas plus large que la digue.
Ils avaient un peu marché tous les deux. Tout à coup le petit castor cria :
— Pas là ! Ne marchez pas là !
Puis l'aigle s'étant arrêté avec un œil protecteur en coin, (il avait vraiment affronté des dangers plus graves que...), il vit le petit castor découvrir une énorme machine de fer sous les feuilles mortes et avant qu'il eût pu dire quoi que ce soit, le brave petit animal avait jeté dessus un bout de tremble et les mâchoires de fer faisaient : Clac ! Il y avait deux morceaux de tremble.

— Il y a longtemps que j'aurais dû le faire. C'est un piège pour prendre les ours. Mais ça finirait par faire mal à quelqu'un. Il faudra traîner tout ça dans la rivière. Il y a longtemps que tout le monde sait qu'il est là. On le laissait tendu pour faire semblant.
Sans même oser proposer son aide pour mener le piège à la rivière, l'aigle remercia beaucoup, s'excusa brièvement, et s'envola.
— Je reviendrai. À un de ces jours.
Mais en aigle cela veut dire : « Je viens de recevoir une bonne leçon. Il faudra bien que je la lui rende. »
Le petit castor avait dit : « Merci pour votre visite, et revenez. »
Ce qui en castor dit : « J'ai eu une de ces peurs. Les goélands sont des bavards et des menteurs. »
L'histoire fit toute la rivière et l'aigle s'était agrandi d'une digue à l'autre. Le petit castor avait parfait le tour de la Terre dans les serres géantes. Les goélands avaient été réduits à se cacher plusieurs saisons. Les ours avaient construit une digue imprenable et mille autres merveilles.
Mais en chasseur, en ours, en aigle et en castor, cela revient à dire : « Il faut parler aux gens avant de les manger. »

Coucher de soleil

Texte de Félix Leclerc, extrait du recueil Adagio, *© éditions FIDES, Saint-Laurent.*

Félix Leclerc, notre troubadour national, avait un don pour mettre en scène des animaux et les faire parler de façon tout à fait naturelle. On sent dans ce conte à quel point il aimait et connaissait la nature, les animaux, les arbres de la forêt québécoise. L'aventure de deux petits lièvres, Peureux et Pressé, et de leur amitié avec un ours, monsieur Poilu, est tout empreinte de sagesse et de tendresse.

À partir de
6 ans

16 min

Bois
Champs

Lièvres
Ours
Renard

Sous un arbre renversé par le vent, un ours avait bâti sa maison, dans le creux où sont les racines et les mottes froides. Personne ne l'avait vu au travail, charroyant de la tourbe et des feuilles ; il avait agi vite et sans bruit.

Comme en une sorte de complicité, buissons et fougères s'étaient entrelacés à sa porte. Lui seul, l'énorme poilu sans ami ni maître, savait sa cachette ; chaque fois qu'il revenait de chasse ou de promenade, avant de pénétrer dans son trou, il se grandissait droit, debout comme un homme, scrutait longtemps l'horizon avec ses yeux de sauvage, regardait si on l'espionnait, puis se rabattait soudain et disparaissait sous terre, en faisant frissonner les tiges.

Il avait bâti sa maison en bon ouvrier. Il vivait sans tapage, craint et respecté comme un roi de montagne.

Qui pourra dire les rêves interminables qu'il faisait durant ses sommeils d'hiver ?

Chaque printemps, il sortait en même temps que le chaume et les bourgeons d'aulnes, en même temps qu'avril et les retours d'hirondelles, que les sèves d'érables et les fleurs grimpantes.

Il se secouait longtemps au soleil en bâillant ; il reniflait les senteurs, puis s'assoyait, le dos à un arbre, à dix pieds de son antre, et essayait sérieusement de reprendre le fil de son rêve. Sans rien briser avec ses griffes, il marchait dans le printemps jusqu'au baisser du soleil, en saluant la nature avec sa tête. Une fin d'après-midi où il y avait beaucoup de gaieté dans l'espace, le gros solitaire au dos rond comme un campagnard vêtu lourdement entendit une voix qui sanglotait à quelque vingt pas à gauche.

Il écoute, s'avance, puis se dissimule derrière un buisson. Il perçoit un lièvre tout jeune qui pleure, les yeux sur ses pattes. Quoi faire ? Un si petit lièvre et un si gros ours ! Quoi dire ? L'ours, gêné, s'assied à plat dans l'herbe, les pattes d'avant sur ses genoux, et attend que cessent les larmes.

— Tu pleures ?

— Ah !
— As-tu fini ?
— Oh !
— Est-ce que je t'effraie ?
— À moi ! Vite ! Au secours !
— N'aie pas peur.
— Je suis hypnotisé. Je ne puis m'enfuir. Oh !
— N'aie pas peur de moi.
— Un ours !
— Je ne te veux pas de mal. Ne tremble pas si fort.
— Oh !
— Petit malheureux. Puisque c'est ainsi, je vais m'en aller.
Et le géant se lève.
— Il veut me tuer, crie le lièvre.
— Mais non, répond l'ours de plus en plus mal à l'aise.
— Non ? Vous ne me mangerez pas tout de suite ? Vous attendrez que je sois calmé ?
— Pauvre petit !
L'autre continue avec des hoquets dans la voix :
— Pourquoi suis-je né ? Mes jours sont épouvantables. Du lever au coucher, c'est un tissu de craintes. Finissons-en, je n'ai pas de testament à faire. Ouvrez votre gueule, monsieur.

« Je ne te veux pas de mal. Ne tremble pas si fort ! »

— Non, dit l'ours en reculant.
— Le martyre ? continua le lièvre nerveusement. Hélas, hélas ! Regardez, mes yeux sont secs, je n'ai plus de larmes ; je vous jure que je ne suis pas bon à manger ; j'ai tout le sang à l'envers. Tenez, mes côtes, on peut les compter avec la griffe ; épargnez-moi ou faites vite.
— Pars, répond l'ours en souriant. Je ne mange pas les lièvres. J'ai très bien dîné, merci.
— Que voulez-vous, alors ?

— Je passais. Je t'ai entendu pleurer. Je suis venu.

— Vous ne mentez pas ?

— Je ne mens jamais. Qu'ai-je besoin de toi, de ta viande ou de tes services ? J'arrête parce que j'ai le temps. Causons, si tu veux. Pourquoi pleurais-tu ?

— De la peine.

— Ne reste pas les pieds l'un devant l'autre, prêt à dégringoler. Crois à ma parole.

— Je pleurais à cause d'un malheur.

— Bon. Qu'est-ce qui t'arrive ?

— Voilà. Nous fêtons les noces d'or de mes grands-parents demain soir, quand le soleil descendra. Ils veulent donner une grande fête dans la savane pour grand-papa et grand-maman. C'est leur deuxième anniversaire de vie ensemble, et l'on me charge, moi, parce que je suis jeune, d'aller prévenir les cousins et les beaux-frères, et les oncles et les tantes, qui demeurent au Désert brûlé. J'ai ordre de les conduire ici, eux et tous les lièvres que je rencontrerai.

— Mais c'est bien, fait l'ours, content. Ils font honneur à ton agilité. Tu pleures pour ça ?

— Vous connaissez le Désert brûlé ? demande le lièvre.

— Non.

— C'est par là-bas, à un mille après le bois que l'on voit, où le feu a passé il y a deux ans.

— Et puis ?

— Et puis, il y a un renard caché dans le bois, souffle le lièvre. Je l'ai vu ! Souvent, la nuit je l'entends. J'ai peur. On me dit que c'est idiot d'avoir peur, qu'il n'y a pas de renard, mais personne ne veut m'accompagner. Voilà. Si je pleure, c'est que je veux vivre, je ne veux pas me faire étrangler. À mon âge, pensez-y. J'ai peur, et je pleure.

— Tu es sûr qu'il y a un renard là ?
— Oui. Je l'ai vu.
— Et personne ne veut t'accompagner ?
— Je les comprends. Tous les lièvres de ma famille sont occupés à charroyer des écorces et des branchettes de cèdre, et des bourgeons de petits érables, et des cœurs de trèfle, et des fleurs. On prépare des mets avec des pelures que les aînés sont allés cueillir à la porte d'une maison, la nuit dernière. C'est mon frère le plus vieux qui prépare tout.
— Il veut faire une belle fête, c'est bien !
— Mais moi, continue le lièvre, il m'a mis brusquement dans le sentier dangereux en me disant : « Va chez les parents. » Il n'a pas pensé que j'étais le plus petit de tous. Je veux faire ma part tout de même. Ah ! pourquoi suis-je né !
— Attends un peu…
Après un silence, l'ours ajoute :
— Moi, je t'accompagnerai.
— Quoi ?
— J'irai avec toi.
— Vous m'accompagnerez, vous ?
— Oui.
— Pour vrai ?
— Un ours dit toujours la vérité. C'est pour ça qu'on nous appelle ours.
— Ah !
— Allons. Prends le devant, vitesse moyenne ; fais de petits sauts, je te suivrai, et si tu as peur, si tu vois bouger la verdure, tu passeras derrière moi. Allons.
Il se lève.
— Vous ? dit le lièvre ému. Ah ! Vous êtes mon ami ?
— Dans une heure nous serons revenus. Essuie tes yeux.

— Vous ferez le retour avec moi ?
— Promis.
— Vous n'avez rien à faire, personne ne vous attend ailleurs ?
— J'ai le temps, je suis mon chef et je suis heureux. Partons.
— Ah ! fait le lièvre, la bouche ouverte.
— Au fait, ton nom ? demande l'ours.
— Mon nom ? Pressé.
— Moi, je ne le suis pas, je m'appelle Poilu. Marchons.
Les deux amis, Poilu, gros comme un tronc de chêne, et Pressé, le lièvre, long comme une patte d'ours, s'engagent dans le sentier dangereux qui mène au Désert brûlé, chez les cousins lièvres par-delà le bois, où un rusé renard reste des heures sans bouger, tapi dans les herbes hautes, guettant les petites proies qui s'avancent.

Une heure passa.
Des cigales chantaient. Le plus beau moment du jour descendait sur la terre. Quand le petit commissionnaire, à l'ombre de son immense guide, rentra chez lui, le soleil baissait. Comme il était heureux, le petit lièvre. Lui, si nerveux et si sensible, il était tellement content qu'il se mit à pleurer encore, quand arriva l'heure de remercier son ami.
L'ours, de sa grosse voix, lui dit :
— Mais non. Ne recommence pas. Mais non, ça va ; pas de pleurs ; un lièvre, ça pleure tout le temps. Bonjour. Sois brave. Je suis ton ami, petit malheureux ; nous nous visiterons. Demain, à la fête, bois à ma santé.
Et longtemps après que l'ours fut parti, Pressé, immobile, était encore là sur une roche à regarder avec ses yeux mouillés, dans la direction de cet énorme dos poilu qui s'en allait en saluant la nature à droite et à gauche.

Le petit, ému, se murmurait :
— Ah ! lui !
Prestement il descend chez lui, le regard clair, les oreilles droites, salue sa famille du bout de la patte comme un héros, appelle son frère dans un coin et lui dit calmement, comme parlent les braves :
— Ta commission est faite.
— Pardon ? fait le frère.
— Ta commission est faite, répète Pressé.
— Quelle commission ?
— Tu m'avais dit d'aller au Désert brûlé ?
— Ah ! oui. Tu y es allé ?
— J'en arrive.
— Ils viendront, les parents ? demande l'aîné.
— Ils hésitaient à cause du renard, réplique Pressé, mais ils viendront. Demain matin au petit jour, ils feront un cercle de plusieurs milles pour contourner le bois et seront ici au coucher du soleil.
— Alors, le renard ?
— Quoi ?
— C'est vrai ? Il y en a un ?
— Oui. Un vieux cousin s'est fait courir ; demain il te racontera ça, dit Pressé machinalement.
— Mais toi, par où as-tu passé ?
— Par le bois.
— Pressé, tu es fou ! Tu risquais ta vie !
— Que veux-tu, les ordres !
— Seul ?
— Les ordres, que veux-tu !
— Étais-tu seul ?
— Il faut obéir. Moi, on me dit : va là, j'y vais.

— Je te demande si tu étais seul.

— Seul ? Non.

— Qui t'accompagnait ?

— Un ami.

— Qui ?

— Un ours.

— Ah !

Le frère aîné tombe. Pressé s'approche de lui, le ramasse, le gratte derrière les oreilles.

— L'aîné qui est sans connaissance ! Relève-toi. Une gorgée d'eau, s'il vous plaît ; Peureux est sans connaissance ! Écoute, c'est moi Pressé, le benjamin. Ouvre tes yeux. Je ne voulais pas t'effrayer.

Il lui palpe le front.

Peureux entrouvre les paupières.

— Ça va mieux ? N'en parlons plus. Tous les parents seront à la fête demain, voilà le principal. Les vieux seront contents, et l'on dansera, et moi je chanterai. J'ai des santés de promises. Ma belle sera là. Nous serons gais. Vivent les grands-parents !

Ah ! si l'on s'amusa ! Ah ! le plaisir ! Les naïves danses autour des sapins, et les sauts en longueur et en hauteur, et les défis à la course et les félicitations, et les festins et les bravos, et les deux vieux assis sur un lit de cèdre au milieu, qui pleuraient en grignotant des pelures de patates ! Quel succès ! Quel triomphe ! Jusqu'au soleil couchant qui s'arrêta entre deux gros arbres pour illuminer la fête et manger des éclairs dans les yeux des jeunesses ! Quelles noces inoubliables !

Ah ! si l'on s'amusa !

Et Pressé qui fut porté en triomphe, qui dut raconter cent fois son voyage avec le colosse de la forêt. Il s'y prêtait humble-

ment, mais aussi souvent qu'on le lui demandait. Ses longues oreilles n'en finissaient pas d'avaler des compliments.
Quel coucher de soleil !
Puis, le soir tomba là-dessus. On s'endormit, un peu à la bohème, en rêvant aux cœurs de trèfle rouge qui se balancent dans la brise.
Les jours passèrent. Longtemps après, on parlait encore de la fête.
Depuis son aventure, Pressé n'avait pas revu son ami Poilu. Il s'en ennuyait parfois, restait seul sur la roche et regardait.
Un jour, il décida de le retracer. Avec l'aîné, il discuta de l'itinéraire. Il parla si bien de son projet qu'un beau matin, Peureux et Pressé partirent, bien résolus à trouver l'habitation de l'ours. Ils cherchèrent toute une journée, dans des endroits où jamais auparavant ils n'étaient venus. Rien. Ni traces, ni indices, ni personne pour les renseigner que des oiseaux moqueurs. Fallait-il s'en retourner ? Le plus vieux commençait à regretter d'être venu.
Il devait être cinq heures de l'après-midi lorsque soudain Pressé eut un hoquet. Ses oreilles devinrent longues, ses yeux s'emplirent de larmes, le souffle lui manqua :
— Ah ! fit-il.
— Qu'as-tu, Pressé ? Mon Dieu ! Qu'as-tu ? Parle, lui dit son frère. Qu'est-ce qui arrive ?
— Là ! Regarde… C'est lui.
En effet, Poilu couché sur ses pattes, le museau par terre, les yeux à demi fermés, semblait perdu dans une méditation de roi de montagne. Il ne bougeait pas. Il ne semblait pas sentir la présence des deux petits lièvres qui, à trente pieds de là, très humblement courbés, offraient en pleurant leurs timides hommages.

— Viens, approchons, dit Pressé.

— J'ai peur !

— C'est mon ami, se répétait le plus jeune pour se rassurer.

— Et si par hasard il avait perdu la mémoire ? demanda Peureux.

— Donne ta main.

— Quel colosse !

— Tu vas voir. C'est bête, j'ai des boules dans la gorge.

— Parle-lui d'ici, suggéra l'aîné.

— Bonjour, monsieur Poilu ! Approchons. Bonjour, monsieur Poilu ! Vous vous souvenez de moi ? Je vous présente mon frère. Fais un salut, Peureux. Nous venons de loin exprès pour vous visiter. Lui, c'est mon frère. Je me nomme Pressé. Me reconnaissez-vous ?

— Hummmm ? grogna l'ours sans bouger.

— Pressé, le lièvre du Désert brûlé…

Peureux frémit ; son frère essaya encore de se faire reconnaître :

— Celui qui…

— Mais oui, mais oui, approche, dit l'ours en ouvrant les yeux. Venez. Mais oui. Viens.

Les deux petits lièvres s'avancèrent.

— Nous vous dérangeons ?

— Du tout. J'y suis. Pressé. C'est bien, approche, commanda Poilu.

— Mon frère, dit Pressé en présentant Peureux.

— Bonjour, petit. Asseyez-vous. Venez près, je n'entends pas bien aujourd'hui ; j'ai la tête qui me résonne de toutes sortes d'échos. Asseyez-vous.

Les lièvres s'approchèrent.

— Nous venons vous voir, déclara fièrement Pressé.

Les lièvres s'approchèrent.

— Quels braves petits vous êtes, dit l'ours. Qui vous accompagne cette fois ?
— Personne.
— Petits malheureux ! Et les dangers de la route ?
— Nous avons risqué.
— Voilà qui est beau.
— Parce qu'un jour, vous aviez risqué pour moi vous aussi.
— N'en parlons plus. Ce n'était pas malin, ce que j'ai fait. Je n'ai qu'à souffler de l'air dans mes narines et les renards s'enfuient en hurlant. C'est gentil d'être venu me voir, parce que demain je serai parti.
— Où allez-vous, demain ?
— Oh ! un long voyage. Je pensais partir aujourd'hui, mais on m'a donné une journée de plus.
— Qui ? demanda Pressé. Vous avez donc un maître ?
— Oui, fit l'ours immobile.
— Je croyais qu'un roi n'avait pas de maître.
L'ours fit un silence, regarda par terre et, très sérieux :
— Il n'y a pas de rois ici...
Branlant la tête, il lança brusquement :
— Dis à ton frère de ne pas rester les pieds l'un devant l'autre, prêt à dégringoler ; c'est me faire insulte. Vous êtes mes amis. Un ours ne ment jamais.
— Merci, monsieur. Je vais m'asseoir.
— Comment t'appelles-tu, toi ?
— Peureux.
— Je n'aime pas ton nom.
— Ni moi, monsieur.
— Il faudra que tu le changes.
Et à Pressé il demanda :
— Comment ça va, chez vous ?

— Très bien, monsieur Poilu.
— Le renard ?
— Il n'est jamais revenu dans le bois depuis que vous y êtes passé.
— Tant mieux.
— Nous avons eu une belle fête, le fameux soir ! Un succès !
— Les grands-parents étaient heureux ?
— Ah ! Si vous les aviez vus ! cria le petit lièvre.
— C'est tout, dit subitement l'ours. Maintenant j'ai sommeil, Pressé, tu vas me rendre service.
— C'est un honneur, monsieur.
— Tu vas aller chez moi dans la souche. Tu n'as qu'à suivre mes traces : c'est à deux milles, droit vers le soleil. Quand tu seras arrivé, tu prendras deux petites branches, tu les mettras en forme de croix, et tu les piqueras dans l'entrée.
— En croix ?
— Oui. Pour signifier aux autres ours qui passeront par là que je suis parti.
— Mon frère et moi, nous ferons ce que vous dites, promit le plus jeune des lièvres.
— C'est tout, dit l'ours. La tête me pèse.
— Vous êtes malade ?
Les deux petits lièvres s'inquiétaient.
— Tout à l'heure, quand le soleil sera en bas, je serai guéri.
— Pouvons-nous faire quelque chose ?
— Non, fit Poilu. C'est gentil d'être venu me voir. Merci. Un mot encore. Les savanes sont à vous, allez de l'avant ! Un jour vient où il faut rendre compte de sa vie. Le difficile n'est pas de mourir...
Il ferma les yeux lentement, coucha son museau sur la terre, poussa un grand soupir qui souleva des petits grains de sable.

Ce fut tout.

— Monsieur Poilu ! cria Pressé.

— J'ai peur ! Il ne bouge plus, dit Peureux en reculant.

— Monsieur Poilu !

— Pressé, allons-nous-en, j'ai peur !

Pressé s'était approché de son ami. Il souffla très bas à son frère :

— Regarde !

— Mon Dieu ! dit l'autre, troublé. Du sang !

— Ici, là, tout le long, dessous ! continua Pressé.

Peureux fit le tour de Poilu :

— Du sang ! Ici une grande flaque.

— Regarde ! gémit Pressé, regarde ! Sa patte est prise dans des mâchoires de fer ; vois l'acier et la chaîne comme un serpent dans l'herbe !

— Un piège ?

L'autre était stupéfié.

— Oui ! Il était dans un piège !

— Il était dans un piège ! répéta Peureux, interdit.

Ils se regardèrent troublés, malheureux d'être si petits, fâchés contre la solitude.

Maintenant les nuits d'hiver, quand il y a des coulées de pleine lune sur le verglas, on voit de loin passer des renards qui trottent vers leur gîte, la tête haute, portant au-dessus de la neige, dans leur gueule, des petits lièvres morts, mais qui se sont battus comme des ours !

N'oublie pas mon petit soulier

Le Père de Noëlle

Texte de Linda Brousseau, © éditions Pierre Tisseyre, collection Coccinelle, Saint-Laurent, 1990.

Linda Brousseau est un écrivain pour la jeunesse qui aborde le plus souvent des sujets difficiles et qui met en scène des enfants pour qui la vie n'est pas un lit de roses. Ici, la petite Noëlle, la fille du Père Noël, mène une vie bien solitaire mais un soir, les choses vont changer.

À partir de 3 ans

6 min

Maison

Fillette
Lutin
Père Noël

J'habite au bout du monde, loin, très loin derrière les glaciers géants. Ma maison, c'est un igloo et mon père, c'est le Père Noël. Si mes paupières sont rouges, c'est parce que j'ai pleuré.

Encore une fois, mon père vient de partir. Il navigue dans le ciel, sur son traîneau volant, rempli de cadeaux qu'il va distribuer aux enfants. C'est sa mission.
Mais combien d'enfants y a-t-il sur la planète ? Et de pays et de continents à traverser ? Sûrement trop. Parce que mon père n'est jamais, jamais là à Noël. Je déteste Noël ! Et les cadeaux aussi !

Sous les branches illuminées de mon sapin, des dizaines de cadeaux sont empilés pour moi. Plein, plein de cadeaux rouges, verts, jaunes et bleus. Mais voilà ce que j'en fais des cadeaux du Père Noël : je les prends et je les lance de toutes mes forces sur le mur. Je les casse, les déchire, les écrabouille tous, sauf… sauf la boule de peluche avec une tuque* qui me regarde.
Je renifle et j'essuie mes joues mouillées avec un bas de Noël. Assise parmi mes dégâts, je pense. Oui, je déteste très fort Noël !
Parce que la nuit de Noël, j'ai un père qui aime mieux faire le fanfaron au-dessus des maisons et se salir de suie dans les cheminées. Il préfère prendre tous les enfants de la Terre sur les genoux, au lieu d'être avec moi.
Le lendemain, à son retour, je souhaite que l'on fête Noël ensemble. Mais non ! Il entre en disant :
— Bonjour, Noëlle ! As-tu aimé tes cadeaux ? … Ho ! ho ! Ton père est très fatigué, tu sais. Une bonne nuit de somm… ââille !
Et il bâille.
Il s'étend sur son lit sans même enlever ses bottes. Et là, il dort. Il dort et il dort de longues heures. À son réveil, Noël est passé.

Heureusement, tout le mois de janvier, on parle, on rit, on joue ensemble. Après, mon père retourne travailler, car il est très occupé.

Même si chaque année je cache le calendrier, on dirait qu'il a des grelots dans la tête pour lui rappeler la date de retour au travail. Matin, midi, soir et nuit, il bricole dans la remise aux jouets. Il fabrique et il emballe les cadeaux pour le prochain Noël avec les lutins.

Le Père Noël lit son volumineux courrier.

Il lit son volumineux courrier en prenant soin d'enlever chaque timbre des enveloppes. Car mon père, en plus d'être le Père Noël, il est… il est philatéliste. Il collectionne les timbres de tous les pays. Il est le seul à posséder dans ses albums les timbres les plus rares au monde.

Ça l'occupe encore plus. Je m'assois près de lui sans bouger, comme une poupée de chiffon. Je ne le quitte pas des yeux.

Autour de moi, des lutins chuchotent :

— C'est Noëlle ! La fille du Père Noël ! Elle doit être terriblement gâtée !

C'est faux ! Je ne suis pas gâtée ! Ce n'est pas des cadeaux que je veux ! C'est mon père ! Le mien, il est à tout le monde ! Jamais pour moi toute seule !

Un père, ça ne se partage pas comme des cadeaux ! Surtout s'il joue de l'harmonica et s'il a un ventre bien rond contre lequel on peut se blottir. C'est d'ailleurs ce que je lui dis dans la lettre que je lui ai envoyée. Seulement, je n'ai pas eu le courage de la signer. Trop souvent, il m'est impossible de me rendre à la remise. Le vent est si froid et si violent que je reste à la maison. J'attends mon père. Comme ce soir. J'attends très longtemps son retour. J'ai peur qu'il m'oublie. Tellement que je me demande parfois à quelle longueur mes cheveux seront rendus quand il reviendra.

Je me couche. Sur mes paupières fermées, je vois des images danser. Je vois des rennes épuisés qui ne peuvent plus avancer. Je vois mon père qui se noie dans l'océan glacial. Je vois sa bedaine coincée dans la cheminée d'une maison abandonnée. Je n'arrive pas à m'endormir. Alors, je me lève et je regarde par la fenêtre. Dehors, tout est blanc et silencieux. Même le vent est parti. Dans le ciel, des aurores boréales se promènent. Derrière ces longs rideaux lumineux, des étoiles dorment. Les citadins ne connaissent pas les aurores boréales. Quand ils allument leurs lumières, ils éteignent le ciel. Je voudrais que papa soit là. Qu'il regarde la nuit avec moi. Qu'il me raconte des histoires aussi longtemps que je le désire. Comme lorsque je suis malade.

La pendule sonne douze coups. C'est Noël ! Soudain, la porte s'ouvre avec fracas et Lotilo, le lutin, entre en coup de vent. En une pirouette, il est à mes côtés et il m'annonce que mon père m'attend en Russie.
J'ouvre grand mes yeux.
— En Russie ! Que veux-tu dire Lotilo ?
— Ton père a décidé que tu pouvais le suivre désormais. Il m'envoie te chercher pour l'aider.
— Mais... je ne comprends pas ! Il n'a jamais voulu !
— Il a changé d'idée quand il a lu ta lettre.
— Ma lettre ! Mais comment a-t-il su qu'elle était de moi ?
— C'était la seule lettre qui n'avait pas de timbre. Ça l'a intrigué. Il a passé une soirée à la lire et à la relire. Il a finalement reconnu ton écriture.
Je retiens mon souffle. Lotilo poursuit :
— Il attendait que minuit sonne, l'heure de tes sept ans. Vite Noëlle ! Il t'attend !

Je cours mettre mes bottes et enfiler mon manteau. Mon cœur, lui, joue du tambour. En un éclair, je m'installe dans le mini-traîneau avec Lotilo. Puis, nous filons à toute allure rejoindre mon père. Mes pensées tourbillonnent dans ma tête. Mon père sait tout. Fini les Noëls seule ! Avec lui, je vais rencontrer tous les enfants de la Terre. Et j'aurai plein d'amis. Je pourrai leur écrire pendant que mon père, à mes côtés, s'occupera de leurs cadeaux. J'ai hâte ! À la vitesse de la lumière, nous nous retrouvons en Russie.
Mon père, le pompon au vent, accourt vers moi. Comme font bien des papas, il me prend dans ses bras et me soulève de terre en m'embrassant.
D'un air moqueur, il me dit :
— Joyeux Noël ! Noëlle !
Et il éclate de rire.
— Ho ! Ho ! Ho !

La Halte du Père Noël

Texte de Cécile Gagnon.

Pour un Québécois, il faut que Noël soit blanc ! C'est-à-dire que, le 25 décembre, il faut que la neige ait déjà recouvert villes et campagnes sinon ce n'est pas un vrai Noël. Il va sans dire que les sapins, les guirlandes, les lumières sont omniprésents durant toute la période des fêtes. Il n'y a pas si longtemps, Noël était surtout une célébration religieuse et l'on festoyait en famille après la messe de minuit. Aujourd'hui le petit Jésus de la crèche n'en mène pas large. Le Père Noël occupe beaucoup de place dans l'imagerie, sa silhouette se retrouve partout et la folie de la consommation a gagné toute l'Amérique.

Mais on s'arrête parfois pour rêver, comme ce Père Noël qui fait une halte méritée dans la forêt québécoise.

À partir de
5 ans

12 min

Bois
Forêt

Animaux
Père Noël

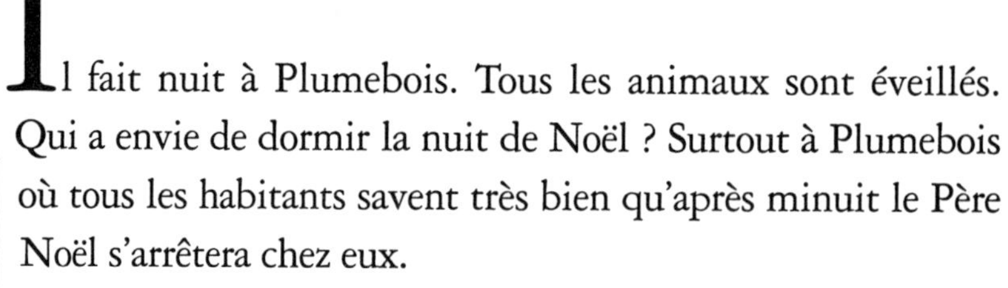

Il fait nuit à Plumebois. Tous les animaux sont éveillés. Qui a envie de dormir la nuit de Noël ? Surtout à Plumebois où tous les habitants savent très bien qu'après minuit le Père Noël s'arrêtera chez eux.

Comment ? Tu ne le sais pas ? Bien sûr que non, j'oubliais. Puisque c'est un secret. Seuls les habitants de Plumebois le savent. Au village, à Plumetis, personne ne le sait.

Tous les ans, après sa tournée, le Père Noël vient se reposer à Plumebois.

Cette nuit, le ciel est clair et tout semé d'étoiles. La neige est fraîchement tombée de ce matin. Dans le chêne, on fait des paris.

— Je parie six noisettes que je le verrai le premier, dit l'écureuil roux.

— Et moi, je parie deux vers que je l'entendrai le premier, dit la mésange.

— Urk, merci pour tes vers, reprend l'écureuil dégoûté.

— Ne faites pas tant de bruit, espèces de bavards, leur dit la chouette.

« Que c'est long d'attendre ! » pensent les lièvres.

Les lièvres pourtant ne savent pas très bien ce qu'ils attendent. L'an dernier, à la même date, ils n'étaient même pas nés.

— Soyez patients, leur dit leur maman.

Les perdrix sautillent, courent, s'agitent.

Que c'est long, que c'est long !

Pendant ce temps, à l'orée du bois, le cerf fait le guet.

Le coucou, perché sur la tête du cerf, transmet les messages aux autres.

Le coucou, perché sur la tête du cerf, transmet les messages aux autres.

— Ne vois-tu donc rien encore ? demande le coucou.

— Non. Et toi, n'entends-tu rien encore ? demande le cerf.

— Rien, répond le coucou.

Autour du chêne, les écureuils entassent des branches de sapin.

Le raton laveur court au ruisseau. Il casse la glace. Il remplit d'eau un cornet en écorce qu'a fabriqué le renard. Les lièvres n'en peuvent plus d'attendre. Ils sont si fatigués d'avoir gambadé dans la neige tout le jour.

— Si nous faisions une petite sieste, en attendant, propose le plus grand.

— La bonne idée, décident les trois frères.

Et chacun se fait un petit trou sous la neige et s'endort.

Les écureuils n'arrêtent pas d'aller et venir dans les branches.

L'écureuil roux a sûrement oublié son pari. Le voici, le nez dans la neige, qui gratte le sol pour retrouver ses noisettes.

À ce moment, la mésange arrive à tire-d'aile.

— J'entends la clochette, j'entends la clochette, crie-t-elle haletante.

Le coucou, distrait, n'a rien vu. La mésange, elle, a gagné son pari.

Le coucou s'envole très haut au-dessus des arbres. Il redescend très vite :

— Oui ! c'est lui, dit-il au cerf. Je l'ai vu.

Le coucou part vite avertir les animaux. Mais tout le monde sait déjà la nouvelle. Et tous les habitants attendent le cœur battant. C'est le Père Noël !

Le cerf, à l'orée du bois, ne voit toujours rien. Il tremble un peu, tout seul dans le noir. Il entend le bruit doux de quelque chose qui glisse sur la neige, et le faible tintement d'une clochette.

Le son de la clochette se rapproche. Mais on ne voit toujours rien dans le noir. Le cœur du cerf bat très fort. Tout à coup, voici qu'il voit avancer vers lui dans la nuit un drôle de cerf. Un cerf plus grand que lui, avec un panache étonnant dont il n'a jamais vu le pareil.

Le cerf en reste bouche bée.

— Qui est-ce ?

Lui qui devait accueillir le Père Noël, il est si surpris qu'il ne peut dire un mot. Heureusement que le coucou revient vite avec les écureuils et les perdrix. Le coucou, voyant la mine étonnée du cerf, vient lui dire à l'oreille :

— C'est le caribou du Père Noël.

— Ah ! le caribou... et le cerf ouvre grand ses yeux.

Derrière le caribou vient le traîneau blanc. Dedans, le Père Noël est endormi. Il n'a pas besoin de tenir les rênes. Le caribou sait le chemin par cœur. Le gros sac dans le traîneau est tout aplati. Tous les cadeaux sont distribués, à Plumetis comme ailleurs. Arrivé près du chêne, le traîneau s'arrête.

Et le Père Noël s'éveille.

— Bonsoir, dit-il à tous, de sa bonne voix.

— Bonsoir, Père Noël, disent ensemble tous les animaux éblouis.

— Vite, vite les lièvres, réveillez-vous. Le Père Noël est là, crie la chouette.

Le Père Noël est endormi.

Le Père Noël descend du traîneau. Il retire ses bottes brillantes, sa tuque* et ses mitaines.

— Comme vous êtes gentils de m'avoir fait un bon lit, dit-il.

Les perdrix apportent un oreiller de mousse et de plumes qu'elles ont confectionné en secret.

— Je vais bien me reposer, dit le Père Noël. Mais avant, dit-

il, je vais fumer une bonne pipe.
Ce disant, le Père Noël sort de sa poche un petit bâton blanc et une jolie pipe brune qu'il met dans sa bouche. Les petits lièvres qui sont toujours en retard arrivent en se frottant les yeux.
— C'est lui le Père Noël ? demandent-ils.
— Chut, chut, disent les écureuils.
Le Père Noël frotte le petit bâton sur le patin du traîneau et une flamme jaillit. Il allume sa pipe : une fumée bleue monte dans le ciel au-dessus de Plumebois. Mmmm ! comme ça sent bon !
— Ah ! qu'il fait bon à Plumebois, dit le Père Noël.
Raton laveur lui porte son cornet plein d'eau fraîche.
Le Père Noël le boit tout d'un trait.
— Merci, dit le Père Noël.
Tout en fumant sa pipe, Père Noël parle à chacun, fait la connaissance des nouveaux et raconte, comme à chaque Noël, son voyage.
— Maintenant, voici mon cadeau à vous, habitants de Plumebois, dit le Père Noël.
Les animaux se rapprochent et écarquillent leurs yeux. Ils voient le Père Noël sortir de sa poche une ficelle garnie de boules colorées. Le Père Noël prend la ficelle et s'en va jusqu'au sapin vert. Là, il attache un des bouts à une branche et garnit tout le sapin. Les animaux se regardent, étonnés.
— Qu'est-ce que c'est ? demandent-ils tous à la fois.
— C'est un calendrier, explique le Père Noël. Un calendrier à manger.
Un calendrier… qu'on mange ? Lièvres, écureuils, oiseaux, raton laveur, renard ne comprennent rien du tout.
— Ces boules de ficelle sont des fruits secs et des noisettes.

Vous les aimez bien, n'est-ce pas ? dit le Père Noël.

— Oui, oui, répondent ensemble les habitants de Plumebois.

— Eh bien ! À partir de demain, allez au sapin et mangez un fruit de la guirlande. Mais n'en mangez qu'un seul par jour. Puis, quand il n'en restera plus, cela voudra dire que je reviendrai cette nuit-là chez vous, à Plumebois.

Les animaux de Plumebois sont en admiration devant le sapin-calendrier :

— Nous avons un calendrier, nous avons un calendrier ! se mettent-ils à chanter.

Et pensez donc s'il est heureux ce sapin. C'est le Père Noël lui-même qui l'a décoré !

— Combien y a-t-il de fruits ? demande le renard.

— Je vais les compter, propose un écureuil. Mais il y en a trop.

Le Père Noël, amusé, leur dit :

— Il y en a 364.

— Ah ! font ensemble les animaux émerveillés.

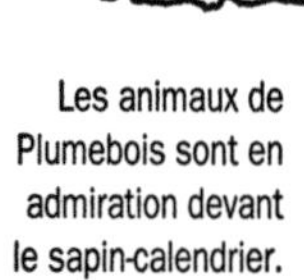

Les animaux de Plumebois sont en admiration devant le sapin-calendrier.

— Maintenant, je vais me reposer un peu, dit le Père Noël en se couchant sur le lit de branches. Mais veillez bien pendant que je dors : gardez bien votre secret. Il faut que personne ne me voie, sinon je ne pourrai plus faire halte à Plumebois.

Aussitôt lièvres, écureuils, mésanges, coucous se postent aux quatre coins de Plumebois comme des sentinelles.

Autour de Plumebois, on ne voit que les prés qui dorment sous la neige. Il y a aussi quelques chemins creux qui traversent les prés ou longent les champs, puis qui mènent au village de Plumetis.

À Plumetis, les maisons sont serrées les unes contre les autres, comme pour se tenir bien au chaud ensemble. Cette nuit, après toutes les festivités de Noël, le village s'est endormi. Il reste bien une lumière ici et là mais tout dort. C'est justement ce moment qu'attendent les cheminées. Toutes les nuits d'hiver, quand tout est endormi, les cheminées se parlent. Alors, elles lancent leurs longs rubans dans le ciel. Elles font des courses, des guirlandes et s'amusent à courir entre les étoiles. Jamais elles ne font de telles choses le jour ! Cette nuit, elles ont attendu longtemps, longtemps que tout soit endormi.

— Enfin ! se disent-elles quand tout s'est tu à Plumetis.

Chacune, en déroulant ses rubans de fumée, raconte le Noël de sa maison.

— On a grillé des guimauves chez moi.

— Chez moi, les enfants ont trouvé un petit chat dans leurs chaussons !

— Chez nous, les enfants ont reçu une grande traîne* sauvage du Père Noël.

— Chez moi, le papa est malade. Les enfants lui ont chanté de jolies chansons, tout doucement, pour l'égayer.

Les cheminées se connaissent toutes. Elles sont à Plumetis depuis très longtemps, et tous les soirs d'automne et d'hiver elles bavardent. Mais ce soir de Noël une surprise les attend. Là-bas, au-dessus de Plumebois, s'élève une mince fumée bleue qu'elles n'ont jamais vue avant.

— Qui est-ce donc ?

— Y aurait-il une cheminée à Plumebois ?

— Depuis quand ?

— D'où sort-elle ?

— Allons voir !

Et les cheminées qui, en plus d'être bavardes, sont très, très curieuses, étirent leurs fumées bleues, blanches, grises.

Excitées par l'idée de découvrir peut-être un secret à Plumebois, elles s'étirent, s'étirent, mais n'arrivent pas à rattraper la fine fumée bleue.

— Aidez-nous, les étoiles ! demandent-elles.

Mais les étoiles ne savent pas comment.

— Aidez-nous, monsieur le vent ! demandent-elles.

Monsieur le vent veut bien, pour cette nuit, leur donner une petite poussée. Mais ce n'est pas assez, et déjà la fine fumée bleue de Plumebois a disparu. Les cheminées de Plumetis sont fort déçues. Toutefois, en plus d'être bavardes et curieuses, elles sont aussi très étourdies. Si bien qu'elles oublient vite leur tentative et reprennent leurs bavardages.

Ouf ! Le secret de Plumebois n'a pas été découvert.

Les lièvres qui, comme chacun sait, ne sont pas très patients, ont abandonné leur guet. Ils s'amusent avec raton laveur à essayer les grosses mitaines et la tuque* du Père Noël.

Les écureuils ont bien du mal à se retenir d'aller croquer des noisettes sur le sapin-calendrier.

Pendant que dort le Père Noël, son fidèle caribou se promène à travers les arbres comme il n'y en a pas dans son pays.

— Mon cousin, dit-il au cerf, viens me dire le nom de tes grands arbres.

Et Cerf lui présente les érables, les frênes, les chênes.

— Chez moi, je mange des lichens, dit le caribou, et toi ?

— Des lichens, qu'est-ce que c'est que ça ? demande le cerf.

La chouette, postée en haut du chêne fait soudain hou-hou-hou-hou. Attention, attention, voici quelqu'un !

« Attention ! voici quelqu'un ! »

Quel affolement ! Tous les animaux se précipitent vers le traîneau. Ils hissent le gros sac vide hors du traîneau et le tirent sur le Père Noël pour le cacher. Le caribou et le cerf oublient vite leur conversation et arrivent en courant. Un oiseau blanc vient se poser sans bruit sur le panache du caribou.

Aussitôt Caribou rassure tout le monde :
— C'est Bruant, dit-il.
Mais « Bruant », ça ne veut rien dire aux habitants de Plumebois.
Ce n'étaient pas des pas que la chouette avait entendus, mais le bruit de deux ailes dans la nuit.
— Comme tu nous as fait peur, Bruant ! dit Caribou.
Bruant, c'est un petit oiseau tout blanc : Bruant des neiges est son vrai nom. Bruant des neiges accompagne toujours le Père Noël dans ses voyages. C'est lui qui détermine les trajets et qui sait quel chemin éviter s'il y a une tempête, quelle forêt traverser...
Les animaux de Plumebois, revenus de leur frayeur, le saluent gentiment. Bruant avait quitté le Père Noël à l'orée de Plumebois, le sachant en sécurité, pour aller inspecter la route de la grande forêt.
— Il est l'heure de repartir, dit-il au Père Noël qui s'éveille.
Les petits lièvres sanglotent si fort qu'ils n'ont rien entendu.
— Père Noël ne viendra plus jamais, bou-hou, hou.
— Le secret est découvert, ou-ou.
— Oh ! oooohh.
Mais ils sèchent vite leurs larmes en voyant le Père Noël éclater de rire en les regardant. Si tu les voyais, toi aussi tu rirais !
L'un a la tuque* du Père Noël enfoncée sur les oreilles ; l'autre a mis les grosses mitaines dans ses pattes de derrière, et le troisième a sa longue écharpe enroulée autour du cou.
— Ne pleurez pas, petits lièvres. Bruant est mon ami. Il n'est pas un étranger.
— Ah ! soupirent les petits lièvres en remettant la tuque*, les mitaines et l'écharpe au Père Noël.

C'est donc l'heure du départ. Caribou reprend sa place devant le traîneau que Père Noël attache solidement au harnais.
— Au revoir mon ami Cerf, dit Caribou. À l'an prochain.
— À l'an prochain, répond Cerf, tout heureux de s'être fait un nouvel ami.
Père Noël, bien reposé et souriant, monte sur son traîneau blanc. Il salue tous les habitants de Plumebois et leur dit :
— Prenez bien soin de votre calendrier et surveillez les gourmands.
Tous promettent de respecter les règles et de ne manger qu'une « boule » par jour, même les gourmands.
— Bon voyage, disent tous les animaux.
Bruant ouvre la marche. La clochette tinte doucement tandis que le traîneau s'éloigne. Et le jour se lève sur Plumebois. La neige qui tombe recouvrira bientôt toutes les traces du traîneau. Tous les animaux soupirent de contentement.
Quelle belle nuit de Noël !

Rikiki

Adapté d'un conte populaire.

Les êtres surnaturels ont toujours occupé une grande place dans la vie des gens de la campagne. Les feux follets, les loups-garous semaient l'effroi sur les routes désertes. Mais les lutins, petits êtres facétieux, jouaient des tours plutôt que de faire peur. Ils se glissaient dans les écuries, s'emparaient des meilleurs chevaux et leur faisaient faire pendant la nuit des courses furibondes. Cette histoire d'un lutin fanfaron et rigolard nous vient de la vallée du Richelieu et se passe la veille de Noël.

Le terme « habitant » qui définit le héros, Jean-Mathurin Sansfaçon, est particulier au Québec. Dès 1617, on désignait ainsi celui qui se fixait à demeure en Nouvelle-France. Par contraste, les Français qui occupaient un poste d'administrateur, d'officier ou de missionnaire, étaient appelés des « hivernants » car ils retournaient en France après un certain séjour dans la colonie naissante.

À partir de
6 ans

19 min

Maison
Route

Femme
Homme
Lutin
Seigneur

Ce soir-là, la veille de Noël, Jean-Mathurin Sansfaçon n'avait pas le cœur à la fête. Terré près de son âtre dans lequel pétillait une maigre bourrée* de hêtre, ce pauvre habitant parlait à son chien, Finaud. Il avait envoyé sa femme, Julie, et les quatre petiots se reposer là-haut en attendant la messe de minuit. Lui qui cultivait honorablement son petit lopin de terre sur les bords du Richelieu avait eu une bien mauvaise année.

Une petite récolte de pas grand-chose à cause de la grêle et des pois à moitié pourris dont un quêteux* ne voudrait point. Et la boucherie d'il y a trois semaines :

— Deux pauvres gorets maigrichons qui m'ont donné du lard maigre et jaune que c'en est une vraie pitié, racontait-il à son chien.

Tandis qu'une méchante pluie froide fouettait les carreaux, Jean-Mathurin Sansfaçon, rallumant sa pipe, lança à Finaud d'un air découragé :

— Et pas une goutte de Jamaïque* pour recevoir les amis ! Juste des cretons* pour le réveillon ! Et puis, as-tu regardé le temps qu'il fait dehors, Finaud ? Il mouille à siaux* et nous sommes dans la boue, la veille de Noël, au lieu d'être dans la belle et bonne neige du bon Dieu ! C'est pas tout, continua-t-il. Y a encore ce lutin de malheur, qu'est toujours à me faire endêver*. Encore ce matin j'ai trouvé mon cheval Fend l'Air tout blanc d'écume, tremblant sur ses jambes avec la queue et la crinière tout emmêlées. Il a dû galoper toute la nuit jusqu'à Chambly, aller et retour. Ces lutins-là, vois-tu Finaud, c'est pire que tous les fifollets* et les loups-garous mis ensemble. On n'arrive même pas à s'en débarrasser. Ah ! si je pouvais en

tenir un, une bonne fois dans le creux de ma main, je lui tordrais le cou avec plaisir, surtout celui qui ne me lâche pas et qui est toujours à se promener sur Fend l'Air !
Jean-Mathurin s'aperçut tout à coup qu'un courant d'air froid lui coulait sur le dos. La porte arrière venait de s'ouvrir et quelque chose hors du commun s'y glissait, car Finaud était allé se blottir piteusement dans un coin, la queue entre les jambes. Jean-Mathurin n'était pas un couard et pourtant il ne pouvait pas se décider à tourner la tête Et voici qu'il entendit une petite voix, légère comme un son de flûte, qui paraissait venir de dessous la terre et qui disait à peu près ceci :
— Bien le bonsoir et joyeux Noël à mon ami Mathurin !
Jean-Mathurin finit par se retourner et voici ce qu'il vit : un petit homme pas plus haut qu'une botte qui, juché sur un tabouret, fixait sur lui des petits yeux de furet aiguisés comme une flamme et animés d'une lueur narquoise et moqueuse. En somme, la plus drôle de petite frimousse qu'on pût imaginer. Et il faut voir comment cette personne était vêtue. Manteau de velours vert semé de fleurs de lis, justaucorps de soie rose lamé argent, veste de satin orange, culotte et bas de soie blancs avec des amours de petits escarpins vernis, rien que ça !

Rikiki.

Jean-Mathurin en resta tout ébahi et il n'avait d'yeux que pour la coquine de petite moustache, dont les deux pointes pouvaient faire deux fois le tour de la tête du petit bonhomme.
— Eh bien ! fit l'apparition, tu as fini de me reluquer ? Tu as voulu me voir, me voici ! Et alors, tu vas me mettre dans le creux de ta main, et couic ! Comme tu disais tout à l'heure,

plus de lutin et Fend l'Air pourra désormais passer ses nuits tranquille à l'écurie !

Mon Dieu ! c'était le lutin ! Eh oui ! cette petite merveille vêtue de velours et de satin était là devant lui. Et dire que Jean-Mathurin s'était tout le temps imaginé que ce devait être plutôt une sorte de petit griffon noir avec les pieds fourchus et une barbe de bouc ! Mais il savait bien que c'était quand même le mauvais esprit qui se dissimulait sous cet attirail plaisant.

Alors il s'élança et étendit la main avec le geste de faire « couic » au diablotin, comme il se l'était promis.

Sa main s'abattit dans le vide. Du lutin, plus la moindre trace. Pftt ! la vision avait disparu et Jean-Mathurin, promenant son regard autour de lui, ne vit plus rien que Finaud qui poussait de petits hurlements plaintifs dans le coin.

— Eh bien, voyons. C'est donc comme ça qu'on reçoit ses amis ! fit la même petite voix de flûte. Et moi qui, cette veille de Noël, pour te faire honneur, ai sorti mon costume de gala au grand complet.

C'était le lutin, de nouveau en chair et en os, plus fringant et plus moqueur que jamais. Sans attendre, il se mit à parler tandis que Jean-Mathurin restait cloué sur place par la terreur et la stupéfaction.

— Tu ne sais donc pas que je suis le prince Rikiki, fit le lutin, investi de l'autorité suprême sur tous les lutins du Richelieu et qu'alors je peux rendre visite à des personnages bien plus importants que toi. Quand je veux, je me fais invisible et plus rien ne peut m'atteindre. Les lutins, vois-tu, se glissent partout, sur terre, dans l'air et dans les eaux. Et avec le petit bâton que je tiens dans la main, je possède le don de

te rendre invisible toi aussi, Mathurin, en dépit de ta grosse carapace. Tu dois être raisonnable et rentrer ta colère. Tout ça pour quelques promenades qu'il m'a pris fantaisie de faire sur le dos de ton Fend l'Air qui, entre nous, est une vieille rosse et ne fend plus rien du tout depuis longtemps. L'autre nuit, c'était moi qui étais le plus mal monté, à tel point qu'au retour je fus laissé en route. Tous les autres, chevauchant de beaux poulains pleins de feu, sont rentrés bien avant moi, le prince Rikiki auquel tout doit obéir en ces parages.
Puis il s'attendrit et continua :
— Mais c'est égal, Jean-Mathurin, je t'aime tout de même parce que tu es la meilleure pâte d'habitant que je connaisse à dix lieues à la ronde. Et sache que je te protège, sans que rien n'y paraisse. Te souviens-tu du jour où ton petit dernier, le Jules à la tignasse frisée, avait failli se faire encorner par un taureau ? Eh bien ! c'est moi qui ai sauté sur le cou de la bête et grâce à mes pouvoirs lui ai fait passer l'envie de se jeter sur le petit. Et ce soir même, je viens encore te prouver mon bon vouloir en t'apportant un beau présent de Noël. Regarde.
Le lutin sortit de sous son manteau un sac de toile et en tira sous le regard émerveillé de Jean-Mathurin du beau boudin bien gras.
— Du boudin ! s'écria Jean-Mathurin, non sans une nuance de dépit qui n'échappa pas au lutin.
— Eh bien, oui, du boudin, et du beau, je m'en flatte ! Mais tu n'es pas content ? Je t'apporte un réveillon de roi et tu ne me sautes pas au cou ?
— Du boudin, dit le pauvre homme ! Ce n'est pas un présent de Noël.
— T'imagines-tu, reprit le lutin, que j'allais t'apporter un sac de pièces d'or ?

Il en tira du beau boudin bien gras.

— La richesse ne fait pas mal, répondit Jean-Mathurin, quand on sait s'en servir. Prends en exemple le seigneur de Saint-Charles qui me donne envie d'être à sa place quand je le vois passer avec ses deux beaux chevaux noirs.
— Sais-tu que j'ai le goût de te prendre au mot, Jean-Mathurin, et de t'y mettre, à la place du seigneur de Saint-Charles...
Il hésita un moment puis, rejetant brusquement son manteau il continua son discours :
— Je vais faire encore mieux que ça pour te prouver que les lutins aiment à rendre service, à plus forte raison la veille de Noël. Tu peux formuler trois souhaits et tu les auras. Le premier est déjà tout trouvé puisque tu veux être à la place du seigneur de Saint-Charles, poursuivit-il en lançant un petit rire aigu.
— Ça ne fait pas de mal de le souhaiter, dit Jean-Mathurin.
— Bon, c'est accordé. Et le deuxième souhait ?
— Eh bien, si ça ne te fait pas de différence, je voudrais de l'élixir de longue vie dont on parle dans les livres et qui fait vivre aussi longtemps que Mathusalem.
— Holà ! s'écria le lutin. Pourquoi pas me demander de t'apporter la lune, tant que tu y es. Mais j'ai promis, je tiendrai parole. Va pour l'élixir. Et le troisième ?
— C'est simple : je voudrais être heureux. Mais là, tu sais, heureux pour de vrai, comme qui dirait sans penser à rien, sans soucis, comme Finaud quand il a mangé tout son plein et qu'il dort auprès du feu.
— Pas mal imaginé, riposta le lutin. Qui aurait jamais cru que tu voulais tout ça dans ta grosse caboche ? Me voilà bien pris, moi, qui t'ai promis mer et monde. Mais, foi de lutin, je n'en démordrai pas. Allons d'abord chez le seigneur de Saint-Charles.

Jean-Mathurin sortit avec le lutin. Le temps se mettait rapidement à la gelée et dans le ciel piqué d'étoiles, les derniers nuages noirs s'enfuyaient, chassés par un vent de tempête.
— Joli temps pour voyager, observa Rikiki. D'autant plus que le vent porte du côté de Saint-Charles et que nous y serons dans un instant. Mais je ne pense pas qu'il soit souhaitable de te transporter dans les airs, ça te tournerait les sangs. Grimpe donc sur Fend l'Air avec moi derrière et allons à Saint-Charles !
Fend l'Air pour une fois mérita son nom et détala comme une ripousse*. Sur la grande route durcie par le gel, les sabots du cheval résonnaient d'un martèlement sonore et cadencé. En une petite demi-heure on était rendu et l'instant d'après on était sous les fenêtres brillamment illuminées du seigneur de Saint-Charles. Et comme Jean-Mathurin, après avoir attaché son cheval sous une remise, faisait mine de vouloir entrer, le lutin dit :
— Un instant, espère un peu, tu ne t'imagines pas qu'on entre comme ça chez le seigneur ! Et avant d'entrer, je veux d'abord te montrer si la chose en vaut la peine. Et pour cela nous allons nous rendre invisibles et entrer sans être vus.
Le lutin toucha Jean-Mathurin du bout de son bâton et subitement le brave homme se sentit évanouir en fumée. Puis, le lutin à son tour disparu, ils se trouvèrent tous les deux subitement transportés à l'étage supérieur du manoir, dans la chambre même du seigneur. 
Sa Seigneurie sommeillait dans un fauteuil, l'un de ses pieds posé sur une chaise et tout enveloppé de bandages qui en faisaient une chose informe. Un domestique en livrée mettait la dernière main aux préparatifs du souper de

Sa Seigneurie sommeillait dans un fauteuil.

son maître et d'en bas venaient les échos d'une jolie musique mêlée à des éclats de voix et de verres. Suivant les traditions d'antan, on célébrait là la veillée de Noël en bonne compagnie.

Les deux nouveaux arrivés se tenaient immobiles dans leur coin, invisibles à tous, et Jean-Mathurin se demandait bien quel tour lui réservait encore une fois son compagnon quand un énergique juron de Sa Seigneurie lui fit soudain dresser les oreilles.

— Enfer et damnation ! clamait le seigneur, a-t-on juré de me laisser crever de faim !

— Que Votre Seigneurie prenne patience, répondit le domestique.

Aussitôt arriva un autre domestique portant sur un plateau d'argent plusieurs petits plats couverts.

— Que m'apportes-tu ? demanda le seigneur en guignant d'un œil soupçonneux les plats fumants.

— Ce soir de veille de Noël, le médecin vous permet, en plus du biscuit et du verre de lait habituel, une assiette de gruau.

Le domestique n'acheva pas ses paroles car le seigneur, oubliant son attaque de goutte, se leva d'un bond de son fauteuil et asséna un formidable coup de canne au plateau en envoyant voler les plats à tous les coins de la chambre. Le pauvre serviteur se courba pour les ramasser mais le seigneur fit pleuvoir sur son dos une grêle de coups en hurlant :

— Cornes du diable ! Corbleu ! On me donne du gruau. La peste t'étouffe avec ta tisane ! Ventre-saint-gris, c'est un salmis de canard qu'il me faut ce soir et avec du bourgogne ! Tu entends, suppôt d'enfer ? Ah ! tu m'apportes du gruau pour mon souper de Noël !

Et les coups de canne de pleuvoir avec un redoublement de fureur sur le pauvre serviteur qui tentait de se protéger du mieux qu'il pouvait avec le plateau d'argent.
Attirés par le bruit, les gens d'en bas accoururent avec, à leur tête, madame la seigneuresse elle-même et ses deux filles. Elles eurent toutes les peines du monde à coucher Sa Seigneurie dans son lit, elle dont les traits convulsés et la bouche couverte d'écume témoignaient de la violence de la crise par laquelle elle venait de passer.
— Eh bien, demanda Rikiki à Jean-Mathurin, t'y mets-tu, oui ou non, à sa place ?
— Allons-nous-en, fit ce dernier. Je te tiens quitte.
— Et d'un, observa Rikiki.
Jean-Mathurin et Rikiki redevinrent visibles et enfourchèrent Fend l'Air pour retourner à Saint-Denis. Au bout d'un certain temps, Jean-Mathurin dit :
— Ah ! On peut dire qu'il jure en grand celui-là ! Quel discours !
— Un homme dans sa position ne peut se contenter d'un pauvre « batêche »* comme toi. Il a des mots à sa hauteur, le seigneur de Saint-Charles.
— Et moi qui voulais me mettre à sa place ! s'écria Jean-Mathurin. J'aime mieux m'occuper de l'élixir.
Fend l'Air reprit son train d'enfer et Rikiki le mena dans une sorte de chemin perdu qui avait l'air d'aller nulle part. Au bout, une pâle lumière clignotait dans une petite maison basse. Rikiki arrêta son cheval devant la maison et Jean-Mathurin s'écria :
— Mais, c'est la maison du père Corriveau ! Et mon élixir ?
— Tu vas l'avoir, fit Rikiki, et tu vivras tant et tant que le ménage Corriveau te semblera de la première jeunesse. Tiens,

approche de la fenêtre et regarde ces vieux-là ! Hein ? C'est beau la vie !

Jean-Mathurin mit son nez à la fenêtre. Il vit devant la cheminée un homme et une femme tous deux si courbés, si maigres et si ratatinés qu'on aurait pu croire que leurs os allaient bientôt se rejoindre et dégringoler par terre. La peau sur leurs os étaient jaune comme un vieux parchemin et sur leur crâne se dressaient quelques touffes de cheveux blancs. Les yeux avaient un regard d'une fixité effrayante. La femme était assise et l'homme debout parlait tout haut. Rikiki et son compagnon tendirent l'oreille.

— Encore un Noël, ma femme, disait le vieux, où le bon Dieu n'a pas voulu de nous. Quand donc viendra-t-il nous chercher, depuis le temps qu'on l'attend ? Nos enfants sont tous partis et maintenant, personne ne s'occupe de nous. Ah ! quel malheur. Même la mort nous oublie…

Rikiki se sentit tiré par un pan de son manteau.

— Allons-nous-en ! souffla Jean-Mathurin.

Ils quittèrent donc la maison. Rikiki ne cachait pas son enthousiasme :

— Ah ! c'est beau de vivre vieux. Te vois-tu débriscaillé* comme ce vieil homme, toi qui fauches encore tes deux arpents entre les deux soleils ? Tu vas battre, avec l'élixir, les cent ans bien sonnés du père Corriveau.

— Assez de l'élixir. Je te tiens quitte aussi de ce souhait-là, cria Jean-Mathurin. Je préfère aller retrouver tous mes gens au cimetière quand mon tour sera venu. Si le troisième souhait qu'il me reste n'est pas plus drôle, j'aime autant m'en retourner chez nous.

— Pas du tout ! lança le lutin. Le dernier souhait, j'y tiens. Tu en seras si heureux que tu en crieras d'aise.

Et comme le lutin faisait mine de détaler sur Fend l'Air sans l'emmener, Jean-Mathurin cria :
— Bougre de sort ! Tu ne vas pas me laisser sur le chemin sans monture ?
— La marche au grand air te fera du bien, répondit Rikiki. Tu trouveras ton cheval à l'écurie. Bonne nuit !
Jean-Mathurin eut beau pester et tempêter, le lutin disparut avec son cheval dans la nuit.
Notre homme mit près d'une heure avant d'atteindre le dernier bout de la route qui menait chez lui. Il se doutait bien que l'heure était tardive et il se dépêcha car il lui fallait aller chercher Julie et ses trois petits pour les mener à la messe de minuit.
Un froid sec et piquant le talonnait et il ressentait une jolie rage contre le lutin qui lui avait fait rater deux souhaits sur trois et qui maintenant le laissait en plan sur la grande route en plein cœur de minuit.
Tout à coup il ressentit un élancement à la joue comme si on lui avait enfoncé une aiguille dans la chair. Surpris, il s'arrêta net et se tint le visage dans la paume.
« Le froid, sans doute, pensa-t-il, ou quelque rhumatisme. » Il accéléra la marche car il lui tardait d'arriver à la maison. Il n'avait pas fait trente pas qu'un second élancement le cloua sur place. Cette fois, c'était un coup d'épée qui lui transperçait la joue. Il se tint la tête à deux mains en gémissant. La douleur lui serrait la mâchoire et il ne put s'empêcher de crier :
— Aïe ! Aïe ! qu'est-ce que j'ai là !
Puis, soudain, il se souvint de sa femme qui s'était ainsi lamentée à tous les saints un soir d'hiver, aux prises avec un méchant mal de dents. Mais ce n'était pas possible : ses

Il ressentit un élancement à la joue.

trente-deux dents étaient bien saines... et pourtant l'horrible douleur le tenaillait. Tout en continuant de souffrir il se mit à imaginer que c'était peut-être encore un tour de Rikiki. À cette pensée, il redoubla de rage.
— Ah ! le galapiat ! Si je le tiens, je vais lui tordre le cou !
Il courut d'une seule traite jusqu'à sa maison dont il ouvrit la porte d'une violente poussée.
— Qu'est-ce que t'as, mon vieux ? demanda Julie qui finissait d'habiller les petits près de l'âtre.
— Ce que j'ai...
Et il ne termina pas car il venait d'apercevoir, juché sur l'escabeau, cet infernal Rikiki qui riait et riait jusqu'aux pointes de ses petites moustaches et se tapait les cuisses de bonheur, rien qu'à voir la face ahurie de Jean-Mathurin.
— Ah ! mon crapoussin* s'écria celui-ci, c'est ce que tu appelles me mettre à l'aise : j'en ai la bouche emportée ! Attends pour voir...
Rikiki esquiva le coup que lui destinait Jean-Mathurin et demanda :
— Tu te sentirais donc bien heureux si tu étais débarrassé de ton mal ?
— Batêche* ! Finiras-tu, un jour, de faire endêver* le pauvre monde ?
— Mais, bougre de bêta, fit le lutin, tu oublies ton troisième souhait. Tu voulais être heureux ? Eh bien ! c'est fait.
Le mal de Jean-Mathurin disparut subitement et il resta là, au milieu du plancher, les yeux agrandis d'un bonheur indicible.
— N'ai-je pas tenu parole ? Pour bien apprécier ton bonheur, il te fallait d'abord passer par l'épreuve ; et cette épreuve je te l'ai donnée en te gratifiant d'un mal de dents... de cheval ! Et

maintenant que te voilà redevenu gai luron comme avant, j'espère que tu feras honneur à mon réveillon ?

Le boudin ! Jean-Mathurin l'avait oublié. Il en avait maintenant l'eau à la bouche. Mais il fallait partir :

— Vite, les enfants, faut y aller !

— À l'année prochaine, fit le lutin qui s'apprêtait à prendre congé.

— Si tu veux, dit Jean-Mathurin. Mais les souhaits c'est fini : je n'en formulerai plus. Ah ! ça non, je te le promets.

— À la bonne heure, dit le lutin. Vois-tu, mon cher Mathurin, pour être heureux en somme, rien ne vaut la bonne vieille recette qui consiste à être tout bonnement content de son bonhomme de sort.

Ces paroles dites, Rikiki sauta de l'escabeau et enfilant la cheminée, il disparut dans un peu de fumée.

Le Noël de Jean-Mathurin et de sa petite famille fut, bien que modeste, la plus heureuse des fêtes.

Le Poisson de Noël

Texte de Marie-Andrée Boucher-Mativat, © éditions Héritage inc. (sous le titre Où est passé Inouk ?*), Saint-Lambert, 1991.*

Une des activités hivernales des Québécois est la pêche blanche, c'est-à-dire la pêche sur la glace. Sainte-Anne-de-la-Pérade est la capitale de cette pêche car c'est là, plus qu'ailleurs, dans la rivière Saint-Anne, que le petit poisson des chenaux abonde au début de l'hiver. En décembre, on y installe tout un village de cabanes de bois où se réfugient les pêcheurs à l'abri du froid mordant. Chaque maisonnette est garnie d'un mobilier rudimentaire et même d'un poêle à bois ! Les pourvoyeurs sont ceux qui louent ces cabanes d'un jour.

Cette histoire, racontant le sauvetage d'un chien sur les glaces, est basée sur un fait réel.

À partir de 6 ans

12 min

Cabane
Fleuve

Chien
Frère
Poissons
Sœur

Le matin du 24 décembre, les enfants du monde entier sont excités. Mais sûrement pas autant que Sophie Baril et son frère François !
En effet, pour la première fois cette saison, François, Sophie et leur chien, Inouk, partent à la pêche aux petits poissons des chenaux. Le poisson des chenaux, ou poulamon, est aussi appelé « poisson de Noël », parce qu'il remonte la rivière Sainte-Anne juste à temps pour être servi au réveillon. Sur la rivière gelée, des centaines de cabanes multicolores attendent déjà les pêcheurs. Vu de la rive, on dirait un de ces villages miniatures qu'on pose sous le sapin de Noël. Au pied de la descente, un panneau-réclame souhaite la bienvenue à Sainte-Anne-de-la-Pérade, capitale mondiale du petit poisson des chenaux.
À quelques mètres de là, Claude Fournier fait les cents pas près de son hélicoptère. Les enfants connaissent bien le pilote. En effet, Claude est un ami d'enfance de leur mère et c'est avec lui que Marie a suivi des cours de pilotage.
— Comment ça va ? demande Sophie.
— Les affaires sont plutôt tranquilles. Je n'attends pas beaucoup de clients aujourd'hui. La veille de Noël, les gens sont trop occupés pour s'offrir une promenade en hélicoptère.
— Nous, nous n'avons presque rien à faire, laisse tomber, François.
Claude lui adresse un clin d'œil complice :
— Un de ces jours, je vous ferai faire une petite balade. Promis !
— Joyeux Noël ! crient les enfants.
Une activité intense règne sur la rivière Sainte-Anne : automobiles, tracteurs et motoneiges se croisent en tous sens.

Inouk tire sur la laisse et aboie au passage de chaque véhicule. Heureusement, François et Sophie sont arrivés !
La cabane des Baril est beaucoup plus grande que les autres et sert de bureau pour accueillir la clientèle. En effet, Pierre et Marie sont pourvoyeurs, c'est-à-dire qu'ils sont propriétaires de plusieurs cabanes qu'ils louent aux touristes, généralement pour une période de huit heures.
Les enfants entrent précipitamment :
— Bonjour papa !
Pierre est occupé avec un client. De grosses mitaines de cuir sont posées sur une chaise. Discrètement, Inouk se faufile tout près. Il flaire les mitaines puis, vif comme l'éclair, en attrape une dans sa gueule.

De grosses mitaines de cuir sont posées sur une chaise.

— Sale bête ! Rends-moi ça tout de suite ! ordonne le client, en tirant sur sa mitaine.
— Inouk, sois gentil, supplient François et Sophie.
— Espèce de sac à puces, je vais t'apprendre à vivre ! grogne l'inconnu, en lui assénant un coup sur le museau.
Inouk pousse un cri de douleur et lâche prise.
— Il est jeune, plaide Sophie, en s'élançant vers le chien, il voulait juste s'amuser.
— Drôle de façon de s'amuser ! éclate le pêcheur en exhibant sa mitaine déchirée. Vous feriez mieux de l'éduquer.
Les enfants voudraient protester mais Pierre leur fait signe de se taire :
— Je conduis monsieur à sa cabane et je reviens.
Au retour de son père, François laisse exploser sa colère :
— Il a frappé Inouk ! il n'avait pas le droit !
— Vous feriez bien d'oublier tout ça et de commencer à pêcher. J'ai hâte de voir lequel de vous deux attrapera le premier poisson.

Sophie et François retirent manteaux, tuques*, écharpes.
Pierre prend quelques bûches rangées sous une large banquette et les enfonce dans le petit poêle en fonte qui se met à ronronner.
Prudemment, les enfants s'installent sur de vieilles chaises alignées au bord de l'ouverture pratiquée dans le plancher et se penchent au-dessus de l'eau noire.
En silence, chacun fixe attentivement les lignes qui descendent du plafond. Inouk est intrigué. Assis entre les enfants, il suit chacun de leurs gestes en martelant le plancher de sa queue.
Soudain, l'allumette de bois, fixée à une des cordes, se met à remuer.
— Ça mord ! annonce joyeusement François.
En pêcheur expérimenté, il observe les mouvements de la ligne :
— C'est sûrement un poisson énorme. Regardez comme il tire sur le fil. S'il continue, il va tous nous entraîner sous la glace.
— Tu exagères toujours ! déclare Sophie.
— Comme tous les pêcheurs, fait remarquer son père.
D'un coup sec, François ferre sa prise et remonte rapidement la ligne. Deux gros poulamons se tortillent au bout des hameçons.
Inouk aboie joyeusement.
— Chanceux ! s'exclame Sophie. Un coup de deux !
D'une main assurée, son frère décroche ses prises et les lance dans un seau.
Inouk y plonge aussitôt le museau et le renverse.
— Inouk ! proteste Sophie.
— Lâche ça ! crie François en arrachant les poissons aux griffes du chien.

François ferre sa prise et remonte rapidement la ligne.

— J'ai une idée ! annonce Sophie. Nous n'avons qu'à jeter les poissons dehors, au fur et à mesure que nous les pêchons.
Aussitôt dit, aussitôt fait. Sophie ouvre la porte et François lance les poulamons sur la glace où ils se recroquevillent et gèlent dans des positions cocasses.
Bientôt les prises se succèdent à un tel rythme que les pêcheurs n'ont même plus le temps de les décrocher. Ils les abandonnent sur le plancher, pour en remonter une autre et encore une autre...
Inouk en profite pour fourrer son museau partout et emmêler les lignes.
— Inouk, gronde François, tu ne pourrais pas rester tranquille cinq minutes ?
— Quel méli-mélo ! soupire Sophie, devant cet enchevêtrement de fils et d'hameçons.
Pierre se lève :
— Il faut que j'aille faire la tournée de mes cabanes. Je vais attacher Inouk au poteau. Quand vous serez venus à bout de ce casse-tête, vous le ferez rentrer.
Un peu plus tard, lorsque Sophie sort pour détacher Inouk, elle ne le voit nulle part. Elle crie son nom dans toutes les directions. En vain.
Alerté par les cris de sa sœur, François sort à son tour :
— Inouk n'est pas là ?
— Je crois bien qu'il s'est sauvé, murmure Sophie.
— Penses-tu ! Papa a dû l'emmener en promenade, lance François en se frictionnant vigoureusement. Entre vite dans la cabane si tu ne veux pas être transformée en glaçon.
Quelques instants plus tard, leur père rentre à son tour.
— Inouk n'est pas ici ?
Les enfants se regardent, abasourdis.

— Nous pensions qu'il était avec toi, répond François.
— Je savais qu'il avait disparu, murmure Sophie, les yeux pleins de larmes.
— Pas de panique ! ordonne Pierre, calmement. Ce n'est pas la première fois qu'Inouk se sauve. Allons interroger les voisins. Quelqu'un l'a sûrement vu.
Les enfants enfilent leur anorak et se précipitent à l'extérieur.
Brusquement, Sophie s'immobilise, songeuse.
— À quoi penses-tu ? s'enquiert François.
— Au pêcheur de ce matin. Si c'était lui qui avait détaché Inouk ?
À ces mots, François sent un grand frisson lui parcourir le corps.
— Vous avez trop d'imagination, affirme Pierre.
— Allons le voir ! décide François.
Les enfants contournent rapidement la cabane et frappent énergiquement à la porte. Pas de réponse. Pierre ouvre. Personne. Le bruit d'une portière qu'on claque attire l'attention de Sophie.
— Regardez, crie-t-elle, en pointant du doigt une fourgonnette garée en face, c'est lui.
À grandes enjambées, François et Sophie traversent la rue. En les voyant arriver, le pêcheur se penche à la portière avec un sourire sarcastique :
— Je parie que vous cherchez votre chien.
— Comment le savez-vous ? demande François, sur un ton à peine poli.
— Parce que je l'ai vu tout à l'heure. Il courait comme un fou derrière une motoneige.
— Dans quelle direction allait-il ? questionne Pierre.

Il courait comme un fou derrière une motoneige.

— Vers le fleuve, laisse tomber le conducteur en démarrant.
François et Sophie sont désemparés.
— Au moins, nous savons dans quelle direction chercher, conclut Pierre. Pour le moment, retournons à la cabane.
Devant la porte, les enfants trouvent la motoneige de Marie. En quelques mots, Sophie et François racontent à leur mère l'escapade de leur chien.
— Qu'allons-nous faire ? demande anxieusement François.
— Le retrouver ! réplique fermement Marie. Venez !
— Où ça ? demandent les enfants en prenant place sur la motoneige.
— Au fleuve, voyons !
Marie zigzague habilement entre les cabanes jusqu'au restaurant *Chez Jean-Eudes*. Là, elle tourne à gauche et file vers le fleuve.
La température s'est adoucie. La neige tombe dru. Les enfants rentrent la tête dans les épaules pour se protéger des flocons qui leur griffent le visage.
— Votre bonhomme n'a pas menti, crie soudain Marie. Inouk est là. Regardez ! Il dérive sur une plaque de glace.
— Pauvre Inouk, soupire Sophie, comme il doit se sentir seul !
— Comment est-il arrivé là ? demande François.
— Il s'est sans doute aventuré trop près de l'eau, répond Marie. Il a alors suffi d'une vague plus forte pour que la glace casse et qu'Inouk soit emporté par le courant.
Soudain, Sophie pousse un cri horrifié :
— Il y a un bateau qui arrive ! Il va faire chavirer Inouk.
— Il n'y a pas une minute à perdre ! déclare Marie. Allons voir Claude ! Lui seul peut nous aider.
Cramponnée à son guidon, Marie fait demi-tour et fonce vers son point de départ. Heureusement, Claude est encore à son

poste. Marie explique brièvement la situation. En quelques secondes, tous se retrouvent à bord de l'hélicoptère.
Les enfants n'ont qu'une idée en tête : retrouver Inouk. Toutefois rien n'est moins sûr. En effet, par moments, les bourrasques rendent la visibilité pratiquement nulle. Plus le temps passe, plus les enfants désespèrent.
À bord, personne ne dit mot.
— Je le vois ! hurle soudain François.
— Où ça ? Où ça ? réplique vivement Sophie.
— Là, à droite… Regardez !
— Tu es sûr ? s'informe Claude.
— Sûr et certain ! Même qu'il lève la tête vers nous et qu'il aboie !
— Il doit croire que nous l'avons abandonné, pense tout haut Sophie.
— J'y vais ! lance Claude. Votre mère va prendre les commandes.
— Attache-toi bien, recommande Marie, en amorçant la descente.
Claude ouvre la porte et réussit à se glisser hors de l'appareil. Malgré le vent, il parvient à s'installer à califourchon sur l'un des patins de l'hélicoptère. Doucement, l'appareil plonge à moins d'un mètre de l'eau. Tout près, Inouk tourne en rond sur son refuge flottant. Il est complètement paniqué. Claude se penche, tend le bras et l'agrippe. Hélas, plutôt que de se blottir contre lui, le chien se débat et… tombe dans le fleuve.

Il lève la tête et aboie !

— Il va se noyer ! crient les enfants.
Heureusement, au contact de l'eau glacée, Inouk comprend vite où est son intérêt et nage énergiquement vers Claude. Marie manœuvre de telle façon que l'hélicoptère vole mainte-

nant à fleur d'eau. Claude étire de nouveau le bras. Cette fois, le chien se laisse attraper sans résister.
Sauvé ! Claude hisse immédiatement Inouk à bord de l'appareil.
Il était temps ! Claude est frigorifié ! Ses bottes sont remplies d'eau et il est trempé jusqu'aux cuisses. Inouk, lui, n'en finit plus de s'ébrouer. Il est couvert de neige de la pointe des oreilles jusqu'au bout de la queue.
— Claude ! Inouk !
François et Sophie les enveloppent dans des couvertures et les embrassent l'un et l'autre avec fougue.
— Mes compliments, lance joyeusement Marie, à l'adresse de Claude.
Cette nuit-là, chez François et Sophie, le réveillon est particulièrement animé. Tous les invités veulent connaître les moindres détails du sauvetage. Quant à Inouk, il récupère devant le foyer. Allongé sur le tapis, il suit des yeux le clignotement des ampoules dans le sapin tout en grignotant une vieille pantoufle de cuir dont les enfants lui ont fait cadeau.
— Aujourd'hui, Inouk, tu nous as causé bien des soucis, constate affectueusement Sophie.
— En tout cas, affirme François, c'est décidé : l'an prochain, nous irons seuls, pêcher le poisson de Noël !

Sarah et Guillaume chez le Père Noël

Texte de Yanik Comeau.

Yanik Comeau est un jeune comédien qui a plongé dans le monde de l'écriture pour la jeunesse en gagnant un concours lancé par une maison d'édition. Il n'arrête plus d'écrire. Natif de la région de Montréal, Yanik est un passionné de téléromans. Aussi, il nourrit un grand rêve : écrire un jour, lui aussi, pour la télévision.

À partir de 4 ans

4 min

Maison
Pôle Nord

Chien
Frère
Lutin
Père Noël
Sœur

Comme tous les enfants, Sarah et Guillaume ont bien hâte à Noël. Chaque année, ils envoient des lettres au Père Noël pour lui dire qu'ils ont été particulièrement sages et

qu'ils aimeraient recevoir toute sortes de beaux cadeaux. Évidemment, chaque année, le Père Noël leur répond avec une belle lettre sur du papier coloré.
Mais cette année, Guillaume et Sarah auront une surprise supplémentaire.
Le 17 décembre au matin, Guillaume se réveille et se prépare à partir pour l'école. Il sait bien qu'il ne reste pas beaucoup de jours avant Noël, mais quand même ! Il n'a vraiment pas le goût d'y aller. Il aimerait beaucoup mieux rester chez lui, jouer dans la neige, construire des forts avec ses amis... mais il faudra attendre les vacances.
Pendant qu'il enfile ses chaussettes, Guillaume entend un bruit qui semble émaner de sa garde-robe.
— Surprise ! crie Guillaume. Qu'est-ce que tu fais encore là-dedans ?
Surprise, c'est le chien de Sarah, la grande sœur de Guillaume, qui a l'habitude de fouiner un peu partout. La garde-robe de Guillaume est une de ses cachettes préférées !
— Sors de là, Surprise !
Mais évidemment, il faudra bien que Guillaume lui ouvre la porte !
— Bonjour, monsieur Guillaume ! Comment allez-vous ce matin ?
Mais ! Mais !... ce n'est pas du tout Surprise qui est dans la garde-robe. C'est...
— Permettez-moi de me présenter : je me nomme Smart... prononcé à l'anglaise s'il vous plaît ! Piccolo Smart. Je suis un des lutins du Père Noël et je viens vous chercher, vous et votre sœur Sarah, pour vous amener visiter le pôle Nord, comme vous le demandiez dans la lettre que vous avez envoyée à mon patron.

— Saraaaaaaahhhhh !!!!! Saraaaaaaahhhhh !!!!! Viens ici, vite ! s'exclame Guillaume, un peu nerveux, mais très excité. Trouver un lutin du Père Noël dans sa garde-robe, c'est beaucoup plus intéressant que le pantalon et le pull qu'il doit porter pour se rendre à l'école !

— Qu'est-ce qu'il y a Guillaume ? Il faut se préparer pour l'école.

C'est Sarah qui arrive enfin dans la chambre et voit Piccolo Smart, bien planté là, au milieu de la garde-robe sous les vêtements suspendus.

— Mademoiselle Sarah ! Enchanté de faire votre connaissance. Je suis ici pour vous amener visiter le pôle Nord et rencontrer le Père Noël qui vous réclame.

Sarah n'en revient pas !

— Mais… comment on fait pour se rendre au pôle Nord ? demande Guillaume.

Piccolo sourit et fait signe à Sarah et à Guillaume d'entrer dans la garde-robe.

— Bon. Maintenant, vous fermez les yeux et vous dites trois fois : « Léon erèp… Léon erèp… Léon erèp. »

Guillaume rit.

— Léon qui ? demande-t-il.

— Léon erèp, explique Piccolo. C'est Père Noël à l'envers.

Aussitôt dit, aussitôt fait. Guillaume et Sarah se retrouvent tous les deux en pyjama, les fesses dans la neige au pôle Nord… devant la maison du Père Noël !

Piccolo est confus.

— Excusez-moi, j'ai raté. Nous devions atterrir dans la maison, mais je l'ai manquée de quelques mètres.

Rapidement, les trois complices entrent dans la maison et sont chaleureusement accueillis par Mère Noël et son célèbre

Guillaume et Sarah se retrouvent les fesses dans la neige.

mari, le Père Noël lui-même ! Guillaume et Sarah sont bouche bée.
— Bonjour, mes jeunes amis ! lance le Père Noël, de sa traditionnelle voix tonitruante. Tu as fait du bon travail, Piccolo. Merci !
Le Père Noël est tout aussi content de rencontrer Sarah et Guillaume qu'eux le sont de le voir enfin en personne. Pendant deux heures, ils font le tour de la maison, rencontrent les lutins, découvrent comment sont fabriqués les jouets, rencontrent les rennes qui tirent le chariot du Père Noël et mangent un délicieux petit déjeuner préparé par Mère Noël elle-même !
— Mais Guillaume ! Nous allons être en retard pour l'école ! s'exclame soudainement Sarah.
— Ho ! Ho ! Ho ! Ne t'en fais pas, ma petite Sarah. Quand vous êtes partis de chez toi avec Piccolo, le temps a cessé d'avancer. Tu verras : lorsque vous retournerez, les horloges n'auront pas bronché.

Sais-tu que le Père Noël ne racontait pas de blague… Quand Sarah et Guillaume ont « atterri » dans la garde-robe de Guillaume, rien n'avait changé. Sauf Surprise qui jappait à la porte de la garde-robe pour que ses maîtres sortent de là ! Toute une aventure, n'est-ce pas ?

Le Drôle de Noël de Robervalkid

Texte de Rémy Simard, © éditions Pierre Tisseyre, collection Coccinelle, Saint-Laurent, 1994.

Rémy Simard est un phénomène : auteur de bandes dessinées, illustrateur, il est aussi écrivain. Ses histoires publiées, albums et romans, sont comme des images : farfelues et débridées. Le personnage de Robervalkid revient souvent dans les livres de Rémy Simard. Pour lui et son ami Dolbeau, Noël arrive un peu tôt cette année, même qu'on dirait que c'est le temps de l'Halloween, une fête très célébrée par les enfants du Québec le 31 octobre. Rémy Simard est né à... Roberval, une jolie ville du lac Saint-Jean, pas très loin de Dolbeau !

À partir de 7 ans

4 min

Maison

Cow-boy
Fantôme
Père Noël

Comme tous les plus grands cow-boys du monde, Roberval doit faire un gros dodo de temps en temps.
— Ron pitou, ron pitou, fait-il tout en rêvant à tout plein de bonnes choses, dont manger une tarte aux champignons tout en chantant de jolies chansons.
Roberval dort si profondément qu'il ne se rend pas compte qu'une ombre mystérieuse s'approche de lui.
L'ombre appartient sûrement à un énorme personnage qui vient peut-être cambrioler notre héros. Ou, pire encore, lui chatouiller les orteils…
— Hé Roberval, dit soudainement l'ombre, réveille-toi. C'est l'heure !
— Aaaaaah, fait Roberval surpris dans son sommeil. Qui êtes-vous ? Que me voulez-vous ?
— C'est moi, Dolbeau !
— Dolbeau ! Nom d'un pétard. Mais que fais-tu ici ?
— Bien voyons. Je viens te chercher. C'est Noël !
— Noël déjà, s'exclame Roberval ! Mais je viens tout juste de terminer ma récolte d'aiguilles de cactus.
— C'est pourtant écrit dans mon calendrier : aujourd'hui, c'est Noël, lui répond son fidèle ami.
— J'ai certainement dormi très, très longtemps, se dit Roberval tout surpris. Alors, vite Dolbeau, nous n'avons pas une seconde à perdre.
— Tu ne trouves pas cela bizarre, Roberval, que je sois le « Schtrounche » et toi le Père Noël ?
— Si tu n'avais pas mis le costume dans la sécheuse, il n'aurait pas tant rapetissé. Mais, nom d'un train électrique, s'exclame le Kid, cela ne peut pas être Noël. Il n'y a pas un seul flocon de neige.

— Tu es encore complètement endormi, Roberval. Depuis quand il y a de la neige dans le désert ?
— Tu as raison. Noël est arrivé si vite cette année, qu'on n'a même pas de cadeaux à s'offrir !
— Pas de panique. Je sais où en trouver, moi, des cadeaux, répond Dolbeau qui, pour une fois, a une réponse à tout...

— Cela vous coûtera trois cent quarante quelque chose, leur dit le marchand de jouets.
Sans rouspéter, Roberval sort l'argent qu'il a gagné grâce à sa récolte d'aiguilles de cactus à tricoter. Débordés de jouets et de cadeaux de toutes sortes, ils s'enfoncent dans la nuit. La nuit la plus belle. La nuit de Noël...
— Dis, Roberval, tu es sûr que nous devons passer par les cheminées ?
— Absolument. Nous allons faire comme le vrai Père Noël.
— Si le vrai Père Noël existe, pourquoi on le remplace ?
— Je lui ai écrit pour lui dire qu'on allait l'aider. Il a tellement de maisons à visiter que j'ai pensé qu'un petit coup de main lui ferait du bien.
— La prochaine fois que tu lui écris, explique-lui à quoi sert une porte d'entrée...
Une fois passés par la cheminée, nos amis se retrouvent dans une bien étrange maison.
— On dirait une maison hantée, dit Dolbeau qui a la trouille.
« Ding, Dong », fait tout à coup la sonnette de la porte d'entrée. Visiblement seuls dans la maison, nos amis vont ouvrir. Et ils tombent nez à nez avec... un fantôme !
À toutes jambes, blancs de peur, Roberval et Dolbeau quittent la maison hantée et se sauvent le plus loin possible. Mais leur

Un fantôme !

stupeur ne s'arrête pas là... D'autres fantômes et des monstres de toutes sortes vont sonner de porte en porte dans le village. Personne ne fait attention à nos deux amis totalement éberlués devant un tel spectacle d'horreur.
Personne, sauf une grosse voix qui leur dit :
— Vous avez de bien beaux costumes...
Roberval se retourne et voit un vieux cow-boy avec une longue barbe blanche.
— Que font les fantômes dans la rue, la nuit de Noël ? lui demande Roberval tout inquiet.
— Mais mon petit, ce n'est pas Noël, aujourd'hui. C'est la nuit de l'Halloween !
— « L'alouwine » ? « L'alouwine » ! Si c'est « l'alouwine », pourquoi n'êtes-vous pas déguisé ?
— Je suis déguisé, mon garçon ; la preuve, c'est que tu ne me reconnais pas, dit le vieux cow-boy en s'en allant...

— C'est de ma faute, dit Dolbeau tout triste.
— Ce n'est pas grave. Tout le monde peut se tromper.
— C'est de ma faute pareil.
— Bien non, ce n'est pas de ta faute. C'est de la mienne.
— Non, Roberval ! C'est ma faute.
— Bon, d'accord. C'est de ta faute alors.
— Tu ne m'en veux pas, Roberval ?
— Pas une miette !
— Tu es sûr ?
— Certain, dit Roberval en se croisant les doigts.
— Toi, tu es un vrai ami. Viens chez moi. Je t'offre un bon chocolat chaud.
— Pas sûr.
— Oui, oui. J'insiste...

Lorsqu'ils arrivent chez Dolbeau, deux gigantesques surprises les y attendaient. Dehors un rire énorme retentit...
— Ho ! Ho ! Ho !
Et par la fenêtre du salon, nos deux amis voient le vieux cowboy s'envoler dans le ciel.
— Heureux Halloween ! leur crie le vieil homme. Et ne vous inquiétez pas, je reviendrai très, très bientôt... et il ajoute en riant : joyeux quelque chose !

La Retraite du Père Noël

Texte de Marie-Andrée et Daniel Mativat.

Le Père Noël a envie de repos. Il quitte la profession. Il faut lui trouver un remplaçant. Marie-Andrée et Daniel Mativat ont écrit à quatre mains plusieurs ouvrages pour les jeunes. Une de leurs spécialités est d'utiliser des faits vécus, tels que la vraie épopée d'un phoque échoué dans le port de Montréal ou celle d'un astronaute russe oublié en orbite autour de la Terre, pour les transformer en récits palpitants. Cette fois-ci, ils ont laissé voguer leur imagination.

À partir de
5 ans

4 min

Maison
Pôle Nord

Lutins
Père Noël

Après avoir distribué ses cadeaux aux enfants du monde entier, le Père Noël rentre chez lui, au pôle Nord.

— Je suis épuisé ! soupire-t-il, en se laissant tomber dans son

fauteuil. Décidément, je crois que je suis trop vieux pour ce métier. Les longues balades en traîneau au beau milieu de la nuit, les atterrissages sur les toits enneigés, les plongeons dans les cheminées mal ramonées, tout ça n'est plus de mon âge. Depuis le temps que je fais ce métier, j'ai bien gagné le droit de me reposer. Il serait peut-être temps que je songe à la retraite.
C'est ainsi qu'un jour de décembre, les journaux du monde entier publient cette petite annonce :

Opportunité exceptionnelle !
Fabrique de jouets de réputation internationale à vendre.
Personnel dynamique et fiable. Vaste clientèle.
Possibilités de voyager à travers le monde entier.
Conditions à discuter.
Écrivez à :
Monsieur Noël
Pôle Nord
Canada
Hoh hoh

L'avant-veille de Noël, un avion d'Air Inuit se pose au pôle Nord. Un homme d'affaires descend du petit appareil. Le Père Noël l'accueille chaleureusement et l'invite à prendre une tasse de thé.
— Je ne suis pas venu ici pour prendre le thé, bougonne le nouveau venu. Pour moi, le temps c'est de l'argent. Je n'ai donc pas une minute à perdre ! Conduisez-moi tout de suite à la fabrique !
Rapidement, le Père Noël entraîne son visiteur dans l'atelier de menuiserie. La pièce embaume le bois fraîchement coupé.

Au milieu de la sciure et des copeaux, les lutins jouent du rabot et du pinceau.

— Les lutins menuisiers n'ont pas leur pareil pour fabriquer les skis et les traîneaux ! lance le Père Noël.

L'homme d'affaires fait la grimace :

— Je les remplacerai par des robots. Ils travaillent plus vite et sont plus beaux.

Le Père Noël a bien du mal à cacher sa déception.

À l'écurie, l'industriel fait la moue :

— Ce traîneau, c'est un gros zéro et ces animaux sont bons pour le zoo. Je ferai la tournée en motoneige volante. Ça file plus vite et ça vole plus haut !

Malgré ces remarques désagréables, le Père Noël s'efforce de garder son calme. Il prend une grande respiration et entraîne son visiteur dans la maison. Là, il lui tend fièrement son costume rouge et ses bottes fourrées :

— Cette veste et ce pantalon ont été taillés dans le meilleur lainage et vous tiendront bien au chaud !

Le bonhomme proteste aussitôt :

— Jamais je ne mettrai ces oripeaux sur mon dos. Ils sont démodés et ils me grossiraient trop.

Tout ce que le Père Noël lui présente, l'homme d'affaires le rejette avec dédain. Devant les milliers de lettres venues des quatre coins du monde, l'industriel laisse tomber :

— Dès que le contrat sera signé, je fermerai ce bureau de poste. Fini le temps gaspillé à lire toutes ces missives et à répondre à tout ce courrier. Terminé le service personnalisé. Peu importe s'ils espèrent une bicyclette, un ourson, un train électrique ou une poupée, désormais les enfants devront se contenter de ce que je leur offrirai.

Il lui tend fièrement son costume rouge et ses bottes fourrées.

Le Père Noël sent la moutarde lui monter au nez.
— En fin de compte, je crois que je vais tout démolir, ajoute l'homme d'affaires, en désignant la maison, l'écurie et l'atelier des joujoux. Je déménagerai à Montréal ou à Toronto.
En entendant cela, le Père Noël frémit. Autour de lui, ses lutins poussent des hauts cris. Sûr de lui, l'industriel tire un document de sa serviette.
— Signez ici !
Le Père Noël repousse fermement contrat et stylo et fronce les sourcils.
— Et les enfants, demande-t-il, allez-vous au moins les prendre sur vos genoux ?
— Vous êtes fou ! s'indigne l'homme en complet gris. Je n'ai pas le temps... Et puis... je l'avoue, je déteste les enfants.
À ces mots, le Père Noël devient plus rouge que sa tuque*. Il saisit le triste sire par le fond de son pantalon et le jette dehors sans ménagement.
— Bien fait ! Bravo ! applaudissent les lutins.
— Ouf ! Je me sens beaucoup mieux, déclare le Père Noël. Je dirais même que je suis en pleine forme. Qu'on m'enfile mes bottes ! Qu'on attelle mes rennes ! Finalement, je crois que ce n'est pas encore cette année que je prendrai ma retraite.

Pinashuess

Texte de Marie Fontaine.

Cette histoire est écrite par Marie Fontaine, Montagnaise. Elle reprend le thème de la fête de Noël que les familles, passant l'hiver ensemble sous la tente pour chasser, ne manquaient pas de célébrer en pleine forêt.

Pinashuess, le nom de l'enfant, veut dire : « Petit François ». Kuei Kuei ! *signifie « bonjour » en langue montagnaise. Le makusham est la danse traditionnelle qu'on exécute au son du tambour dans les grandes occasions, après un copieux festin de caribou et de graisse de caribou.*

À partir de 4 ans

7 min

Forêt

Animaux
Enfant
Lièvre

En ce matin d'hiver, quand le soleil se leva sur la majestueuse forêt, un enfant surnommé Pinashuess vivait avec une famille, sous la tente. Pinashuess était un petit garçon très obéissant. Il aimait que son père lui apprît à chasser. Quand ils partaient tous les deux, ils n'arrêtaient pas de parler car Pinashuess voulait tout savoir des animaux.

Ce matin-là, ce n'était pas un jour comme les autres. Il faisait beau, il n'y avait pas un seul nuage dans le ciel et c'était la veille de Noël. Comme chaque année, les familles passaient l'hiver dans le bois et déterminaient un point de rencontre pour passer la fête de Noël.

Pinashuess décida d'aller voir ses hameçons tendus sous la glace.

« Tiens, se dit-il, je sens que c'est un gros poisson. Maman va être contente, elle aura quelque chose à faire cuire pour la rencontre des familles demain à Noël. »

Puis, Pinashuess retourna au campement. Il était presque arrivé lorsque soudain quelqu'un lui adressa la parole :

— *Kuei Kuei !*

— *Kuei Kuei !* répondit Pinashuess en se retournant.

Mais il ne vit personne, sauf un lièvre assis près d'un sapin.

« Mais qui ça peut bien être ? Il n'y a personne ! » se demanda Pinashuess qui courut au campement en se disant que c'était sans doute sa mère qui l'avait interpellé. Il souleva la toile et vit que ses parents dormaient profondément.

« Il doit sûrement y avoir quelqu'un derrière la tente… Mais non ! Pourtant, j'ai bien entendu une voix. »

Le lièvre était resté à la même place et fixait l'enfant. Pinashuess réagit et fit semblant de courir. Le lièvre ne bougeait pas. Pinashuess refit le même geste. Le lièvre restait toujours immobile mais parla :

Le lièvre restait toujours immobile.

— Bonjour, dit-il en montagnais. Voyons, qu'est-ce qui te prend ? Je viens juste te dire bonjour !

Et Pinashuess, tout surpris de l'entendre parler :

— Est-ce que c'est toi qui me parlais ? Non, ce n'est pas possible !

— Eh oui ! répondit le lièvre, c'est bien moi ! Mais pourquoi es-tu si surpris ? Ton père ne t'a jamais raconté qu'autrefois, il y a bien longtemps de cela, les animaux et les hommes vivaient ensemble. Ils se côtoyaient et se comprenaient tellement qu'ils en venaient à imiter leurs comportements respectifs. Tu vois, certains animaux empruntent encore aux hommes leurs habitudes de vie. Ainsi, lorsque vient le temps d'hiverner, les animaux étendent des branches de sapin dans le fond de leur trou à la manière des hommes qui mettent du sapinage dans leur tente en guise de tapis. Si tu voulais, je t'amènerais faire un tour au royaume des animaux car, chez nous, c'est aussi à Noël que tous les animaux de la forêt se rassemblent.

— Ah oui ! J'aimerais tellement ça ! s'exclama Pinashuess. Mais il faut qu'on revienne avant que mes parents se réveillent. Il ne faut pas qu'ils s'inquiètent à cause de moi.

— On y va ! rétorqua le lièvre. Mais avant, va me casser des branches de sapin. Je te dirai ensuite quoi faire.

Pinashuess courut chercher le sapinage ; il avait tellement hâte de voir ce que le lièvre allait en faire.

— Tiens, je les ai apportées, dit l'enfant en revenant. En as-tu assez ?

— Oui, je vais en étendre un peu sur la neige et tu vas t'asseoir à côté de moi, expliqua le lièvre. Viens ! assieds-toi, ferme les yeux, et surtout, ne triche pas car mon pouvoir ne marchera pas.

Alors, Pinashuess ferma les yeux très fort et, soudain, il se sentit comme soulevé et agité, comme s'il était emporté par les branches de sapin.

— Maintenant, tu peux regarder, reprit le lièvre.

Pinashuess ouvrit les yeux et la première constatation qu'il fit, c'est que ses mains étaient poilues et toutes blanches. Il regarda aussi ses pieds, il avait de longues pattes et sentait ses grandes oreilles se dresser.

— Mais vous m'avez changé en lièvre ! s'exclama-t-il.

— Ne t'inquiète pas ! répliqua le lièvre. Il fallait bien que je te transforme en lièvre pour t'amener visiter notre royaume. Sans cela, on ne t'aurait pas laissé passer ! Bon dépêchons-nous !

Pinashuess se sentait bien dans la peau d'un lièvre. C'était la première fois qu'il courait si vite. Il agissait comme le lièvre. Il dressait ses grandes oreilles pour écouter et quelquefois il faisait des pirouettes. Il était tout émerveillé de ce qui lui arrivait et cria à son ami :

— Regarde-moi, je suis aussi rapide que toi et je me sens si léger, on dirait que je vole. Je n'en reviens pas. C'est comme dans un rêve !

Il sentait ses grandes oreilles se dresser.

Ils arrivèrent à la clairière du royaume. Déjà les animaux étaient très occupés à s'installer. Pinashuess était très heureux de pouvoir s'approcher d'eux, car il n'avait jamais eu l'occasion de les voir de si près. Il resta bouche bée à les regarder et à les admirer. Il était si content d'être parmi eux et de pouvoir tellement mieux les connaître.

Le lièvre lui suggéra de ne pas rester planté là :

— Va te promener. Va leur présenter tes meilleurs vœux de Noël.

Pinashuess s'approcha alors du renard qui était en train de construire son terrier.

— *Kuei !* mon ami, dit-il. Je te souhaite d'avoir un pelage qui reflète la couleur du soleil.

Et le souhait se réalisa à l'instant même.

Pinashuess décida ensuite d'aller voir l'ours qui lui confia :

— Si tu en viens à fonder une famille, prends bien soin de tes petits comme je l'ai toujours fait !

— Tu mérites tellement de respect, lui répondit Pinashuess, que je te souhaite que toutes les nations t'appellent toujours « nimushum ounukum » comme te nomment les Amérindiens qui savent t'honorer.

Puis Pinashuess alla saluer le caribou qui était tout ému de le recevoir. Le caribou lui offrit de l'eau du lac. Pinashuess, tout en buvant, vit son visage dans l'eau, et c'est ainsi qu'il lui dit :

— Pour te remercier de ton hospitalité, je te souhaite qu'à chaque automne, lorsque viendra le temps pour toi de frotter aux arbres ton panache afin d'enlever la peau qui le recouvre, tu puisses t'admirer sur le miroir des eaux avec tes majestueux bois qui font de toi le plus beau des animaux.

Le caribou remercia Pinashuess et lui présenta son ami le castor.

— *Kuei Kuei !* mon ami, accepte mes meilleurs vœux, dit Pinashuess en le saluant. J'ai toujours admiré la vaillance et la façon dont tu transmets le goût du travail à tes petits. C'est une grande richesse.

La fête continuait, tous les animaux fraternisaient. Au même moment, Pinashuess aperçut une grosse boule noire parmi la foule. Son cœur se mit à battre car c'était son ami le porc-épic.

— Je t'ai perdu, mais où étais-tu donc passé ? lui demanda l'enfant. Il y a longtemps que je ne t'ai vu !

— Vois-tu, avec le temps qu'il a fait, je n'osais pas m'aventurer trop loin de mon habitat, répondit le porc-épic. Mais je

suis vraiment content de te rencontrer en ce jour de Noël et je t'offre toute mon amitié.
Ce à quoi Pinashuess répondit :
— Je te souhaite qu'à chaque année, lorsque tu grimperas dans les arbres, tu choisisses les sapins qui ont les aiguilles les plus pointues ; ainsi, tu pourras te frotter sur elles pour rendre ton poil plus rude et plus piquant, ce qui te servira de moyen de défense au cas où tu serais en danger.
Déjà, on commençait à danser le makusham en signe de bienvenue à tous. Mais Pinashuess regarda la hauteur du soleil et comprit que c'était déjà le temps de partir. Il alla à la rencontre de son ami le lièvre. Ils s'installèrent sur les branches de sapin et repartirent. Déjà loin, ils entendirent les cris des outardes qui, à peine arrivées au rassemblement, pleuraient d'émotion. Et Pinashuess retourna fêter Noël avec sa famille et ses amis, tout heureux d'avoir vu aussi celui des animaux.

J'offre cette légende en cadeau à chaque enfant car il sait à quel point les animaux comme les humains méritent toute notre amitié et notre respect.

Au temps où les bêtes parlaient

Le Premier Été sur la toundra

Adapté d'un conte amérindien.

Les récits étiologiques ont pour but d'expliquer l'existence et les caractéristiques actuelles du monde. Les caractères spécifiques des choses ont un sens et doivent être déchiffrés comme autant de signes qui manifestent leur place et leur fonction dans un univers ordonné.

Chez les peuples amérindiens d'Amérique du Nord toute l'éducation des jeunes était basée sur les récits mythiques que transmettaient oralement les anciens. Pour certaines nations, le monde a été créé par une tortue, pour d'autres par un grand lièvre. Certains récits n'étaient utilisés qu'en des occasions précises : à l'occasion d'une chasse ou au moment de cueillir une plante. Au Québec, où vivent dix nations amérindiennes et la nation inuit, il y a cinquante-quatre communautés autochtones et quatorze villages nordiques. Chaque nation autochtone est différente. Les Attikameks et les Montagnais sont de la même famille linguistique et culturelle. Les récits issus de leur conception spirituelle du monde qui les entoure sont considérés comme immuables et rien ne peut les modifier. Ce récit des oiseaux qui se trouvent à l'origine de l'alternance des saisons a plusieurs variantes et des récits très proches ont été racontés chez les Cris et les Naskapis. Pour les Montagnais, ce récit est un tahadjimunn, *c'est-à-dire une histoire qui raconte des événements survenus avant même que l'humanité existe dans sa forme actuelle.*

À partir de
5 ans

4 min

Grand Nord
Toundra
Wigwam

Animaux
Fauvettes
Manitou
Martre

Au commencement du monde, le Grand Nord ne connaissait pas l'été. L'hiver durait toute l'année.

Un jour, le vent, qui voyageait beaucoup, raconta aux animaux qu'il avait vu l'été.

— Loin d'ici, vers le sud, disait-il, l'air est doux et chaud. Le soleil brille dans le ciel. Le sol est couvert de plantes de toutes sortes.

Les animaux de la toundra furent bien étonnés d'entendre les paroles du vent. Ils se mirent à penser de plus en plus souvent à l'été.

— Nous sommes fatigués du froid, de la neige et de la glace, dirent-ils enfin. Vent voyageur, dis-nous pourquoi l'été ne vient pas jusqu'ici ?

Mais le vent ne répondait pas.

Finalement, harcelé de questions, le vent finit par leur révéler son secret :

— Ce sont les fauvettes qui apportent l'été, dit-il. Un méchant manitou les a attrapées ; il les a ligotées ensemble et les a suspendues dans son wigwam. Il les surveille sans répit, de sorte qu'il leur est impossible de s'évader. C'est pour cette raison qu'elles ne peuvent venir porter l'été jusqu'ici.

Les animaux, indignés, réfléchirent à ces paroles :
— Il faut trouver le wigwam du méchant manitou ! cria le caribou.
— Allons délivrer les fauvettes ! dit le lièvre.
— J'y vais, déclara Thacho, le pécan*.
Et il partit aussitôt dans la direction indiquée par le vent. Thacho marcha plusieurs jours et plusieurs nuits à travers les grandes étendues couvertes de neige de la toundra. Puis, il arriva à un endroit où la neige fondue laissait voir des plaques de terre et de mousse. Il leva la tête et vit le soleil qui brillait dans le ciel. Un peu plus loin, il vit de grands arbres qui agitaient leurs branches feuillues et des champs couverts de fleurs. Il entendit mille chants d'oiseaux tout autour de lui.
« Ce doit être ici le pays de l'été », pensa Thacho.
Il se mit à chercher le wigwam du méchant manitou avec l'intention bien arrêtée de relâcher les fauvettes d'été.
Après avoir franchi des forêts et des champs de plus en plus verdoyants, il découvrit, à la tombée du jour, un vaste wigwam décoré de grands dessins rouges. Sans attendre, Thacho se glissa à l'intérieur et constata qu'il n'y avait personne sauf... un gros paquet suspendu aux piquets du toit. Sans perdre un instant, il coupa avec ses dents pointues les liens qui retenaient les oiseaux captifs. Et dans un grand bruissement d'ailes, les fauvettes libérées s'envolèrent aussitôt dans le ciel. Thacho se rendit compte qu'elles se dirigeaient vers le nord.

Il vit un grand wigwam décoré de dessins rouges.

« Enfin, pensa-t-il, elles s'en vont chez nous ! »
Il se mit à sauter et à gambader de joie, quand surgit le grand manitou.
Il ne fallut pas longtemps à ce dernier pour comprendre ce

qui s'était passé car les fauvettes dessinaient un nuage mouvant dans le ciel au-dessus de sa tête et leurs cris égayaient le silence du soir.

Fou de rage, le manitou s'élança derrière Thacho qui avait filé sans attendre.

Une poursuite échevelée s'ensuivit. Thacho courait de toutes ses forces à travers les bois et les champs, le méchant manitou sur ses talons. Mais tout le monde sait que Thacho est imbattable à la course. Le manitou, voyant qu'il n'allait pas le rattraper, sortit une flèche de son carquois et tira.

Il lança plusieurs flèches sans l'atteindre. Puis, enfin, une de ses flèches transperça la queue de Thacho. Thacho sauta d'un bond dans le ciel vers le monde d'en haut.

La lune qui avait tout vu décida de garder Thacho, le brave, avec elle, dans le monde d'en haut. Elle le transforma sur-le-champ en étoile. Thacho resta donc avec la lune, sa queue transperçée d'une flèche.

Aujourd'hui, quand les hommes voient briller l'étoile du nord, ils disent :

— Regardez, c'est le pécan*, Thacho : c'est lui qui a libéré les fauvettes d'été. C'est grâce à lui que nous connaissons l'été dans la toundra.

La Naissance des oiseaux

Adapté d'un conte micmac.
Les Micmacs qui occupaient les côtes de l'Acadie et la région de Gaspé jusqu'à Terre-Neuve appartenaient à la grande famille algonquine. Aujourd'hui, ils habitent surtout la Gaspésie et le Nouveau-Brunswick. Leur héros était Gouseclappe, maître des hommes et des animaux. Il leur enseigna, entre autres, le nom des plantes, des animaux et des étoiles.

À partir de 7 ans

1 min

Loge

Fillette
Loup
Ours

En ce temps-là, il n'y avait pas d'oiseaux et très peu d'animaux. Pendant les six lunes que durait le temps doux, les enfants n'avaient pour jouer que des feuilles et des cailloux.

Lorsque arrivait la septième lune, Ours Blanc soufflait le froid sur les arbres et Loup Hurleur les dépouillait. Toutes les feuilles tombaient des branches et séchaient. Les enfants n'avaient plus que des cailloux gelés pour jouer.
Arrivait le moment du jeûne et du séjour dans la loge à transpirer. C'était la tradition. Les enfants devaient, au sortir de la loge, adopter le nom de la première bête qu'ils voyaient. Mais les bêtes se terraient tant elles avaient froid et les enfants n'avaient pas de noms.
Après le passage d'Ours Blanc et de Loup Hurleur, les enfants étaient tristes et sans appétit : ils n'avaient même plus envie de manger leur sagamité*.
Une petite fille sans nom qui regardait tomber les feuilles avec ennui décida de s'adresser à Gouseclappe.
— Toi qui fais la terre, l'eau et les petits feux qui brillent là-haut, fais quelque chose si tu veux que les enfants portent un nom et mangent leur sagamité*.
Gouseclappe entendit la petite fille.
Le mois des fleurs venu, après que Vent du Sud eut défait le travail d'Ours Blanc, Gouseclappe ramassa les feuilles tombées et souffla dessus avec force. Les feuilles volèrent et tout à coup, des oiseaux de toutes les couleurs s'envolèrent et se posèrent dans les branches en chantant.
La petite fille cria :
— Je suis Mésange Dorée !
Et elle mangea sa sagamité* avec entrain.

La Légende du huart

Adapté d'un conte populaire.
On dit que chaque lac du Québec a son huart. Le huart à collier, ou plongeon imbrin, est un oiseau marin qui porte un collier de plumes blanches sur sa robe noire. Il a un chant très caractéristique. Cette légende amérindienne nous raconte d'où vient ce collier. C'est cet oiseau qu'on trouve sur la pièce de un dollar, qu'on appelle ainsi communément un huart.

À partir de 6 ans

9 min

Lac
Village

Chef
Dieu
Fils

Les forêts québécoises abritent une multitude de lacs. Au bord d'un de ces lacs vivait autrefois une tribu amérindienne. Le chef Onas habitait la plus grande loge avec sa femme Niska et son fils Napiwa.

La forêt donnait du gibier en abondance, le lac des poissons en quantité, et le maïs cultivé de quoi nourrir tout le monde à satiété. Chacun accomplissait les tâches dictées par la tradition : la vie se déroulait paisiblement au rythme des saisons. Mais une croyance respectée par tous semait l'angoisse parmi les membres de la tribu, grands et petits. Cette croyance voulait que le dieu huart règne en maître sur la nuit. À la tombée du jour, lorsque son chant parvenait aux oreilles des hommes, c'était le signe que personne ne devait sortir de sa loge ou de son abri de trappe. Le grand huart punirait sévèrement celui qui braverait ses lois car la nuit était son royaume exclusif.

Le sorcier de la tribu entretenait cette crainte en parlant de punitions terribles :

— Si l'un de vous ose sortir, il sera emporté dans le royaume de la nuit et jamais plus il ne reverra les siens, répétait-il à tout moment.

Ainsi quand, à la brunante*, on sentait descendre l'obscurité, chacun attendait le chant du huart en achevant ses tâches. Aussitôt que le chant mélodieux se faisait entendre, on s'empressait de ranger les canots au sec et tous se réfugiaient à l'intérieur des loges. Personne n'avait jamais osé sortir et regarder la nuit en face.

Or Onas avait un fils à qui il enseignait avec fierté tout ce qu'il faut savoir pour devenir un grand chasseur et, plus tard, un chef sage et courageux.

Sa femme Niska aimait beaucoup son fils. Elle passait ses journées à le regarder grandir et à lui broder de beaux mocassins et d'amples tuniques de peau.

Napiwa avait quinze ans et il avait déjà fait ses preuves comme chasseur et comme guerrier. Tous vantaient sa valeur et son endurance. Depuis quelque temps Napiwa s'était mis à réfléchir.

Il était terriblement agacé de voir sa tribu accorder foi aveuglément à cette croyance à propos du dieu huart et de la nuit. Il refusait d'y croire. Il interrogeait les anciens, il essayait de discuter, de comprendre ; mais tout le monde prenait peur quand il abordait le sujet.

Alors, un jour, n'y tenant plus, il dit tout haut ce qu'il pensait :

— Je ne crois pas ce que nous enseigne le sorcier à propos du grand huart !

Il prit un canot et s'enfuit sur le lac.

— Comment ? s'écria son père, tu oses contredire le sorcier ? Malheur à toi mon fils. Que le grand huart ne t'entende pas !

Napiwa n'osa pas répondre à son père. Mais pour lui tout seul il pensa : « Cette nuit je sortirai voir la lune et les étoiles que je ne connais pas. Au diable le huart. »

Lorsque tout le monde fut endormi, Napiwa se leva sans bruit et sortit de la loge. Le cœur battant, il regarda la lune et admira les étoiles. Il prit un canot et un aviron et s'enfuit sur le lac.

Au matin, un des chasseurs courut avertir le chef qu'il manquait un canot. Onas se leva.

— Quelqu'un a-t-il quitté le village ? demanda-t-il.

— Je ne sais pas, répondit le chasseur.

Alertée par le bruit des voix, Niska se retourna vers le lit de branches de sapin où dormait Napiwa. Il était vide !

Avant même de regarder, elle avait su dans son cœur que Napiwa était allé braver le huart. Elle n'osa rien dire. Mais quand Onas constata l'absence de son fils, il se fâcha.

— À cette heure-ci, il doit être déjà mort. Le sorcier va préparer la cérémonie des morts, dit-il sans manifester d'émotion.

Le sorcier se retira dans sa loge pour faire ses préparatifs et invoquer les esprits.
— L'offense est grave, dit-il. Il faudra soigner les offrandes aux dieux pour réparer la faute de Napiwa.
Mais Niska refusa d'accepter si vite la mort de son fils chéri.
— Le huart l'a peut-être épargné. Pourquoi ne pas envoyer quelqu'un le chercher ?
— Où chercher ? Au royaume de la nuit ? répondit Onas irrité de son audace.
— Sur le lac, dit Niska.
Mais elle voyait bien que ni les chasseurs, ni le sorcier, ni son mari ne conservaient l'espoir de retrouver Napiwa. Leur crainte du grand huart était telle qu'ils ne pouvaient que s'incliner devant sa puissance. Tandis que pour elle, sa tendresse pour son fils l'emportait sur tous les autres sentiments. Bien sûr elle aussi craignait et respectait le dieu huart et la puissance des manitous. Mais son cœur de mère refusait d'accepter la fatalité et la perte de son fils.
— Quand le soleil sera droit sur nos têtes, si Napiwa n'est pas de retour, j'enverrai un canot à sa recherche, dit enfin Onas pour calmer sa femme.

Puis chacun, au village, reprit ses activités. Niska, rongée par l'inquiétude, s'en alla au bord du lac. Elle marcha longtemps sur la berge, scrutant l'eau profonde, là-bas au milieu du lac, où chaque soir le huart lançait son chant-signal.
Elle chercha en vain un indice qui lui révélerait la présence de son fils. « Était-il pensable qu'un manitou puisse tuer un jeune homme si beau, si plein de promesses ? se demandait-elle. Non, ce n'était pas possible : le huart ne pouvait être cruel à ce point. »

Tout en marchant, Niska ramassa sur la grève un caillou blanc. Elle se mit à le tourner et à le retourner dans sa main comme pour combattre par ce geste son angoisse et son inquiétude. Puis elle frotta le caillou contre une pierre dure, tout en continuant d'épier le moindre mouvement autour du lac.

Lorsque le soleil fut au zénith, Onas envoya un canot avec deux des meilleurs chasseurs de la tribu à la recherche de Napiwa.

Tout le temps qu'ils furent partis, Niska continua de polir le caillou blanc, qui devint lisse et brillant. Machinalement, elle y perça un trou et l'enfila sur une lanière de cuir qu'elle glissa à son cou.

Le soir arriva et les chasseurs revinrent au village sans Napiwa. Niska et les autres se dépêchèrent de rentrer avant la tombée de la nuit. Onas essaya de la raisonner. Mais elle ne voulait pas accepter la mort de son fils.

— Demain, tu enverras encore un canot le chercher, pria Niska.

Onas accepta malgré sa résignation, car lui aussi avait beaucoup de chagrin d'avoir perdu son fils. Pendant les cinq jours qui suivirent Onas envoya un canot, puis deux canots à la recherche de Napiwa. Ils partaient le midi et revenaient le soir sans rien rapporter.

Niska, elle, marchait, marchait autour du lac sans jamais perdre espoir. Chaque jour, elle ramassait un caillou blanc sur la grève et le frottait contre une pierre pour s'occuper. Le soir elle le perçait d'un trou et l'enfilait sur sa lanière.

Le sixième jour, bien avant le coucher du soleil, Niska entendit des voix venir du lac et le bruit des pagaies dans l'eau. Son cœur bondit dans sa poitrine. Elle se mit à courir.

Toute la tribu descendit vers le lac pour accueillir les canots. Même le sorcier qui avait été forcé de retarder la cérémonie des morts vint voir ce qui se passait. On avait retrouvé Napiwa vivant !

Napiwa sortit du canot et marcha dans l'eau vers le rivage. Tous le regardaient avancer en silence. Niska s'élança vers lui pour l'embrasser. Puis on l'entoura et il se mit à raconter :
— Le ciel était noir, noir, mais des milliers d'étoiles brillaient. Je ne me lassais pas de les regarder mais mon canot a chaviré. Je ne voyais rien, je ne sentais rien. J'ai essayé de nager mais d'étranges remous m'ont emporté. Mon canot a disparu. J'ai crié puis... je ne sais plus. Quand j'ai ouvert les yeux j'étais au sec dans un nid de branches et de feuilles. Le grand huart se tenait près de moi. Il m'a parlé tout doucement. Il m'a apporté du poisson à manger et de l'eau à boire. Petit à petit mes forces sont revenues. Le huart ne semblait pas offensé de ma bravade, au contraire. Je me sentais bien chez lui ; je ne pensais même pas à partir. Puis aujourd'hui, j'ai vu les canots et je me suis souvenu...
Niska se leva et alla vers son fils.
— Viens, dit-elle.
Elle l'entraîna vers le rivage et lui fit signe de ne pas bouger. Sous les yeux de tous, Niska prit un canot et s'en alla toute seule vers le milieu du lac. Personne n'osait rien dire, pas même Onas, pas même le sorcier. Sur le visage de Napiwa, qui la suivait du regard, se dessinait un sourire.
Niska fila sur l'eau et le chant modulé du huart retentit tout à coup. Tous les gens massés sur la grève frissonnèrent. Le huart lançait son signal et pourtant la nuit était encore loin ! Qu'est-ce que ça voulait dire ?

Niska continua d'avancer. Sans même agiter la surface de l'eau, le huart apparut devant le canot. Niska s'arrêta de pagayer. Elle retira de son cou le collier de cailloux blancs qu'elle avait polis et repolis tout au long de sa douloureuse attente. Elle se pencha vers le huart qui se tenait immobile sur l'eau sombre. Puis elle lui glissa au cou le collier qu'elle avait façonné. Elle murmura :

— Merci.

On dit que c'est depuis ce jour que les huarts ont autour du cou un magnifique collier de plumes blanches.

Kugaluk et les Géants

Adapté d'un conte inuit.
Chez les Inuits qui habitent le Nunavik, c'est-à-dire l'extrême nord du Québec, la tradition orale transmet les croyances et les grands mythes de la création. Cette histoire raconte comment naquit le brouillard.

À partir de
6 ans

5 min

Banquise
Igloo

Chasseur
Géants

Au pays des Inuits, un géant semait la terreur parmi les chasseurs de phoques. Il repérait facilement les chasseurs solitaires sur les grandes étendues de glace de la banquise. Tous les habitants avaient peur d'être attrapés par ce géant ou par sa femme, géante elle aussi. On disait qu'elle était aussi

vorace que son mari. Ces deux géants emportaient les chasseurs qu'ils capturaient dans leur maison pour les dévorer et on n'en entendait plus jamais parler.
Aussi, quand un chasseur partait sur la banquise, la peur des géants restait présente en lui jusqu'à ce qu'il fût de retour chez lui.
Un jour que Kugaluk attendait qu'un phoque montrât le bout de son nez, il vit le géant qui venait vers lui. Il savait qu'il ne pouvait pas se sauver car il n'y avait que l'immensité de la neige et de la glace autour de lui, nulle part où se cacher. Sans hésiter, Kugaluk s'allongea par terre. Il retint son souffle et fit comme s'il était mort.
Le géant s'approcha de lui. Il l'examina attentivement pour voir s'il respirait.
— Il est bien mort, dit-il tout haut. Il est gelé dur.
Le géant saisit Kugaluk et l'attacha sur son dos à l'aide d'une longue lanière de nerf de caribou. Il se mit en marche. Kugaluk ne bougeait pas. Mais de temps en temps, il ouvrait les yeux pour voir où il était.
Le géant marcha longtemps sur la neige, puis il se dirigea vers un endroit où poussaient des arbustes touffus.
Kugaluk pensa : « Si je m'agrippe aux branches, j'arriverai peut-être à fatiguer le géant. »
Bientôt, le géant se fraya un chemin à travers les saules nains. Kugaluk saisit les branches qu'il voyait à la portée de ses mains. Le géant tirait fort pour se dégager. Il faillit tomber plusieurs fois.
Kugaluk répéta son geste à maintes reprises. Le géant dut s'arrêter pour se reposer tant cette marche à travers les saules nains l'épuisait. Il ne soupçonnait pas que c'était à cause de Kugaluk. Il fut obligé de s'asseoir pendant un bon moment

pour reprendre son souffle. Puis, hésitant, il vérifia tout de même encore une fois si l'homme qu'il transportait était bien gelé.
Kugaluk retint sa respiration et resta raide. Le géant reprit son fardeau et continua son chemin.
Kugaluk le fit trébucher tout le reste du voyage. Il était tard lorsque le géant finit par arriver chez lui ; il était très fatigué. Il entra dans la maison et dit à sa femme :
— J'ai trouvé un homme mort que nous mangerons demain.
Il déposa Kugaluk dans un coin de l'iglou, jeta sa hachette sur le sol et se coucha aussitôt pour dormir. Du coin de l'œil, Kugaluk examina l'iglou. Il vit la lampe qui brûlait. Il pouvait distinguer les formes du géant et de sa femme qui dormaient.
Sans bruit, il tâta le sol et sa main rencontra la hachette du géant. Il la prit et resta tranquille. Puis, il se souleva doucement et, sans bruit, trancha la gorge du géant endormi. Il craignait que la femme ne s'éveillât mais elle ne bougeait pas. Alors, Kugaluk se mit debout et se précipita dehors. Il se mit à courir à toute vitesse sur la neige. Il regarda derrière lui, personne ne le poursuivait.
Alors, il ralentit sa course tout en continuant de regarder derrière lui. Il se croyait sauvé mais voilà qu'apparut au loin la géante. Elle avançait droit sur lui, son ulu* à la main. Kugaluk rassembla ses forces mais ses jambes ne voulaient plus courir. Il se sentit perdu. Malgré son affolement, il se rendit compte qu'il traversait un bras de mer couvert d'une épaisse couche de glace brillante. Une idée lui vint.
Il saisit la hachette et se mit à frapper le sol à coups répétés. Une rivière bouillonnante surgit aussitôt et barra le chemin à

Kugaluk sur le dos du géant.

La géante se mit à boire la rivière.

la géante qui accourait. Elle s'arrêta au bord de l'eau et cria :

— Comment as-tu traversé la rivière ?

— Je l'ai bue, répondit Kugaluk en tremblant.

Alors la géante se mit à boire la rivière. Son estomac était à moitié plein et déjà elle se préparait à sauter par-dessus ce qui restait d'eau.

— Il faut tout boire ! cria Kugaluk désespéré.

Car il pensait : « Que puis-je faire contre la géante avec une pauvre hachette ? »

Soudain un bruit épouvantable se fit entendre et un épais brouillard s'étendit sur toute la toundra. C'était la géante qui avait explosé en crevant.

Kugaluk ne voyait rien ; il ne savait plus dans quelle direction aller. Il réussit tant bien que mal à s'orienter et retourna chez lui sans rencontrer personne.

Lorsqu'on apprit au village comment Kugaluk avait réussi à débarrasser le pays du géant mangeur d'hommes et de sa femme, on fit une grande fête.

C'est depuis ce jour que le brouillard existe. Il s'étend parfois sur la toundra, obligeant les chasseurs de phoques à rester sur place et à attendre le retour du ciel clair. Durant ces moments d'attente immobile, ils n'ont plus peur de rencontrer les géants car chacun se rappelle l'exploit de Kugaluk.

Le Secret de Moustique

Adapté d'un conte micmac.

À partir de 6 ans

3 min

Forêt
Mer
Rivière

Moustique
Tonnerre

Tonnerre faisait beaucoup de bruit. On le craignait partout. Il obtenait, à cause de sa force, à peu près tout ce qu'il voulait. Mais il ne faisait jamais de mal à personne.

Un jour qu'il voyait Moustique se gaver de sang, il s'approcha de lui et dit :

— Où prends-tu tout ce sang ? Moi, j'en cherche et je n'en trouve pas.

Moustique, qui craignait la puissance de Tonnerre, réfléchit longuement avant de répondre.
« Si je lui dis mon secret, pensa-t-il, il tuera tous les hommes pour avoir le sang qui coule dans leurs veines. »
Alors, il répondit :
— Tu vois la grande forêt là-bas. C'est là que je prends le sang. Je pique les grands arbres.
Tonnerre, très content de cette nouvelle, s'écria :
— Merci ! J'y vais !
Aussitôt Tonnerre réunit les gros nuages gris et les éclairs.
— Allez ! Au travail ! leur dit-il. Frappez et crachez le feu !
Les nuages gris et les éclairs foncèrent droit devant eux. Dans un bruit épouvantable, ils frappèrent un rocher de granit.
— Non ! s'exclama Tonnerre. Les rochers n'ont pas de sang. Frappez plutôt ce grand pin.
Les nuages et les éclairs se ruèrent sur l'arbre immense qui se dressait au milieu de la forêt.
Ils réussirent à l'éventrer et à le déchiqueter du faîte aux racines. Mais il ne contenait pas une seule petite goutte de sang.
Tonnerre alla voir Moustique.
— Tu m'as menti, gronda-t-il. J'ai massacré le grand pin et je n'ai pas trouvé la moindre goutte de sang.
— Tu as mal choisi ton arbre. Essaye celui-ci, dit Moustique en indiquant un autre pin au pied duquel dormait un porc-épic.
Tonnerre et ses aides entrèrent en action. Ils déchiquetèrent l'arbre en entier et trouvèrent un peu de sang près des racines. Mais Tonnerre n'était pas satisfait. Il ne pouvait croire que Moustique lui avait dit toute la vérité. Il retourna donc le voir :

— Moustique, dit-il, je crois que tu mens. Dis-moi enfin où tu prends le sang dont tu te nourris.

Encore une fois, Moustique hésitait à dévoiler son secret. « Si Tonnerre tue tous les hommes pour sucer leur sang, il ne me restera rien pour survivre », pensa-t-il.

— Essaye la rivière, dit-il à Tonnerre, tu trouveras ce que tu cherches.

Tonnerre, les nuages gris et les éclairs s'en allèrent à la rivière. Là, ils réussirent à attraper trois saumons mais leur sang ne réussit pas à rassasier Tonnerre.

— Ces poissons sont trop petits, dit Moustique à Tonnerre, dont la colère augmentait. Il te faudrait les gros poissons de la mer.

Alors Tonnerre repartit et provoqua une énorme tempête sur la mer. Avec ses complices, il attrapa un dauphin mais son sang pâle et glacé le dégoûta. Il quitta la mer en furie et arriva chez Moustique.

— Je sais que tu mens, hurla-t-il.

Et sans laisser prévoir son geste, il changea Moustique en grêlon. Il déclencha ensuite une tempête tout aussi violente que la précédente. Elle dura plus d'un mois et secoua les forêts aussi bien que les rivières et la mer. Toutes les régions du pays reçurent des averses de grêle et la foudre brisa plus d'un arbre, éventra plus d'une montagne. Enfin Tonnerre se calma.

Il oublia Moustique et sa quête de sang. C'est pourquoi, aujourd'hui, quand le tonnerre blesse ou tue un homme, on sait que c'est par accident. Car jamais Moustique n'a révélé son secret à Tonnerre.

Mais les moustiques existent toujours et se gavent, comme en ce temps-là, du sang des hommes.

Le Prince du gel

Adapté d'un conte iroquois.

À partir de
6 ans

7 min

Loge
Rivière

Neveu
Oncle
Prince du Gel

Il y a très longtemps, un vieil Indien vivait avec son neveu. C'était un jeune garçon souple et vif qui s'appelait Hiyatgau.
— Tu es assez vieux pour chasser seul, dit un jour le vieil homme. Va, abats un cerf. Je t'apprendrai à tanner la peau.
Hiyatgau partit.
À peine entré dans le bois il vit un cerf qu'il tua avec ses flèches.
Fièrement, il rapporta la bête à son oncle.
Celui-ci dépouilla l'animal ; il sécha la peau puis l'assouplit.

— Hiyatgau, mets cette peau sur toi et vois si l'on peut t'y tailler une chemise.
Hiyatgau essaya la peau de cerf.
— Non, il n'y en a pas assez. Il faut une autre peau, dit le vieil homme.
Hiyatgau retourna chasser. Il tua un cerf.
Les deux peaux cousues ensemble pouvaient suffire à faire une chemise, mais l'oncle ne semblait pas satisfait.
— Une chemise, c'est bien, mais il te faut aussi des jambières. Va, abats un autre cerf.
Hiyatgau tua facilement un troisième cerf plus gros que les autres. L'oncle tanna les peaux pour des jambières, puis réclama encore une prise :
— Il te faut aussi des mocassins, car bientôt nous aurons très froid.
Hiyatgau connaissait la sagesse de son oncle et ne discutait jamais ses ordres. Il retourna donc chasser et rapporta un quatrième cerf dont la peau fut bientôt apprêtée par l'oncle.
— Pendant que je couds ces peaux avec une lanière, va vite chasser un ours pour te faire une couverture.
Le jeune homme quitta la hutte. Il surprit un ours près d'une colline et tira une de ses flèches, mais son arc était trop faible et la flèche ne traversa pas la peau de l'ours. La même chose se produisit à deux reprises.
Hiyatgau, agacé, retourna voir le vieil homme.
— Mon arc n'est pas assez fort pour tuer un ours.
— Alors, il t'en faut un autre, dit l'oncle.
Il prit une branche de noyer et la plongea dans l'eau de la rivière pour la ramollir. Il façonna un arc puissant pour son neveu. Puis il tailla des flèches dans des branches bien droites et durcit la pointe dans le feu.

Hiyatgau s'en alla dans la forêt, fier de sa nouvelle arme. Au bout de quelques heures, il revint avec un gros ours qu'il traînait derrière lui.
L'oncle dépouilla la peau, l'étira. Hiyatgau l'aida à découper la viande. Ensemble, ils la firent cuire et ils en mirent à sécher une certaine quantité.
L'oncle fondit la graisse de l'ours sur le feu et en remplit la vessie. Cela ressemblait à un gros sac qu'il suspendit au toit de la loge.
Hiyatgau regarda son oncle qui finissait de coudre la chemise pour lui. Les jambières et les mocassins étaient déjà terminés. Lorsque tout fut prêt, le vieil homme dit :
— Voici des vêtements chauds pour te préserver du froid. Mais il te faut encore une cuillère en bois, car cette nuit j'ai rêvé que le prince du Gel s'en venait.
— Qui est le prince du Gel ? demanda Hiyatgau.
L'oncle ne répondit pas.
Hiyatgau, intrigué par le visage préoccupé de son oncle qui entourait tous ces préparatifs de grand mystère, se mit à crier :
— Il n'a qu'à venir ce prince du Gel, je le tuerai !
— Ah ! malheur, le prince du Gel a dû t'entendre ! Puisque tu le provoques, tu devras l'affronter. Va, tue d'autres ours, tu en auras besoin.
Hiyatgau était un peu inquiet, mais il partit quand même à la chasse. Chaque jour, il tua un ours et un cerf. Tout au long de l'été, il regarda son oncle occupé à tanner des peaux, à tailler la viande et à remplir des vessies avec la graisse des bêtes abattues.
Hiyatgau ne pensait plus au prince du Gel, tant il était heureux de chasser.

Lorsque arriva l'automne, le vieil homme répéta ses mises en garde :

— Le prince du Gel ne va pas tarder. Va donc tuer des ratons laveurs, car ils sont gras en cette saison.

Hiyatgau se demandait bien à quoi servirait tout ce gras que son oncle versait dans les outres. Il se demandait aussi qui était ce personnage dont parlait son oncle avec une crainte qu'il n'arrivait pas à cacher.

Comment allait-il donc falloir se mesurer avec lui ?

« Je saurai bien me défendre, pensait Hiyatgau, avec mon nouvel arc si robuste ! »

Mais pourtant l'inquiétude qui perçait dans la voix de son oncle le laissait perplexe.

Ce soir-là, Hiyatgau revint du bois avec trois ratons laveurs qu'il avait tués. Son oncle lui dit :

— Ramasse maintenant du bois mort pour le feu.

Le jeune homme ramassa deux tas de bois sec. Il en mit un près de la porte de la loge, l'autre à l'intérieur.

Puis, conseillé par son oncle, il prépara des torches avec de belles branches de tilleul.

— Tout est prêt, dit le vieil homme.

Le lendemain, en s'éveillant, Hiyatgau dit :

— Cette nuit, j'ai rêvé qu'un homme m'avait donné rendez-vous dans la forêt près de la rivière.

— Ah ! c'est le présage que j'attendais dit l'oncle. Enfile ta chemise et tes jambières. Mets aussi tes mocassins.

Hiyatgau s'habilla et, sous le regard de son oncle, il partit dans la forêt vers le lieu de rencontre indiqué dans son rêve. Au pied d'un buisson d'aulnes, Hiyatgau distingua un homme très grand qui semblait l'attendre. En s'approchant, il vit qu'il était fait de glace.

Hiyatgau et le prince du Gel.

— As-tu dit que tu tuerais le prince du Gel ? fit une voix dure.

— Oui, c'est ce que j'ai dit, répondit Hiyatgau qui n'osait pas mentir.

— Je suis le prince du Gel. Réglons tout de suite cette affaire, dit l'homme.

Hiyatgau ne sachant trop ce qui l'attendait répliqua :

— Je dois me préparer. Fixons plutôt un jour pour cette épreuve.

— Très bien, répondit l'homme. Je viendrai dans ta loge à la lune de la rivière immobile.

Le prince du Gel s'en alla sans se retourner.

Hiyatgau comprit que les paroles du prince signifiaient qu'il apparaîtrait au moment où le gel emprisonnerait les eaux de la rivière.

Il retourna chez lui pour raconter à son oncle ce qui s'était passé.

— Préparons la loge, dit l'oncle. Le prince du Gel ne tardera pas à venir.

Tous les deux, ils couvrirent les parois de l'habitation avec les peaux d'ours et attendirent. Tous les jours, Hiyatgau allait voir si la glace se formait sur la rivière. L'air était froid, les feuilles étaient tombées mais il n'y avait pas de glace.

Un matin, très tôt, Hiyatgau constata que le feu de la loge se mourait. Le vieil homme, l'air soucieux, s'accroupit près du feu, tandis que Hiyatgau y jetait une vessie pleine de graisse d'ours. Le feu rejaillit et au même moment le prince du Gel entra dans la loge.

L'air devint glacial et le feu s'assoupit de nouveau. Hiyatgau y jeta encore une vessie pleine de graisse. À chaque fois que renaissait la flamme, il allumait une torche et l'approchait du prince du Gel. La torche s'éteignit petit à petit. Puis Hiyatgau remit des bûches et du gras sur le feu. Il creva cinq vessies pleines de graisse dans une marmite qu'il posa sur le feu. Le gras fondit. À l'aide d'une cuillère de bois, il lança de la graisse brûlante sur le prince du Gel. Son manteau prit le feu. Tout ce temps le prince du Gel ne bougeait pas et ne disait rien. Mais il sembla à Hiyatgau qu'il était devenu plus petit que le matin. Le vieil oncle ne bougeait pas de son poste près du feu vacillant. Hiyatgau sentait bien que l'issue du combat dépendait de lui seul et du prince.

Tout le reste du jour et une partie de la nuit, Hiyatgau affronta le prince du Gel dans un duel silencieux.

Petit à petit, le Prince, hautain et digne, fondait. Au matin, il avait la taille d'un tout jeune enfant.

Enfin il parla :

— Tu m'as battu Hiyatgau, mais tu n'arriveras pas à me détruire. Désormais, à la lune de la rivière immobile, je pincerai les oreilles et les orteils de tous les hommes.

Sur ces mots, il disparut et l'air glacial de la loge avec lui.

L'oncle se leva et dit à son neveu :

— Tu as vaincu le prince du Gel. Il ne reviendra plus.

— C'est grâce à ta sagesse, dit Hiyatgau à son oncle.

Ensemble, ils fêtèrent la fin de l'épreuve par un festin de viande séchée. Hiyatgau reprit le chemin de la chasse car la saison des grands froids était terminée.

Il y fit fondre de la graisse.

Petit Coyote et le Sirop d'érable

Texte de Henriette Major.
On sait que les Blancs qui vinrent s'installer en Nouvelle-France au XVIIe *siècle furent enchantés de trouver sur place du sucre et du sirop en provenance de la sève de l'érable. Ce sont les Indiens qui leur apprirent comment exploiter cette merveilleuse ressource alimentaire. Depuis lors, les produits de l'érable, sucre, sirop, tire*, bonbons font les délices des Québécois surtout à la saison des sucres, c'est-à-dire au début du mois d'avril quand la sève se remet à couler dans les érables à sucre.*

À partir de 5 ans

6 min

Bois
Hutte
Village

Indiens

Il y avait une fois un petit Indien qui s'appelait Petit Coyote. Par une journée où la neige était en train de fondre, il se promenait dans le bois en quête de gibier. Cette année-là, tous les champs qu'on avait cultivés autour du village n'avaient donné que peu de légumes : les courges étaient demeurées de la grosseur des noisettes, les haricots étaient à moitié vides, les épis de maïs manquaient de grains. On n'en était qu'à la saison où fond la neige, et déjà les paniers à provisions étaient presque vides. Le chef du village s'inquiétait fort, car il restait beaucoup de lunes avant la nouvelle récolte. Aussi, avait-il ordonné à tous les garçons en âge de manier un arc et des flèches de partir à la recherche du gibier.

Petit Coyote n'était pas bien vieux : c'était même une de ses premières chasses. Mais il s'était bien promis de rapporter un animal quelconque.

« Qu'est-ce que je vais rapporter ? se demandait Petit Coyote. Une gélinotte, avec sa robe tachetée ? Une alouette qui porte une demi-lune sur la gorge ? »

Soudain Petit Coyote aperçut une perdrix : elle avait mis sa robe blanche pour se confondre avec la neige mais Petit Coyote avait de bons yeux et il l'aperçut quand même. Il murmura en lui-même une formule pour l'amadouer :

Perdrix, perdrix,
Toi qui voles, toi qui fuis
Viens-t'en par ici
Que je t'attrape, jolie perdrix.

Avec précaution, il sortit une flèche de son carquois, la plaça sur son arc, visa longuement, et zip ! Mais la perdrix s'était envolée et la flèche de Petit Coyote s'était plantée dans un de ces arbres dont les feuilles deviennent rouges dans le mois des feuilles qui tombent.

« Je suis bien triste, se dit Petit Coyote, c'est bientôt l'heure de rentrer dans la hutte rejoindre mon père Grop Loup, ma mère Plume Bleue et ma sœur Petite Hermine. Et je n'ai rien à apporter pour le repas du soir. »
Il s'approcha de l'arbre dont les feuilles deviennent rouges dans le mois des feuilles qui tombent. Il tira fort sur sa flèche afin de pouvoir la remettre dans son carquois.
— Oh ! dit-il, il coule de l'eau de cet arbre, à l'endroit où ma flèche s'est plantée.
Petit Coyote goûta cette eau : elle était sucrée.
« Hum ! c'est bon », se dit-il. C'est alors qu'il eut une idée. Vidant son carquois de ses flèches, il recueillit le plus qu'il pouvait de cette eau sucrée.
— Si je ne rapporte pas de gibier pour le repas du soir, je rapporte au moins une eau qui est agréable au goût.
Et voilà Petit Coyote tout heureux sur le chemin du retour, avec son carquois d'écorce rempli d'eau sucrée. Il marcha, marcha du côté de la lumière du jour qui se couche. Quand il arriva dans son village, le repas du soir mijotait déjà dans la plupart des huttes. Petit Coyote entra dans sa hutte.
Son père Grop Loup était triste. Sa mère Plume Bleue était triste, sa sœur Petite Hermine était triste. La chasse n'avait rien donné ce jour-là et il n'y avait pas le plus petit bout de viande à mettre dans la marmite. Plume Bleue avait quand même attisé le feu, et l'eau de la marmite, qu'elle avait posée sur les pierres brûlantes, chantonnait doucement. Lorsque Petit Coyote entra dans la hutte, tous les yeux se tournèrent vers lui : apportait-il quelque oiseau à jeter dans la marmite ?
— Tenez, dit fièrement Petit Coyote en tendant son carquois, j'ai trouvé de l'eau au bon goût qui coule de l'arbre dont les

feuilles deviennent rouges dans le mois des feuilles qui tombent.

Son père Grop Loup, qui s'attendait à un gibier plus consistant, attrape le carquois avec impatience et le jette sur les pierres brûlantes de l'âtre.

Aussitôt, une bonne odeur de sucre emplit la cabane. L'eau sucrée se met à pétiller sur les pierres brûlantes, se transformant en sirop d'érable comme nous le connaissons aujourd'hui. Étonnés, Grop Loup, Plume Bleue, Petite Hermine et Petit Coyote recueillent prudemment ce liquide gluant qui coule sur les pierres.

— Hum ! s'écrient-ils, c'est bon !

— Tu dis que tu as recueilli cette eau à même l'arbre dont les feuilles deviennent rouges dans le mois des feuilles qui tombent ? dit Grop Loup à Petit Coyote.

— Mais oui, et je peux te montrer l'endroit.

— Inutile d'aller si loin, dit Grop Loup ; notre hutte est entourée de ces arbres. Viens avec moi : nous allons voir s'ils contiennent aussi l'eau qui goûte bon.

Ils sortent dans la forêt, dans la lumière du jour qui tombe. Grop Loup fait une entaille dans un érable avec son tomahawk : il fabrique un petit chalumeau à l'aide d'une branche vidée de sa moelle ; il y accroche la marmite familiale.

Il y accrocha la marmite familiale.

Ensuite, tout le monde rentre se coucher. Le lendemain matin, la marmite est remplie de l'eau qui goûte bon ! Plume Bleue l'apporte dans la hutte et la dépose sur des pierres brûlantes qu'elle avait fait chauffer dans l'âtre. Peu à peu, l'odeur de sirop se répand dans la hutte et dans les alentours. Les voisins s'approchent pour savoir quelle est cette odeur nouvelle si agréable. On fait circuler les gobelets d'écorce remplis de sirop d'érable. Tout le monde est joyeux : personne n'a jamais rien goûté de semblable. Bientôt, tout autour du village, chaque arbre dont les feuilles deviennent rouges dans le mois des feuilles qui tombent se trouva muni d'un chalumeau et d'un récipient en écorce pour recueillir l'eau qui goûte bon. La nouvelle fit le tour des villages voisins. Toute la forêt se mit à embaumer. Grâce à cette nouvelle nourriture, les Indiens purent voir venir la lune d'été sans trop de famine, car le bon sirop les rendait forts et joyeux, et quand on est fort et joyeux, la chasse est meilleure.

Quand la neige eut presque complètement disparu, le chef du village proposa qu'on fasse une grande fête en l'honneur du mets nouveau que Petit Coyote avait fait découvrir aux Indiens. Lors de cette fête, le chef prit la parole :

— Chaque année, quand le vent du sud enverra les oies et les canards annoncer au vent du nord sa prochaine venue, quand l'eau se remettra à couler, quand les montagnes déchireront leur couverture blanche, les Indiens transperceront les arbres dont les feuilles deviennent rouges dans le mois des feuilles qui tombent. Ils en tireront l'eau qui a bon goût, et ils en feront du sirop à l'aide des pierres brûlantes. Quant à Petit Coyote, je prédis qu'il deviendra un grand chef et qu'il fera l'honneur de sa tribu.

La fête dura longtemps. Chaque année, à la lune de la neige qui fond, les Indiens de cette tribu célébrèrent la fête du sirop d'érable.

La Légende des brûlots

Adapté d'un conte amérindien.
Celui qui a goûté aux morsures des brûlots sait qu'ils portent bien leur nom ! Ces insectes minuscules qui abondent en juin et juillet réduisent à néant le goût de la vie en plein air. Mais ils ne sont pas près de disparaître des bois entourant les lacs. Nous apprenons ici comment ils sont nés.

À partir de 5 ans

3 min

Campagne

Géant
Indiens

Il y a très longtemps, bien avant l'arrivée des hommes blancs, vivait dans nos parages un géant. Ce géant-là était tellement grand que sa tête dépassait les nuages. Un seul de ses pieds remplissait un lac et une seule de ses mains pouvait couvrir une forêt. Son souffle avait la force d'un ouragan ; sa voix ressemblait au tonnerre.

Quand il marchait, chacun de ses pas faisait naître un tremblement de terre. Mais quand il se déplaçait, justement, ses yeux étaient si éloignés de ses pieds qu'il lui arrivait souvent d'écraser des villages sans s'en rendre compte.

Alors, les gens, les Indiens qui vivaient dans le pays, commencèrent à le craindre. Ils se mirent à chercher un moyen pour le chasser ou le détruire. Mais ils se sentaient impuissants eux, si petits, devant le géant immense et puissant. Ils inventaient toutes sortes de stratagèmes depuis des années mais ils n'arrivaient à rien. Et la peur du géant augmentait.

Un jour, le géant se sentit fatigué, ce qui arrive, même chez les géants. Alors, il se coucha dans le fleuve Saint-Laurent. Il s'assit dans l'eau et appuya sa tête sur l'île d'Anticosti. Puis, doucement, il allongea ses membres : son bras droit trempait dans le Saguenay et sa main clapotait dans le lac Saint-Jean. Avec son bras gauche, il encercla les Appalaches. Son pied droit écrasa une partie de Montréal, sa jambe gauche aplatit une grande quantité d'arbres. Et le géant s'endormit.

Il dormit longtemps, longtemps car ce que fait un géant dure toujours beaucoup plus longtemps que pour les hommes ordinaires. Et ça, les Indiens le savaient. Ils se réunirent donc en grand conseil pour décider de profiter du sommeil du géant. Le temps était venu de mettre à profit tous les plans et les ruses qu'ils élaboraient depuis tant d'années.

Plusieurs tribus partirent vers l'île d'Anticosti. Là, les Indiens attachèrent les cheveux du géant aux grands arbres alentour. D'autres tribus filèrent plus loin pour attacher les cordons des mocassins du géant à tous les rochers qu'ils trouvèrent à proximité. D'autres encore détachèrent son ceinturon et lui firent faire le tour des Appalaches où ils le fixèrent solidement.

Puis, les Indiens coupèrent une grande quantité d'arbres qu'ils empilèrent sur le corps du géant endormi. Petit à petit le géant se retrouva enseveli sous d'énormes tas de troncs et de branches d'arbres qui séchaient au soleil. Et le géant dormait toujours. Quand les Indiens jugèrent que le géant ne pourrait plus jamais se relever, ils retournèrent dans leurs bourgades.

Mais un orage s'éleva et un éclair mit le feu à la forêt. Le géant s'éveilla et s'aperçut qu'il ne pouvait pas bouger. Il essaya de se défaire de ses attaches et des piles de bois qui l'immobilisaient, tandis que l'incendie gagnait du terrain et commençait à atteindre les billots. Sa colère était grande. Il rassembla ses forces et, d'un bond, il cassa ses liens et fit rouler le bois qui l'entravait. Il se sauva à grandes enjambées et décida de se venger en jetant un sort aux gens qui avaient tenté de le tuer. Il se mit à piétiner les flammes et le bois calciné et aussitôt des millions et des millions de petites pépites noires remplirent le ciel enfumé au-dessus du pays. Et instantanément, ces millions de petits points noirs se changèrent en brûlots, tandis que le géant de ses pas gigantesques quittait à tout jamais le pays à moitié dévasté. Mais il avait éteint le feu, et le pays survécut et les brûlots aussi !

Grand Pin et Bouleau

Adapté d'un conte Ojiboué.

Toutes les nations amérindiennes ont leurs récits qui expliquent la création du monde et l'origine des choses. On disait qu'autrefois la forêt servait d'école aux enfants : les anciens les y promenaient pour leur raconter les légendes qui servaient d'enseignement. Cette histoire nous apprend d'où vient l'écorce caractéristique du bouleau.

(voir introduction de Nanabozo vole le feu*).*

À partir de 7 ans

5 min

Forêt

Bouleau
Érable
Pin

Il y a très très longtemps, avant même la venue des hommes dans ce pays, les arbres pouvaient parler. Lorsqu'ils faisaient bruisser leurs feuilles, leur langage était calme. Mais quand ils agitaient violemment leurs branches dans le vent, leur discours était plein de courage ou de peur.

Toutes sortes d'arbres vivaient dans la forêt. Érable laissait couler sa sève sucrée pour les oiseaux assoiffés. Beaucoup d'oiseaux nichaient chez lui. Les merles déposaient leurs petits œufs bleus dans les nids bien installés dans les branches. Érable les protégeait du vent et de la pluie. Il était toujours prêt à rendre service et on le respectait tout alentour.

Non loin de lui, grand Orme élevait ses longues branches vers le ciel. Orme adorait le soleil et chacune de ses branches s'élançaient vers ses rayons. Les orioles* y construisaient leurs nids-balançoires sachant qu'ils se trouvaient à l'abri dans les hauteurs.

Il y avait aussi Thuya. En hiver, des familles d'oiseaux logeaient dans ses ramures. Quand le froid faisait rage, Thuya refermait ses épaisses branches sur eux et les gardait bien au chaud. Les oiseaux étaient si confortablement installés qu'ils mettaient du temps, le printemps venu, à quitter leurs logis dans Thuya.

Bouleau se tenait à peu de distance. Il était mince et élégant et son écorce douce et blanche le distinguait des autres. Ses bras souples et gracieux s'agitaient à la moindre brise. Au printemps, ses feuilles vert tendre étaient si fines qu'elles laissaient passer la lumière du soleil au travers.

Quand nos ancêtres arrivèrent dans ces lieux, ils se servirent de l'écorce de Bouleau pour fabriquer des canots, des maisons et même les récipients dans lesquels ils cuisaient leurs aliments.

Mais il arriva un jour où Bouleau, à cause de sa beauté, se mit à mépriser tout le monde. Il en reçut une cuisante leçon d'humilité. Voici ce qui arriva.

Grand Pin était le roi de la forêt. C'est à lui que chaque arbre devait faire un salut en courbant la tête. Car on doit manifester son obéissance au roi. Et ce roi était le plus grand, le plus majestueux, le plus droit de tous les arbres de la forêt. En plus de sa taille, sa magnifique vêture vert foncé assurait son autorité.

Un jour d'été, la forêt resplendissait des parfums et des couleurs de milliers de fleurs et un éclatant tapis de mousse recouvrait les coins ombragés du sol. Une quantité d'oiseaux, des gros, des petits, des bleus, des gris, des jaunes et des rouges, n'arrêtaient pas de chanter. Les arbres bougeaient doucement et agitaient leurs feuilles qui étaient des rires et des gais murmures de contentement.

Érable remarqua tout à coup que Bouleau ne participait pas à cette réjouissance collective.

— Es-tu malade, Bouleau ? demanda le gentil Érable.

— Pas du tout, répondit Bouleau en agitant ses branches de façon brusque. Je ne me suis jamais si bien senti. Mais pourquoi donc devrais-je me joindre à vous qui êtes si ordinaires ?

Érable, surpris de cette réponse, se dit que le roi Grand Pin ne serait pas content d'entendre de telles paroles. Car la première tâche de Grand Pin était de faire respecter l'harmonie parmi ses sujets.

— Tais-toi ! dirent les arbres à Bouleau. Si Grand Pin t'entend...

Les arbres étaient très solidaires les uns des autres comme le sont des frères et des sœurs qui s'entraident. Mais Bouleau refusait l'amitié de ses compagnons. Il se mit à agiter ses branches avec mépris et déclara :

— Je me fiche bien du roi. Je suis le plus beau de tous les arbres de la forêt et dorénavant je refuserai de courber la tête pour le saluer !

Grand Pin, qui s'était assoupi, s'éveilla tout d'un coup en entendant son nom. Il secoua ses fines aiguilles pour les remettre en place et s'étira, s'étira en redressant son long corps.
— Bouleau, que viens-tu de dire ? lança-t-il.
Tous les arbres se mirent à trembler car ils se doutaient bien que la colère grondait dans le cœur de Grand Pin. Mais Bouleau ne semblait pas craindre sa colère. Il étala ses branches avec dédain, les agita dans un sens et dans l'autre et dit d'un ton hautain :
— Je ne vais plus vous saluer, Grand Pin. Je suis le plus bel arbre de la forêt, plus beau que tous les autres, plus beau même que vous !
Grand Pin se fâcha. Ses bras se mirent à s'agiter bruyamment. Et tous les arbres attendirent dans le plus grand silence la suite des événements.
— Bouleau, lança le roi Pin, tu es devenu vaniteux ! Je vais t'apprendre une leçon que tu n'oublieras jamais.
Grand Pin se pencha en direction de Bouleau et frappa sa tendre écorce de toutes ses forces. Ses aiguilles lacérèrent la douce peau blanche de Bouleau.
Enfin, il dit :
— Que tous apprennent par toi, Bouleau, que l'orgueil et la vanité sont mauvais.
Depuis ce jour, l'écorce de Bouleau est marquée de fines cicatrices noires. C'est le prix qu'il dut payer, autrefois, pour sa vanité. Tous les membres de sa famille, sans exception, ont gardé, marquée dans leur peau, la trace de la colère du roi Grand Pin.

L'Oiseau-Vent

Adapté d'une légende des Indiens micmacs.

À partir de 4 ans

3 min

Mer

Jeune homme Oiseau Pêcheurs

Une grande famille amérindienne vivait au bord de la mer. Elle comptait plusieurs pêcheurs adroits qui savaient capturer les poissons avec leurs lances. Un jour arriva où il fut impossible de pêcher tant la mer était houleuse. Un vent terrible soufflait jour et nuit empêchant les pêcheurs de sortir dans leurs canots. Après plusieurs jours de tempête on commença à avoir faim. Alors le père dit à ses fils :
— Allez sur la grève, allez voir si les vagues n'ont pas rejeté quelques poissons morts.

Tiaho, le plus jeune parmi les pêcheurs, partit aussitôt et se mit à longer la rive. Mais plus il avançait plus le vent soufflait, si bien qu'il avait peine à se tenir debout. Il parvint à une pointe rocheuse qui s'avançait dans la mer et là, d'un seul coup, il comprit d'où venait la tempête.

Au bout de la pointe, sur le dernier des gros rochers qui émergeaient de la mer déchaînée se tenait un grand oiseau. C'était l'oiseau-vent, le faiseur de tempêtes. Il agitait bruyamment ses grandes ailes et donnait ainsi naissance au vent.

Avec courage et détermination, Tiaho décida de déjouer ce maître des éléments. Il s'approcha de la pointe en s'agrippant aux rochers fouettés par les vagues et cria :

— Nikskamich, grand-père, n'as-tu pas froid ?

— Non, répondit l'oiseau-vent.

Le jeune homme reprit :

— Je vois bien que tu es transi, viens, je vais te transporter sur mon dos jusqu'à la rive.

À sa grande surprise l'oiseau répondit :

— J'accepte.

Alors Tiaho réussit à se rendre jusqu'au dernier rocher. Il prit l'oiseau sur son dos et revint avec précaution vers la grève en se tenant aux rochers glissants et en évitant les vagues rugissantes. Mais à quelques pas de la rive il trébucha volontairement : il glissa sur les cailloux avec l'oiseau qui se brisa une aile. Tiaho prétendit être désolé. Il se mit aussitôt à soigner l'aile brisée en la maintenant immobile à l'aide d'un morceau de varech.

L'oiseau-vent, le faiseur de tempêtes.

— Oiseau-vent, dit-il, tu dois rester tranquille et éviter de remuer tes ailes jusqu'à ce que ton os brisé soit guéri. Reste à l'abri dans les rochers, je viendrai te porter à manger.

L'oiseau-vent se mit à l'abri derrière des rochers tandis que Tiaho s'en retournait près des siens. En marchant, Tiaho constata que la mer avait retrouvé son calme et que les branches des arbres ne remuaient plus. Le vent avait disparu. Les pêcheurs sautèrent dans leurs canots et la pêche fut bonne. On fit ample provision de poissons car il est facile de pêcher par temps calme.

Tous les jours, comme promis, Tiaho portait à manger à l'oiseau-vent. Tous les membres de la famille étaient rassasiés de poisson. Mais on dit qu'il est dangereux d'abuser des bonnes choses. Alors il arriva qu'après plusieurs jours sans une ride, la mer se couvrit d'une écume blanchâtre. Les pêcheurs comprirent que les poissons se sentaient malades : ils vomissaient, ne pouvant supporter une mer sans mouvement.

Puisqu'il était impossible de voir les poissons dans l'eau trouble, on dut cesser de pêcher encore une fois. La famine s'installa de nouveau.

Alors Tiaho courut vers les rochers. Il examina l'aile de l'oiseau-vent et délia le pansement.

— Grand-père, ton aile est réparée, s'écria-t-il, avec joie. Bouge-la doucement.

L'oiseau-vent déploya toutes grandes ses deux puissantes ailes et aussitôt la mer endormie s'éveilla et se rida de vagues légères. L'oiseau-vent agita ses ailes un peu plus fort et une bonne brise se mit à parcourir la terre. En quelques heures la brise chassa l'écume sur la mer et les pêcheurs reprirent place dans leurs canots.

Grâce à Tiaho l'ordre revint dans la nature.

Nanabozo vole le feu

Adapté d'un conte amérindien.

Chez plusieurs nations amérindiennes un mythe raconte comment le peuple a pris possession du feu. Pour les Ojiboués, le monde a été créé par Nanabozo, fils d'un esprit céleste et d'une femme de la Terre.

Les Ojiboués ont longtemps occupé un vaste territoire le long de la rivière des Outaouais et autour du lac Supérieur dans ce qui est devenu la province voisine de l'Ontario. Nanabozo avait le pouvoir de se transformer en arbre ou en animal et c'est ainsi qu'il a ramené le feu pour les siens.

À partir de
4 ans

4 min

Lac
Wigwam

Jeunes filles
Lapin
Manitou
Père

Il y a très longtemps le feu n'était pas connu dans le pays de Nanabozo et il avait très froid.
— Nokomis, demanda-t-il à sa grand-mère, n'y a-t-il pas quelque chose dans le monde qui peut nous réchauffer ?
— J'ai entendu dire, répondit la grand-mère, que quelque part dans l'est, près des grandes eaux, vit un vieux sachem* avec ses filles. Ces trois-là ont chaud car ils possèdent une chose appelée le feu. Mais il paraît que cet homme cache le feu de la vue de tous et le conserve jalousement.
— Je vais trouver cet homme, s'écria Nanabozo, et je vais ramener le feu pour nous.
— Je doute que tu réussisses, dit Nokomis. Ces gens surveillent leur feu jour et nuit. Le vieux reste assis toute la journée dans son wigwam à réparer ses filets et à garder le feu. Il ne sort jamais. Seules ses deux filles se promènent dehors.
— J'essaierai quand même, dit Nanabozo.
Nanabozo établit un plan. « Voilà ce que je vais faire, pensa-t-il, je vais transformer l'eau du lac qui voisine le wigwam du sachem* en une glace mince comme l'écorce du bouleau. Ensuite, je vais me changer en petit lapin assez léger pour que je puisse marcher sur cette glace fine. Voilà ce que je vais faire ! »

Nanabozo salua sa grand-mère Nokomis, et partit. Il marcha vers l'est pendant des jours et des jours. Il arriva bientôt devant un lac au bord duquel s'élevait le wigwam du vieux sachem*. Aussitôt, grâce à ce pouvoir qu'il avait, il transforma l'eau du lac en glace fine et se transforma lui-même en un tout jeune lapin.

Nanabozo se cacha pour pouvoir observer le wigwam et attendit. Quand il vit l'une des filles sortir du wigwam pour aller vers le lac, Nanabozo sortit de sa cachette et s'approcha d'elle. Puis il s'arrêta et se mit à grelotter très fort.

— Pauvre petit lapin ! s'écria la jeune fille. Viens te réchauffer.

Et aussitôt elle prit le lapin dans ses mains et l'emporta dans son logis en l'abritant sous sa veste. Lorsqu'elle fut entrée, elle fit voir le jeune lapin à sa sœur. Toutes les deux se mirent à jouer avec lui pour s'amuser.

— Arrêtez ce bruit, fit le père.

— Mais père, on s'amuse avec un lapin.

— Enfants, que vous êtes étourdies ! s'écria le vieux sachem*. Avez-vous oublié l'existence des manitous ? Ce lapin en est peut-être un qui vient voler notre feu. Allez ! renvoyez cette bête où vous l'avez trouvée !

— Voyons, père ! ce petit lapin n'est sûrement pas un manitou. Il est juste un petit animal sans défense, dit la plus jeune des filles. Un manitou ne se changerait pas en un animal si faible.

— Vous refusez de m'écouter ! se fâcha le vieux. Vous oubliez mon grand âge et ma sagesse.

La plus jeune des filles fit semblant de ne pas entendre les mots prononcés par son père. Elle déposa en souriant le petit lapin près du feu pour qu'il se réchauffe.

« Maintenant que ma fourrure est sèche, pensa Nanabozo, je souhaite qu'une étincelle vienne l'enflammer. » Et comme il arrive toujours avec Nanabozo, son vœu se réalisa. Une étincelle s'échappa des bûches enflammées et mit le feu à son pelage. Aussitôt, Nanabozo s'élança dehors et courut à toute vitesse vers le lac.

« Il est juste un petit animal sans défense », dit la plus jeune des filles.

— Regardez père ! crièrent les filles, il s'enfuit avec le feu !
— Vous voyez bien que j'avais raison de me méfier, dit le vieux en courant derrière l'animal. C'est sûrement un manitou qui est venu voler le feu.
Le vieux sachem* se mit à courir après Nanabozo, mais la glace céda dès ses premiers pas et ses filles eurent beaucoup de mal à le sortir de l'eau. Pendant ce temps, Nanabozo avait couru à perdre haleine et arrivait en vue de son logis.
— Nokomis ! cria-t-il. Vite, Nokomis ! Transfère ce feu à des branches.
Nokomis se précipita vers lui et fit comme il demandait, sans hésiter. Puis Nanabozo réussit à éteindre le feu de son pelage en s'aidant de ses pattes. Content de voir brûler les branches, il s'examina en riant.
— Dorénavant, dit-il à Nokomis, chaque été les lapins auront le pelage comme le mien pour rappeler aux hommes comment le feu est venu jusqu'à eux dans ce pays.
Nanabozo reprit sa forme humaine et, cet hiver-là, lui et Nokomis eurent très chaud.

Pourquoi la grenouille a de longues pattes

Adapté d'un conte des Indiens cris du Canada.
Le personnage le plus aimé des Cris est un être légendaire, mi-homme, mi-dieu, qui porte le nom de Wisouk. Il pouvait parler aux animaux, au vent, à l'eau, aux plantes et aux rochers. Il adorait jouer des tours car il n'aimait pas qu'on le trompe ou qu'on déjoue ses plans. Les Cris occupent une très grande région à l'ouest du pays et en particulier près de la Baie James, site de grands complexes hydro-électriques.

À partir de
5 ans

3 min

Lac
Montagne

Grenouille
Poule d'eau

Il y a très longtemps, avant l'arrivée des hommes, les animaux étaient protégés par un grand frère qui, grâce à ses pouvoirs extraordinaires, maintenait la paix et l'harmonie sur la Terre. Il s'appelait Wisouk.

Wisouk aimait beaucoup le chant de la grenouille. Tous les soirs, au bord de son lac clair, Akis la grenouille chantait pour Wisouk qui lui apportait de bonnes choses à manger. Un soir, en sautant dans l'eau, Akis se mit à réfléchir : « Je ne fais que chanter pour remercier Wisouk de ses cadeaux. Je devrais lui donner mieux en retour. Je sais qu'il aime fumer... Hum... je sais ! Je vais lui offrir un peu de la tendre écorce du saule rouge pour remplir sa pipe. »

Tout en sautillant de joie, Akis recueillit des morceaux d'écorce qu'elle fit bien sécher au soleil. Puis, elle en fit un solide paquet qu'elle enveloppa dans une peau de ragondin. Elle alla chez la poule d'eau avec son colis.

— S'il te plaît, porte mon cadeau à Wisouk.

La poule d'eau s'envola bientôt vers la montagne où habitait Wisouk. Wisouk accueillit la poule d'eau avec joie et fut ravi du cadeau d'Akis. Mais celle-ci trouvait que les visites de Wisouk se faisaient trop rares et elle était fatiguée de chanter fort pour que sa voix lui parvînt, là-bas, sur sa montagne. Alors elle résolut de lui rendre visite.

« Mais Wisouk habite tout en haut de l'énorme montagne ; jamais je ne pourrai grimper jusque chez lui. »

Heureusement Akis eut encore une bonne idée. Elle se mit à ramasser des paquets et des paquets d'écorce de saule, qu'elle disposa au soleil pour les sécher. Elle sautilla jusque chez la poule d'eau et dit :

— S'il te plaît, après-demain viens chez moi chercher le cadeau que j'aimerais que tu portes à Wisouk.
— Je viendrai, répondit la poule d'eau.
Akis rassembla les bouts d'écorce en un énorme ballot qu'elle recouvrit de plusieurs peaux de ragondins. Elle prit bien soin de laisser une ouverture dans le ballot. Puis, le soir, elle se glissa dans l'ouverture et s'endormit.
Le lendemain matin, la poule d'eau trouva le colis plus gros et plus lourd que le précédent mais elle partit quand même de bon cœur vers l'habitation de Wisouk, le grand frère des animaux. Elle survola le lac, la rivière, la forêt. Puis, soudain, un éternuement venant du ballot la surprit tellement qu'elle le lâcha. Alors Akis sortit la tête par le trou et la poule d'eau comprit ce qui s'était passé : l'écorce séchée avait fait éternuer la grenouille cachée dans le ballot. Maintenant Akis allait se fracasser au sol ! Désespérée, Akis appela au secours.
Wisouk, qui l'entendit, fit en sorte qu'elle tombât sur la rive d'un lac où se dressait un grand pin. Akis atterrit dans les branches sans trop de mal et elle allait se laisser glisser dans l'eau lorsqu'une branche fourchue la retint par ses pattes arrière.
Akis essaya de se libérer mais plus elle tirait, plus ses pattes s'allongeaient. Enfin, en un effort ultime, elle réussit à se dégager et elle tomba dans l'eau. Elle était contente d'être en vie mais ses pattes arrière étaient si longues qu'elle en avait honte. Wisouk dit à sa petite sœur de ne pas se désoler car ses longues pattes feraient d'elle une grande nageuse et une habile sauteuse. Mais Akis se sentait ridicule et elle se cacha sous l'eau.
C'est depuis ce jour que les grenouilles sont timides et que leurs pattes arrière sont si longues.

Mistapéo et la mousse à caribou

Adapté d'un récit montagnais.

La nation montagnaise est la deuxième nation autochtone la plus peuplée au Québec. On appelle les Montagnais des Innuat, au singulier Innu. Ils chassent le caribou qui abonde dans leurs territoires. Mistapéo est un être mythique dans la culture montagnaise : il est un bon géant qui aime les êtres humains et leur vient en aide.

À partir de 4 ans

2 min

Lac

Caribou Géant

Un jour qu'il se promenait à la recherche de gibier, Mistapéo, le géant, sentit la faim l'envahir. Mais le gibier était très rare. Il marchait, marchait et sa faim augmentait à

chaque pas. Il avait beau scruter les collines et les arbustes, pas une bête ne se montrait. Tout à coup, il vit sur les pierres un lichen qu'on appelle de la « mousse à caribou », car les caribous en raffolent.
— Je vais en manger, dit-il, car je n'ai rien d'autre.
Mais Mistapéo savait bien que la mousse à caribou fait péter. Malgré cela il en mangea et se remit en route vers un lac. En marchant, Mistapéo ne cessait de péter.
Soudain, il aperçut un caribou qui s'approchait du bord de l'eau. « Enfin, de quoi soulager ma faim ! » se dit-il. Et il s'arrêta pour attendre que l'animal vînt plus près de lui. Mistapéo savait rester immobile et muet pour attendre le gibier et c'est ce qu'il fit. Il serra les fesses de toutes ses forces pour ne pas péter ce qui, à coup sûr, eût fait fuir le caribou.
Le caribou s'approcha. Il était maintenant juste à la bonne distance pour que Mistapéo pût l'atteindre avec sa flèche. Mais au même moment, le géant, ne pouvant plus se contrôler, lâcha un énorme pet. Et un pet de géant, c'est encore plus bruyant qu'un pet d'homme ordinaire !
Cela fit bondir le caribou qui s'enfuit en sautant par-dessus les rochers. Mistapéo lança sa flèche mais il était trop tard. Mistapéo était furieux. Il ne cessait de répéter : « Tu apprendras, tu apprendras. »
Alors Mistapéo fit du feu dans lequel il mit une pierre à chauffer. Puis il prit la pierre chauffée et se frotta le ventre tant et si bien que l'effet de la mousse à caribou disparut. Mistapéo n'oublia jamais cette leçon et il la transmit à tous ceux de sa nation. Et depuis ce jour, chez les Montagnais, on sait qu'il faut se méfier de la cladonia, ou « mousse à caribou », car qui en mange se met à péter. Qu'on s'en souvienne !

Tonnerre des eaux

Texte de Louis Landry, extrait de Glausgab le protecteur *(sous le titre* Les Otnéyarés, géants de pierre*), © éditions Médiaspaul, Montréal.*
Louis Landry a remanié une foule de courts récits tirés de légendes algonquines. Les Otnéyarés sont des êtres malfaisants, des monstres que doit affronter Glausgab, un grand manitou. Il réussira à débarrasser le pays de leur présence et c'est justement ce succès qui donnera naissance à la cataracte du Niagara.

À partir de 7 ans

4 min

Lac
Village

Géants
Manitou

Un jour, Glausgab entendit raconter que des géants de pierre envahissaient des villages, tuaient tous les habitants,

puis les dévoraient. Ces monstres venaient du sud et se dirigeaient vers les Grands Lacs.
Glausgab se rendit par là pour voir comment ça se passait. En plein milieu de la journée, des hommes costauds, plus grands que la moyenne, avec une peau brune et rugueuse, formaient un cercle autour d'un village. Puis, ils s'approchaient lentement du centre du village en refermant le cercle.
Les habitants avaient beau lancer sur eux tout ce qu'ils pouvaient : des flèches, des lances ou des cailloux, tout se brisait sur les géants comme sur de la pierre. Les Otnéyarés, c'était leur nom, continuaient leur marche comme si de rien n'était. Ils tuaient tous les hommes, toutes les femmes, tous les vieillards et tous les enfants, du premier au dernier, sans en excepter un seul. Et ils mangeaient leurs malheureuses victimes. Après cet horrible festin, ils se couchaient sur le sol et ils s'endormaient sans remords.
C'est à une scène semblable que Glausgab assista dès qu'il fut arrivé dans le territoire des Otnéyarés. Quand les géants de pierre s'endormirent, Glausgab alluma sa pipe et réfléchit. Il n'avait jamais rien vu de pareil et il se demandait bien qui étaient ces géants de pierre, ces Otnéyarés. C'étaient sans doute des monstres ou des sorciers venus d'un autre monde, car il ne connaissait rien de semblable dans ce monde-ci. Ce n'est que le lendemain qu'il comprit le secret des Otnéyarés.
Le lendemain matin, avant le lever du soleil, Glausgab vit quelques Otnéyarés se lever, et allumer un grand feu. Sur le feu, ils mirent une grande marmite et y jetèrent de la gomme de sapin et de pin. Quand la gomme fut réduite en liquide, ils s'enduisirent de résine le corps en entier. Ensuite, ils se roulèrent dans le sable. Le sable et des brindilles leur collèrent à la peau et s'y figèrent. Cette carapace jaune et brune, sem-

blable à de la pierre, donnait aux Otnéyarés un aspect repoussant qui épouvantait leurs victimes.

Tous firent de même.

Après cette toilette toute particulière, ils reprirent leur marche terrifiante vers le nord.

Après leur départ, Glausgab se rendit près de la marmite, et il se fit une carapace d'Otnéyaré. Puis il alla rejoindre le groupe et en prit les devants. Il se tourna vers eux et les fit arrêter.

— Je suis votre chef, dit Glausgab.

— Nous n'avons pas de chef, dirent les Otnéyarés, et nous n'en avons pas besoin.

— Je peux faire de vous, dit Glausgab, les plus grands et les plus puissants géants du monde.

À ces mots, Glausgab se mit à grandir lentement, à vue d'œil. Les Otnéyarés, stupéfaits, regardaient Glausgab qui continuait à grandir.

— Nous voulons t'avoir pour chef, dirent les Otnéyarés.

Car les géants les plus grands et les plus puissants ne peuvent pas se contenter de mener une petite vie tranquille de géants grands et puissants. Ils veulent toujours devenir encore plus grands et encore plus puissants, les plus grands et les plus puissants du monde.

Glausgab leur demanda de se tenir tous par la main, et il se plaça lui-même entre deux d'entre eux. Alors, en grandissant, il les fit grandir avec lui.

Glausgab et les géants de pierre.

Chacun s'émerveilla de ce qui leur arrivait tous ensemble. Mais, si l'un lâchait la chaîne ainsi formée, il rapetissait aussitôt et tous les autres Otnéyarés à sa suite. Seuls ceux qui tenaient la chaîne dont Glausgab était un maillon gardaient leur taille surnaturelle.

Quand tous eurent compris qu'ils ne valaient pas grand-chose sans leur nouveau chef, les Otnéyarés reprirent leur marche, avec Glausgab à leur tête.
C'était, à travers bois, une marche terrible, lente, lourde, sourde, craquante. Les arbres sur la route se couchaient sous leurs pas, formant comme un sillon dans un champ de blé d'Inde. Et leur taille augmentait, de même que leur poids. Et leurs pieds s'enfonçaient maintenant dans le sol.
Glausgab les dirigeait entre deux grands lacs. Tout à coup, il fit doubler leur taille en un instant. Le sol s'ouvrit sous les Otnéyarés. Tous roulèrent dans le précipice, pêle-mêle, comme une avalanche de gros cailloux. L'eau du lac en amont se précipita dans le lac en aval, dans un fracas épouvantable, en une immense cataracte qui prit le nom de Niagara, c'est-à-dire, tonnerre des eaux.

Enfer et contre tous

Le Beau Danseur

Adapté d'un conte populaire

La croyance populaire qui voulait que le diable pouvait prendre possession d'une jeune fille coquette est très fréquente. L'une des premières transcriptions écrite de cette légende se trouve dans un ouvrage de Philippe-Aubert de Gaspé, Le Chercheur de trésors, *paru en 1878 sous le titre* L'Étranger.

De nombreuses variantes existent et circulent dans toutes les régions du Québec. Ici, l'événement se déroule pendant une veillée de mardi gras comme il y en avait beaucoup dans les villages et campagnes du début du siècle.

À partir de 6 ans

6 min

Maison

Diable
Fille
Père
Violoneux

Il y avait autrefois un nommé Latulipe qui avait une fille appelée Rose dont il était fou. Elle était la plus jolie des jeunes filles ; sa peau était douce, ses joues roses, sa chevelure brune bouclée, ses gestes gracieux. Son père l'adorait et lui passait tous ses caprices.

La jolie Rose avait un fiancé qui se nommait Gabriel. Elle aimait bien son amoureux mais ce que Rose aimait encore plus c'étaient les divertissements. Elle cherchait toujours prétexte, une fête ou un événement quelconque, pour demander à son père de convier des musiciens et des jeunesses chez eux pour une veillée.

Quelques jours avant le mardi gras, elle se mit à tourmenter son père :

— Feriez-vous venir le violoneux du rang* voisin, père ? On dit qu'il joue à merveille. On ferait un petit bal pour le mardi gras ! Dites oui ! Oh ! dites oui, suppliait Rose.

Le père Latulipe se laissa tourmenter un jour, deux jours et à la fin, de guerre lasse, il consentit.

— Mais ma fille, dit-il, il faudra faire attention. Je ne veux pas qu'on danse après minuit ! Le carême commence le lendemain et il faut faire pénitence.

Rose, folle de joie, embrassa son père et promit de respecter la tradition. Elle passa le reste de la semaine à préparer sa toilette, à décorer la salle. Enfin le mardi gras arriva.

Dans la campagne, les nouvelles vont vite. Quand on sut qu'il y avait bal chez Latulipe, ce ne fut pas un seul violoneux qui se présenta. Il en vint trois et des meilleurs !

Les violoneux n'arrêtaient pas.

Si bien que la fête fut magnifique. On riait, on dansait avec tant d'ardeur et de plaisir que le plancher en craquait. Au dehors, une tempête de neige s'était déclarée mais personne n'y faisait attention. Le bruit des rafales de vent était entière-

ment couvert par le son des violons qui entraînaient les danseurs dans des cotillons* et des rigodons* étourdissants.
Rose était gaie comme un pinson : elle ne manquait pas une danse, acceptant toutes les invitations. Son fiancé Gabriel se sentait un peu délaissé mais, voyant sa Rose si heureuse et si enjouée, il prit son mal en patience en songeant qu'ils seraient bientôt unis pour la vie.
Tout à coup, au milieu d'un rigodon*, on entendit une voiture s'arrêter devant la porte. Plusieurs personnes coururent aux fenêtres pour tenter de distinguer le nouveau venu à travers la neige collée aux carreaux.
Ils virent d'abord un magnifique cheval noir et puis un grand gaillard tout couvert de neige et de frimas qui s'avança sur le seuil. On s'arrêta de parler et de chanter et l'inconnu entra. Il secoua la neige de ses bottes et de son manteau, et l'on remarqua l'élégance de son costume de fin velours tout noir.
— Puis-je m'arrêter dans votre maison quelques instants ? demanda-t-il.
Le maître de maison, le père Latulipe, s'avança vers lui et dit :
— Dégreyez-vous*, monsieur, et venez vous divertir. Ce n'est pas un temps pour voyager !
L'étranger enleva son manteau mais refusa de se débarrasser de son chapeau et de ses gants.
— Une coutume de seigneur, chuchotèrent les curieux regroupés autour de lui.
Tout le monde était impressionné par l'arrivée de ce nouveau venu. Les garçons étaient pleins d'admiration pour le cheval noir qui était attaché au poteau de la galerie. Ils lui trouvaient le poil brillant et l'allure altière des pur-sang mais ils s'étonnaient de constater que là où ses sabots étaient posés, la neige avait fondu complètement. « Drôle de bête », pensaient-ils.

Les demoiselles, elles, examinaient en rougissant le bel homme élégant. Chacune d'elles, dans le secret de son cœur, espérait que ce survenant allait l'inviter à danser.

Mais c'est vers Rose qu'il alla.

— Mademoiselle, lui dit-il en la fixant de ses yeux de braise, voulez-vous danser avec moi ?

Il va sans dire que Rose ne se fit pas prier, sentant peser sur elle le regard de toutes ses compagnes qui l'enviaient. L'inconnu entraîna aussitôt la jeune fille dans un quadrille, puis lui en fit danser un autre ; les violoneux ne s'arrêtaient pas et l'on enchaîna avec des reels* et des cotillons*.

Rose ne pouvait plus s'arrêter de danser : comme si elle ne pouvait plus se détacher des bras de son partenaire. Tous les invités les regardaient évoluer ensemble en louant leur élégance. Comblée de bonheur, Rose oublia totalement Gabriel qui s'était retiré dans un coin, mal à l'aise.

— Voyons donc, Gabriel ! lui lança Amédée, un jovial paysan, en lui tendant un gobelet plein de caribou*. Prends pas cet air d'enterrement ! Sois gai, bois et profite de ta jeunesse !

Mais Gabriel eut beau boire plus que sa soif le lui commandait, son cœur était douloureux. Et Rose, sa belle Rose, les joues en feu, continuait de tourner avec le beau jeune homme.

Soudain, on entendit sonner le premier coup de minuit. Le père Latulipe regarda l'horloge. Les danseurs s'arrêtèrent et les violons se turent.

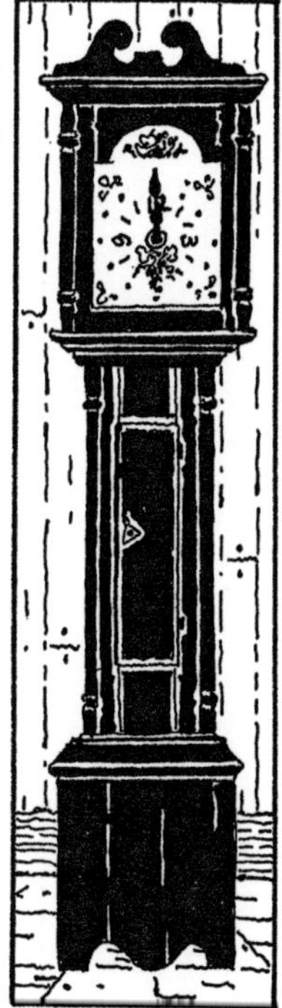

« Il est minuit », dit l'hôte.

— Il est minuit, fit l'hôte. Le mercredi des Cendres est arrivé. Alors, je vous demande de vous retirer.

Rose vint pour se dégager mais son compagnon serra ses deux mains dans les siennes.

— Dansons encore, lui murmura-t-il.

Rose ne voyait plus les gens autour d'elle, qui retenaient leur souffle. Ni sa mère, ni son père, ni Gabriel... Rose était envoûtée par la voix et le regard de son compagnon et voilà que sans l'aide de la musique, les deux danseurs reprirent les pas du cotillon* et se remirent à danser, danser, danser... Les autres restaient figés. Personne ne bougeait. L'hôte hésitait à intervenir. Puis, le tourbillon ralentit. L'étranger saisit un gobelet plein sur la table, le leva en criant :

— À la santé de Lucifer !

Ses yeux lançaient des éclairs, une flamme bleue jaillit de son verre, faisant reculer les invités effrayés. Mais il ne lâchait pas Rose, qu'il tenait fermement. Puis, se penchant vers elle, il déposa sur sa bouche un baiser brûlant.

Au même instant, le tonnerre éclata au-dessus du toit ; dans un brouhaha de cris et de hurlements, la maison prit feu. Dans la confusion qui suivit, on ne vit pas l'homme en noir lâcher la main de Rose et s'enfuir dans la nuit sur son cheval. Au petit matin, il ne restait que des cendres de la maison des Latulipe. Et Rose, réfugiée chez les voisins, était vieillie de cinquante ans. Ses cheveux bruns avaient la couleur de la cendre. Ses joues roses et rebondies la veille étaient pâles et toutes ridées. Et sur ses lèvres on voyait la trace d'une brûlure toute fraîche. C'était la trace du baiser qu'elle avait reçu du diable !

La Tuque percée

Adapté d'un conte populaire.

Au Québec, on appelle une tuque le bonnet de laine tricoté que tous portent en hiver, jeunes et vieux.

À partir de 6 ans

4 min

Grange
Maison

Diable
Homme

Élie Sansfaçon errait de jour en jour dans le plus profond désespoir. Il se voyait ruiné. Il était pourtant un esprit rusé qui possédait une habileté sans pareille pour conclure des marchés fructueux. Sa réputation avait depuis longtemps fait le tour du canton. Quand il allait au marché vendre ses animaux, il revenait toujours les poches pleines d'argent sonnant. Il est vrai qu'il avait possédé une terre de belle dimension, des troupeaux de vaches, une maison, des étables. Mais une nuit, la foudre était tombée sur ses bâtiments et avait tout réduit en cendres : récoltes, animaux, outils, étables. Il s'apprêtait à rebâtir quand un nouvel incendie ravagea sa maison. Cette fois, sa femme et ses enfants y périrent et seul Élie réussit à se sauver. Pauvre Élie !

Il ne lui restait plus rien, si ce n'est une vieille grange vide et les vêtements qu'il portait. C'était tout. On comprend aisément les raisons qui poussaient notre pauvre homme à se lamenter sans cesse et même à invoquer le diable ! Et justement, un matin, le diable apparut à Élie et lui dit :

— J'ai entendu tes lamentations ; je reconnais ta mauvaise fortune. Je suis venu te proposer un marché. Si tu veux me signer un papier comme quoi tu m'appartiendras, corps et âme, dans un an et un jour, je m'engage à te procurer tout l'or et l'argent que tu voudras d'ici à ce que le délai soit arrivé. En voyant le diable, Élie sortit de sa torpeur. Il réfléchit un moment. Son aptitude à faire des marchés avantageux lui revint tout à coup. Il regarda fixement le diable et lui répondit :

— Je signerai ton papier m'engageant à t'appartenir au bout d'un an et un jour à trois conditions : d'abord, tu rempliras ma tuque que voici de pièces d'or et d'argent. Ensuite, je veux que tu le fasses en faisant glisser les pièces dans un trou pratiqué dans le toit de ma grange ; ma tuque sera clouée sous l'ouverture. Enfin, il faut que tu me promettes de ne pas te montrer d'ici un an et un jour pour que je puisse profiter tranquillement de l'argent que tu m'auras versé. Si je t'aperçois, même un petit bout de ta queue, notre marché sera rompu.

— Accepté ! s'écria le diable en ricanant. Prépare ta tuque.

— Tout sera prêt demain à l'aube, fit Élie en signant le contrat.
Le diable s'enfuit en se frottant les mains de joie. Élie souriait, ses yeux pétillaient de malice. Peu à peu, il reprenait son allure coutumière.
Cette nuit-là, Élie perça un trou dans le toit de sa grange. Il cloua par en dedans sa tuque de laine rouge dont il avait eu soin de découdre le fond. Il y enfila deux ficelles, de manière à pouvoir ouvrir ou fermer le fond au besoin, et attendit.
Au lever du soleil, le diable arriva. Il grimpa sur le toit et versa par l'ouverture le contenu de deux sacs de pièces d'argent. Il fut bien étonné en constatant que les deux sacs n'avaient pas suffi à remplir la tuque d'Élie. Il passa la main dans le trou et réalisa que la tuque était vide. Il s'en alla chercher six autres sacs et remonta les vider dans le trou. Il y passa la main : la tuque était toujours là, mais elle était vide !
Dans la grange, Élie manœuvrait les ficelles. Quand le diable vidait les sacs il lâchait les ficelles et les pièces, passant par le fond ouvert de la tuque, tombaient au beau milieu du plancher. Toute la journée le diable transporta des sacs d'argent sans que la tuque rouge ne soit jamais remplie. Le lendemain, il recommença. Puis, il se mit à douter de la bonne foi d'Élie car il avait cru entendre une voix venant de la grange et quelques mots d'une chanson :

Bon diable, bon diable
Verse, verse dans ma tuque
Des écus, des écus,
Cherche, fouille, reluque
Tiens ! ils ont disparu.

Les pièces tombaient au beau milieu du plancher.

Le surlendemain, la tuque rouge ne s'emplissait pas plus que les jours précédents. Le diable se mit en colère. Il criait et menacait Élie.

— N'entre pas dans la grange, ne te fais pas voir, avertit Élie, car notre marché serait rompu.

Le diable entra dans une grande fureur et abandonna la partie. Il s'enfuit en crachant du feu qui, heureusement, ne brûla rien. Élie ramassa ses pièces d'argent qui faisaient une montagne au milieu du plancher. Il en remplit dix grands sacs. Élie reconstruisit sa maison, ses étables, répara sa grange. Il acheta une vache, trois moutons et quelques outils. Il donna le reste de son argent aux pauvres. Jusqu'à la fin de ses jours, il mena une vie bien tranquille entre sa vache et ses moutons. Le tour joué au diable fut son dernier marché. Le soir, Élie restait longtemps assis sur sa galerie ; on l'entendait parfois fredonner :

Vieux diable, vieux diable
Regarde donc dans ma tuque !
Les vois-tu ?
Tes beaux écus, beaux écus ?
Ils n'y sont plus.

Le Diable Frigolet

Texte de Anselme Chiasson, extrait de Le Diable Frigolet et 24 autres contes des îles de la Madeleine, © *éditions d'Acadie, Moncton, 1991, 222 p. (p. 17-20).*

L'histoire de ce diable nous vient des îles de la Madeleine, un archipel d'îles situé en plein milieu du golfe du Saint-Laurent. Ces îles québécoises sont habitées en grande partie par des Acadiens qui, en 1755, se sont enfuis de leurs terres chassés par les soldats anglais. Ils ont transmis leur riche patrimoine oral de génération en génération. On retrouve les mêmes personnages de ces récits dans plusieurs autres provinces au Canada où résident encore des Acadiens. La langue acadienne conserve des expressions typiques très savoureuses.

Cette histoire a été recueillie en 1960 par Anselme Chiasson auprès d'un Madelinot de Fatima, un village de l'île de Cap-aux-Meules.

À partir de 7 ans

5 min

Bois
Maison

Diable
Femme
Mari

Une fois, il y avait un homme et une femme. Ils aviont pas d'enfants. Ils restiont aux abords d'une forêt. À tous les jours, l'homme allait couper du bois pour subvenir à leurs besoins.

Une fois, c'était l'hiver et ses mitaines étaient percées. Il avait gelé des mains toute la journée. Le soir, il est arrivé à la maison pas trop content. Il a dit à sa femme :

— C'est toujours pas la famille qui t'embarrasse pour t'empêcher de me brocher* des mitaines !

— Pourquoi ce que tu chiales ? qu'elle a dit. Si tu m'achetais de la laine ! J'ai pas de laine dans la maison !

Le lendemain, il faisait mauvais. Il a pas été au bois bûcher. Il a été au magasin. Il avait loin à faire pour aller au magasin, cinq ou six milles. Il s'en est venu avec un voyage de laine, au moins cinq pleins sacs.

Le lendemain matin, il s'en a été au bois. Elle a pris ses écardes* et elle a écardé la laine. Mais, elle a mis les écardons dans un coin de la maison et les a laissés là. Son mari allait au bois tous les jours avec ses pauvres mitaines percées. Il a enduré ça peut-être bien cinq ou six jours. Puis, il a dit :

— Tu étais pour me faire des mitaines en abondance quand tu aurais de la laine ! Je t'ai acheté de la laine il y a une quinzaine de jours, puis tu l'as mise en écardons là, et tu y as pas touché. Je porterai pas des mitaines faites avec des écardons !

Les mitaines.

Il s'en a été au bois pas content, avec ses mitaines toutes percées. Quand il a été parti, sa femme s'est mise d'une rage ! Elle a dit :

— Ça serait-il le diable, je l'engagerais pour finir ma laine.

Moins d'une heure après, toc ! toc ! à la porte.
— Entrez, dit la femme.
Entre un homme habillé tout en noir, gants noirs dans les mains, lunettes noires sur les yeux, la face noire aussi.
— Bonjour, madame.
— Bonjour, monsieur.
Mais elle s'est trouvée saisie et n'a pas pensé à la phrase qu'elle avait dite.
Il a dit :
— J'entends que vous cherchez quelqu'un pour filer votre laine ?
Là, elle y a pensé ! Il a dit :
— Madame, je vas amener votre laine et je vas filer. Mais, je reviendrai dans un an et un jour et si vous êtes pas capable de me dire mon nom, je vous emporterai avec moi en enfer.
Il a poigné tout le fagot de laine puis il a passé à travers la porte. Elle a pensé en elle-même : « Je suis bien amanchée ! »
Quand son mari est arrivé du bois, il a pas vu la laine. Mais, ils aviont eu des gros mots le matin, vois-tu ; il s'est pas informé. Il a pas été question de la laine.

Le lendemain soir, le mari s'en revenait de l'ouvrage. Sur la route dans la forêt, proche d'un désert, il a commencé à entendre chanter. Chanter en forêt ! Il a trouvé ça drôle. Il s'avance. Quand il est arrivé dans cette clairière-là, un homme qui filait de la laine à toute vitesse et qui chantait :
— Oh ! si la femme pour qui je file savait mon nom, elle serait pas si en peine ! Frigolet, Frigolet est mon nom.
Après souper, le mari a dit à sa femme :
— J'ai été témoin d'une drôle de chose dans la forêt !
— Quoi donc ?

— Je m'en venais, il a dit ; j'ai arrivé à une clairière, où il y avait pas de bois ; j'entendais chanter ! Un homme qui filait de la laine, tout habillé en noir ! J'ai pas été au ras lui ; j'ai eu comme peur. Puis, il chantait : « Oh ! si la femme pour qui je file savait mon nom, elle serait pas si en peine. Frigolet, Frigolet, est mon nom. »

Tu peux penser qu'elle savait qui c'était ! Elle est passée dans une chambre puis elle a écrit le nom de Frigolet pour pas l'oublier.

Au bout d'une couple de jours, le même gars – le diable – est revenu avec toute la laine filée, pelotonnée de première classe. Un moulin aurait pas fait mieux.

Il lui a rappelé son contrat : dans un an et un jour… Mais, elle était reconsolée parce qu'elle savait son vrai nom. Le temps se passait. Le temps se passait. Elle comptait les jours. Au bout d'un an et un jour – le mari était encore parti à l'ouvrage comme de coutume – toc ! toc ! à la porte ! Le même monsieur en noir.

— Bonjour, madame. Et puis ? Votre laine était-elle bien filée ?

— Ah ! à la perfection ! Je vous en dois un gros merci.

Croyez-moi qu'elle avait le nom mystérieux gravé dans la mémoire. Il a dit :

— C'est pas tout. Vous rappelez-vous ce que vous m'avez promis ?

— Ah ! bien certain !

Le diable est revenu.

— Mon nom ! Pour avoir votre libération, il faut que vous me donniez mon nom.

Elle a commencé lentement, faisant semblant de pas le savoir.

— Votre nom ? Les anciens ont toujours dit que vous vous appeliez Satan.

— C'est pas ça !

— Le diable ?

— Non !

Et ainsi de suite. Ainsi de suite. À la fin, elle a dit :

— Votre nom, c'est Frigolet.

Au coup, il est sorti, emportant la porte avec lui. Il a bazi* assez vite ! une éloize* ! Ils avont jamais revu la porte.

Quand le mari est arrivé le soir, il a demandé :

— Où est la porte ? Y a-t-il eu des voleurs ?

Elle lui a raconté toute l'histoire. Il a dit :

— Bien, si tu avais été plus obéissante !... Il a bien manqué de t'arriver un malheur ! Ça te fera une leçon pour l'avenir. Aux dernières nouvelles, ils s'entendiont comme chair et os.

La Chasse-Galerie

D'après le récit de Honoré Beaugrand publié en 1900.
Partout au Québec, au milieu du XIXe siècle, l'industrie du bois battait son plein. Dès qu'ils savaient tenir une hache, les hommes vaillants partaient aux chantiers après les récoltes où ils abattaient des arbres jusqu'à la fonte des neiges.
Vivant dans des cabanes rudimentaires, les bûcherons trimaient dur et s'ennuyaient terriblement de leurs femmes et de leurs « blondes » surtout dans les temps des « fêtes ». Cette histoire de chantiers est la plus célèbre du Québec et compte de nombreuses versions. Elle est ici racontée par le « couque », le cuisinier, qui était le personnage le plus estimé des chantiers de coupe du bois : en plus de préparer les repas, il était presque toujours un conteur expérimenté et il savait meubler les longues soirées d'ennui.*

À partir de
8 ans

10 min

Chantier
Village

Diable
Hommes

Dans le chantier en haut de la Gatineau, on était la veille du jour de l'an. La saison avait été dure et la neige atteignait déjà la hauteur du toit de la cabane.

J'avais terminé de bonne heure les préparatifs du repas du lendemain et je prenais un petit coup avec les gars, car pour fêter l'arrivée du nouvel an, le contremaître nous avait offert un petit tonneau de rhum. J'en avais bien lampé une douzaine de petits gobelets et, je l'avoue franchement, la tête me tournait. En attendant de fêter la fin de l'année avec les autres, je décidai de faire un petit somme.

Je dormais donc depuis un moment lorsque je me sentis secoué assez rudement par le chef des piqueurs, Baptiste Durand, qui me dit :

— Jos ! Les camarades sont partis voir les gars du chantier voisin. Moi, je m'en vais à Lavaltrie voir ma blonde*. Veux-tu venir avec moi ?

— À Lavaltrie ? Es-tu fou ? Lavaltrie, c'est à plus de cent lieues. Ça nous prendrait plus d'un mois pour faire le chemin à pied ou en traîneau à cheval.

— Il ne s'agit pas de cela, répondit Baptiste. Nous ferons le voyage en canot dans les airs. Et demain matin, nous serons de retour au chantier.

Je venais de comprendre. Mon homme me proposait de courir la chasse-galerie et de risquer mon salut éternel pour le plaisir d'aller embrasser ma blonde* au village. Ah ! ma belle Lise, je la voyais en rêve avec ses beaux cheveux noirs et ses lèvres rouges ! Il est bien vrai que j'étais un peu ivrogne et débauché à cette époque, mais risquer de vendre mon âme au diable, ça me surpassait. Mais Baptiste Durand s'impatientait :

— Il nous faut un nombre pair. On est déjà sept à partir et tu seras le huitième. Fais ça vite : il n'y a pas une minute à perdre ! Les avirons sont prêts et les hommes attendent dehors.

Je me laissai entraîner hors de la cabane où je vis en effet six de nos hommes qui nous attendaient, l'aviron à la main. Le grand canot d'écorce était sur la neige dans une clairière. Avant d'avoir eu le temps de réfléchir, j'étais assis devant, l'aviron pendant sur le plat-bord, attendant le signal du départ.

D'une voix vibrante, Baptiste lança :

— Répétez après moi !

Et tous les sept, nous répétâmes :

— Satan, roi des Enfers, nous te promettons de te livrer nos âmes, si d'ici à six heures nous prononçons le nom de ton maître et du nôtre, le bon Dieu, et nous touchons une croix dans le voyage. À cette condition, tu nous transporteras à travers les airs, au lieu où nous voulons aller et tu nous ramèneras de même au chantier !

Acabris ! Acabras ! Acabram !
Fais-nous voyager par-dessus les montagnes !

À peine avions-nous prononcé les dernières paroles que le canot s'éleva dans les airs. Le froid de là-haut givrait nos moustaches et nous colorait le nez en rouge. La lune était pleine et elle illuminait le ciel. On commença à voir la forêt représentée comme des bouquets de grands pins noirs. Puis, on vit une éclaircie : c'était la Gatineau dont la surface glacée et polie étincelait au-dessous de nous comme un immense miroir.

Le canot s'éleva dans les airs.

Puis, petit à petit, on commença à distinguer les lumières dans les maisons, des clochers d'églises qui reluisaient comme des baïonnettes de soldats.

Et nous filions toujours comme tous les diables, passant par-dessus les villages, les forêts, les rivières et laissant derrière nous comme une traînée d'étincelles. C'est Baptiste qui gouvernait car il connaissait la route puisqu'il avait fait un tel voyage déjà. Bientôt la rivière des Outaouais nous servit de guide pour descendre jusqu'au lac des Deux-Montagnes.

— Attendez un peu, cria Baptiste. Nous allons raser Montréal et effrayer les sorteux qui sont encore dehors à cette heure-ci. Toi, Jos, en avant, éclaircis-toi le gosier et chante-nous une chanson !

On apercevait en effet les mille lumières de la grande ville et Baptiste d'un coup d'aviron nous fit descendre à peu près à la hauteur des tours de l'église Notre-Dame. J'entonnai à tue-tête une chanson de circonstance que tous les canotiers répétèrent en chœur :

Mon père n'avait fille que moi
Canot d'écorce qui va voler
Et dessus la mer il m'envoie
Canot d'écorce qui vole, qui vole
Canot d'écorce qui va voler !

Les gens sur la place nous regardaient passer et nous continuions de filer dans les airs. Bientôt nous fûmes en vue des deux grands clochers de Lavaltrie qui dominaient le vert sommet des grands pins.

— Attention ! cria Baptiste. Nous allons atterrir dans le champ de mon parrain Jean-Jean Gabriel et nous irons ensuite à pied pour aller surprendre nos connaissances dans quelque fricot ou quelque danse du voisinage.

Cinq minutes plus tard, le canot reposait dans la neige à l'entrée du bois et nous partîmes tous les huit à la file pour nous rendre au village. Ce n'était pas une mince besogne car il n'y avait pas de chemin battu et nous avions de la neige jusqu'au califourchon*. Baptiste alla frapper à la porte de la maison de son parrain. Il n'y trouva qu'une fille engagée qui lui dit que les gars et les filles de la paroisse étaient chez Batisette Augé, à la Petite-Misère, de l'autre côté du fleuve, là où il y avait un rigodon* du jour de l'an.

— Allons au rigodon* chez Batisette, dit Baptiste, on est sûrs d'y rencontrer nos blondes*.

Et nous retournâmes au canot, tout en nous mettant mutuellement en garde sur le danger qu'il y avait de prononcer certaines paroles et de prendre un coup de trop car il fallait reprendre la route du chantier et nous devions y arriver avant six heures du matin, sinon nous étions flambés comme des carcajous* et le diable nous emportait au fond des Enfers !

— Acabris ! Acabras ! Acabram ! Fais-nous voyager pardessus les montagnes ! cria de nouveau Baptiste.

Et nous voilà repartis pour la Petite-Misère, en naviguant en l'air comme des renégats que nous étions tous.

En deux tours d'aviron, nous avions traversé le fleuve et nous étions chez Batisette Augé dont la maison était tout illuminée. On entendait les sons du violon et les éclats de rire des danseurs dont on voyait les ombres se trémousser à travers les vitres couvertes de givre. On cacha le canot et l'on courut vers la maison. Baptiste nous arrêta pour dire :

— Les amis, attention à vos paroles. Dansons mais… pas un verre de Jamaïque* ou de bière, vous m'entendez ? Et au premier signe, suivez-moi tous car il faudra repartir sans attirer l'attention.

Suite à nos coups sur la porte, le père Batisette lui-même vint ouvrir. On nous reçut à bras ouverts et nous fûmes assaillis de questions.

— D'où venez-vous ?

— N'êtes-vous pas dans les chantiers ?

Mais Baptiste Durand coupa court à ces discours en disant :

— Laissez-nous nous décapoter* et puis, ensuite, laissez-nous danser. Nous sommes venus exprès pour ça. Demain matin, nous répondrons à toutes vos questions.

Moi, je n'avais eu besoin que d'un coup d'œil pour trouver ma Lise parmi les autres filles du canton. Elle se faisait courtiser par un nommé Boisjoli de Lanoraie mais je vis bien qu'elle m'avait vu. Elle m'accorda la prochaine danse avec le sourire, ce qui me fit oublier que j'avais risqué le salut de mon âme juste pour avoir le plaisir de me trémousser à ses côtés. Pendant deux heures de temps, une danse n'attendait pas l'autre et ce n'est pas pour me vanter si je vous dis qu'il n'y avait pas mon pareil à dix lieues à la ronde pour la gigue simple.

Mes camarades de leur côté s'amusaient comme des lurons. Du coin de l'œil j'avais aperçu Baptiste s'envoyer des gobelets de whisky blanc dans le gosier mais je n'y avais pas prêté attention tant j'étais heureux de danser. Puis, quatre heures sonnèrent à la pendule. Il fallait partir. Les uns après les autres, il fallut sortir de la maison sans attirer les regards, ce qui se réalisa sans trop de mal. Mais rendus dehors, on s'aperçut que Baptiste Durand avait pris un coup de trop et qu'il était si soûl qu'il avait du mal à se tenir debout. On n'était pas rassurés car c'était lui qui gouvernait.

Elle m'accorda la prochaine danse avec le sourire.

La lune avait disparu et le ciel n'était pas aussi clair qu'auparavant. Ce n'est pas sans crainte que je pris ma place à l'avant du canot, bien décidé à avoir l'œil sur la route que nous allions suivre. On lança la formule :

Acabris ! Acabras ! Acabram !
Fais-nous voyager par-dessus les montagnes !

Et nous revoilà partis à toute vitesse. Mais il devint évident que notre pilote n'avait plus la main aussi sûre, le canot décrivait des zigzags inquiétants. On frôla quelques clochers et enfin, l'un de nous cria à Baptiste :
— À droite ! Baptiste ! À droite, mon vieux ! tu vas nous envoyer chez le diable si tu ne gouvernes pas mieux que ça !
Et Baptiste fit tourner le canot vers la droite en mettant le cap sur Montréal que nous apercevions déjà dans le lointain. Le voyage fut très mouvementé à cause de Baptiste qui lançait des jurons et qui s'endormait, mais on finit par apercevoir le long serpent blanc de la Gatineau. Il fallait piquer au nord vers le chantier.

Nous n'en étions plus qu'à quelques lieues, quand voilà-t-il pas que cet animal de Baptiste se leva tout droit dans le canot en lâchant un juron qui me fit frémir jusqu'à la racine des cheveux. Impossible de le maîtriser dans le canot sans courir le risque de tomber d'une hauteur de quatre-vingts mètres au moins. Il se mit à gesticuler en nous menaçant de son aviron et tout à coup, le canot heurta la tête d'un gros pin et nous voilà tous précipités en bas, dégringolant de branche en branche comme les perdrix que l'on trouve juchées dans les épinettes*.

Je ne sais pas combien de temps je mis à descendre car je perdis connaissance avant d'arriver et mon dernier souvenir était celui d'un homme qui rêve qu'il tombe dans un puits sans fond.

Vers les huit heures du matin, je m'éveillai dans mon lit dans la cabane où m'avaient transporté des bûcherons qui nous avaient trouvés dans la neige. Personne n'était blessé mais on avait tous des écorchures sur les mains et la figure. Enfin, le principal c'est que le diable ne nous avait pas tous emportés et que nous étions sains et saufs.

Tout ce que je puis vous dire, mes amis, c'est que ce n'est pas si drôle qu'on le pense d'aller voir sa blonde* en canot d'écorce, en plein cœur de l'hiver, en courant la chasse-galerie. Surtout si vous avez un maudit ivrogne qui se mêle de gouverner. Si vous m'en croyez, vous attendrez à l'été prochain pour aller embrasser vos p'tits cœurs, sans courir le risque de voyager aux dépens du diable.

Surtout que, sachez-le, la Lise, eh bien... elle a fini par épouser le Boisjoli de Lanoraie, la bougresse !

Le Diable des Forges

Adapté d'un conte populaire.

Au Québec, le personnage du conteur Jos Violon est bien connu. Il a été créé par Louis Fréchette, écrivain et journaliste, qui a publié dans les journaux et les gazettes de son temps une foule de contes oraux qu'on racontait l'hiver dans les chantiers de coupe du bois et qu'on risquait d'oublier. Avant de prendre la parole, Jos Violon lançait à son auditoire :

Cric, crac, les enfants
Parli, parlo, parlons !
Pour en savoir le court et le long
Passez le crachoir à Jos Violon.
Sacatabi, sac-à-tabac
À la porte les ceusses qu'écouteront pas !

Cette histoire se passe en Mauricie, non loin des Trois-Rivières, où naquit la première usine métallurgique au Canada en 1729 : les Forges du Saint-Maurice. Ces Forges, dont les vestiges existent encore, ont donné naissance à bien des histoires sans doute à cause du feu qui brûlait dans le haut fourneau. Trois-Rivières était un lieu de passage pour les équipes de bûcherons qui « montaient » plus haut sur la rivière Saint-Maurice pour aller bûcher.

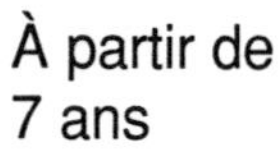

À partir de 7 ans	10 min	Auberge Chantier	Diable Hommes Patron

Ce soir-là, Jos Violon était en forme. Avec son assurance ordinaire, il lança, pour obtenir le silence, la formule sacramentelle :

Cric, crac, les enfants
Parli, parlo, parlons !
Pour en savoir le court et le long
Passez le crachoir à Jos Violon.
Sacatabi, sac-à-tabac
À la porte les ceusses qu'écouteront pas !

Et il commença :
— Si Jos Violon a un conseil à vous donner, les enfants, ce serait de ne jamais danser le dimanche, ni pour or ni pour argent. Si vous voulez savoir pourquoi, écoutez ce que je m'en vas vous raconter.
Cette année-là, je m'étais engagé avec Fifi Labranche, le joueur de violon, pour aller faire du bois carré* sur le Saint-Maurice. On était dix-huit en tout, six par canot, et on devait tous se rejoindre aux Trois-Rivières.
Le contremaître, un nommé Nesbitt, confia à Jos Violon :
— Je prends les devants pour aller à la chasse avec des sau-

vages. Je te laisse le commandement. Vous me rejoindrez lundi à la tête du Portage de la Cuisse.

— Le Portage de la Cuisse ? Je connais bien.

— Bon ! Mais attention, surveille bien tes gaillards, poursuivit Nesbitt. S'il y en a un qui manque, je m'en prendrai à toi, entends-tu ? Vous serez dix-huit, juste. Pour ne pas en laisser en chemin, à chaque embarquement et à chaque débarquement, compte-les, dit Nesbitt. Je peux me fier à toi ?

— Comme à Monseigneur !

— Eh ben, c'est correct ! À lundi soir, comme ça : au Portage de la Cuisse.

Et il partit. Quand j'appris aux autres le départ du contremaître, ce fut un cri de joie. On grimpa dans les canots et, l'aviron au bout du bras, on s'apprêtait à partir quand je me souvins de ma promesse et je criai :

— Attendez ! attendez. Est-ce qu'on y est tous ? Faut se compter !

— C'est pas malaisé, que dit Fifi Labranche, de se compter. On est six par canot ; et on a trois canots. Trois fois six, dix-huit !

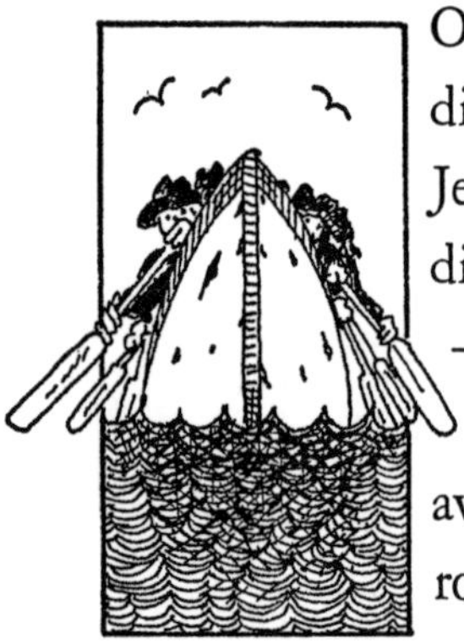

Je fis le compte. C'était bien ça. On y était tous. Alors je dis :

— Filons !

Ça filait pour de vrai ! Parce que mes comparses avaient une idée dans la tête que l'un d'eux lança en avironnant :

— Faut aller danser aux Forges ce soir !

Ça filait pour de vrai !

Les Forges du Saint-Maurice, les enfants, c'était pas le perron de l'église ! Et juste en face des Forges, il y avait l'auberge du père Carillon et c'est là qu'on arrêta les canots ! Il y avait là toute une bande de jeunesses à qui il ne manquait qu'un joueur de violon pour se dégourdir les orteils. Et comme Fifi Labranche n'avait pas oublié son ustensile, je vous garantis qu'on fut bien reçus.

On n'était pas arrivés depuis cinq minutes que déjà défilaient les gigues simples, les reels* à quatre, les cotillons*, les voleuses* et les harlapattes*. Les semelles faisaient du feu et les jupes et les câlines en frisaient comme des flammèches. Le temps passait vite. Et v'là que minuit arriva et le dimanche avec, comme de raison : c'est ce qui arrive après le samedi soir.

— C'est assez, les jeunesses, dit la mère Carillon. On est tous des chrétiens alors, pas de danse le dimanche !

— Tais-toi donc, la vieille ! lança le père Carillon. Souviens-toi de ton jeune temps. Tu relevais pas le nez devant un petit rigodon* le dimanche. N'écoutez pas, vous autres. Allez, sautez !

Et tout se remit en branle. Mais moi, qui ne suis pas un bigot, vous me connaissez, je m'en fus m'asseoir dans un coin à fumer ma pipe tout seul. Parce qu'il fallait que je surveille mes compagnons !

« Y vont se fatiguer à la fin. En attendant je ferai un somme », que je me dis.

Mais plus qu'on avançait vers le dimanche et plus que les danseux et les danseuses se trémoussaient la corporation au milieu du plancher.

— Vous dansez donc pas ? fit près de moi une petite voix venant d'une créature qui m'avait reluqué depuis le début de la veillée.

— J'aime pas danser sur le dimanche, que je répondis.

— En v'là des scrupules ! j'aurais pas cru ça d'un homme comme vous…

La bougresse s'appelait Célanire Sarrazin : une bouche, une taille... des joues comme des pommes fameuses... j'en dis pas plus. J'aurais bien voulu résister mais le petit serpent me prit par le bras en disant :

— Voyons, faites pas l'habitant*, monsieur Jos ; venez danser ce cotillon*-là avec moi.

J'ai jamais tricoté comme ça de ma vie, mes enfants. La petite Célanire sautait comme une sauterelle ; et moi, je ne voyais plus clair.

Et là, ce fut comme si j'avais perdu connaissance : encore au jour d'aujourd'hui, les enfants, je pourrais pas vous dire comment est-ce que je regagnai mon banc et que je m'endormis en fumant ma pipe. Tout à coup, ma gueuse de pipe m'échappa des dents et je m'éveillai... Plus de violon, plus de danse, plus d'éclat de rire, plus un chat dans l'appartement. J'étais à me demander quel bord prendre quand je vis arriver devant moi la mère Carillon, le visage tout égarouillé*.

— Père Jos, dit-elle, y a rien que vous de sage dans toute c'te boutique. Venez à notre secours !

— De quoi y a-t-il donc, la p'tite mère ?

— Le méchant esprit est dans les Forges !

— Le méchant esprit est dans les Forges ?

— Oui, la Louise Quiennon l'a vu tout clair comme je vous vois là. V'là ce que c'est de danser le dimanche !

— Et qu'est-ce qu'elle a vu, la Louise ? demandai-je.

— Le démon des Forges, ni plus, ni moins. Elle était sortie un moment quand elle a entendu brimbaler le gros marteau de la forge qui cognait boum ! boum ! boum ! comme en plein cœur de la semaine. Elle a tout de suite remarqué que la grande cheminée flambait toute rouge et lançait des paquets d'étincelles. Tout tremblait. Elle s'est approchée et a vu un

Jos Violon.

homme qui avait une jambe sous le gros marteau. Il tournait cette jambe dans un sens et dans l'autre tandis que le marteau battait, comme on fait une barre de fer que l'on veut écrouir. La jambe s'allongeait comme si elle avait réellement été de fer rougi. L'épouvante a pris la Louise. Quand elle est rentrée, presque sans connaissance, la danse s'est arrêtée vite, je vous le garantis. « Chut ! chut ! le diable est dans les Forges !... » qu'elle a dit avant de s'affaler sur le plancher.

Comme de raison, tout le monde est sorti. Mais... plus rien ! La porte de la forge était fermée ; pas une flambe dans la cheminée ! Tout était tranquille... Et le plus extraordinaire de l'affaire c'est qu'il n'y avait pas gros comme ça de lumière nulle part. Il faisait noir comme chez le loup. On l'avait échappé belle ! Quand tout le monde fut entré, Fifi Labranche mit son violon dans sa boîte et dit :

— Couchons-nous !

— Attendez voir, que je dis. Vous vous coucherez point avant que je vous aie comptés.

Puis, je compte...

— Un, deux, trois, quatre, cinq... dix-sept.

Rien que dix-sept.

— Je me suis trompé, que je dis.

Et je recommence.

— Dix-sept ! Toujours dix-sept ! Y m'en manque un ! Qui c'qui manque parmi vous autres ?

Ils y étaient tous. Mais il en manquait toujours un.

— Cherchons, dit Fifi Labranche : si le diable des Forges l'a pas emporté, on le trouvera ben.

On chercha sous les bancs, sous les tables, sous les lits, dans le grenier, dans la cave, derrière les cordes de bois, dans les bâtiments, jusque dans le puits...

Personne ! On chercha comme ça jusqu'au petit jour. Puis arriva le temps de repartir. Les camarades s'écrièrent :
— Il est temps d'embarquer. Laissons-le ! Si le flandrin* est dégradé, ce sera tant pis pour lui. Aux canots !
Et ils dégringolèrent du côté de la rivière. Je les suivais bien piteux comme de raison. N'importe, je fis comme les autres ; je pris mon aviron et j'embarquai.
— En avant nos gens ! Mais, dit Eustache Barjeon, on y est tous !
— On y est tous ? demandai-je.
— Ben sûr ! Comptez : six par canot. Trois fois six font dix-huit !
Aussi vrai que vous êtes là, les enfants, je comptai au moins vingt fois de suite. On était ben six par canot ce qui faisait notre compte juste. C'était un tour du Malin, y avait pas à dire ! Parce qu'on eut beau se recompter, se nommer, se tâter chacun son tour, pas moyen de découvrir qui c'est qu'avait manqué.
On a marché comme ça jusqu'au lendemain. Toujours six par canot. On se rendit au Portage de la Cuisse où l'on devait rejoindre Bob Nesbitt.
— À c'te heure, avant qu'on rejoigne le contremaître, que je dis, y s'agit de se compter pour la dernière fois.
Et je recommence bien lentement, en touchant chaque homme du bout de mon doigt. Un, deux, trois... dix-sept ! Encore rien que dix-sept ! Ce n'était ni plus ni moins qu'un mystère ; le diable m'en voulait ! Comment allais-je me montrer devant le contremaître avec un homme en moins ?
On se mit quand même en route au travers du bois. À chaque détour j'avais quasiment peur d'en perdre encore un. On finit par arriver. Bob Nesbitt nous attendait assis sur une souche.

— C'est vous autres ? demanda-t-il.

— À peu près ! que je criai.

— Comment à peu près ? Vous n'y êtes pas tous ?

— C'est pas de ma faute, que je dis, mais il nous en manque un.

— Où l'avez vous semé ?

— On sait pas.

— Je t'avais t'y pas recommandé à toi, Jos Violon, de toujours compter tes hommes en embarquant et en débarquant des canots ?

— Je les ai comptés peut-être vingt fois monsieur Bob.

— Eh ben ?

— Eh ben, de temps en temps, y en avait dix-huit et de temps en temps y en avait rien que dix-sept.

— Quoi ?

— C'est la pure vérité. Demandez-leur !

— La main dans le feu ! dirent les hommes, depuis le plus grand jusqu'au plus petit.

— Vous êtes tous soûls comme des barriques ! dit le patron. Rangez-vous que je vous compte moi-même !

On ne se fit pas prier et Bob Nesbitt se mit à compter.

— Un, deux, trois... dix-huit. Où ça qu'il en manque un ? Je vous le disais bien que vous étiez soûls ! dit-il. Allez, faites du feu et préparez nos abris.

Quand on arriva au chantier le surlendemain, le patron me prit à part et me dit :

— Jos, pourquoi est ce que tu m'as fait cette menterie-là, avant-hier ?

— Quelle menterie ?

— Fais pas l'innocent ! À propos de cet homme qui manquait. Je n'aime pas qu'on rie de moi...

J'eus beau me défendre, me débattre de mon mieux, il ne voulut pas m'écouter.
— J'allais te proposer une bonne affaire, Jos, me dit-il, mais puisque c'est comme ça, ce sera pour un autre.
En effet, à peine son travail au chantier achevé, Bob Nesbitt repartit pour le Saint-Maurice avec un autre homme. Et l'on apprit qu'il avait trouvé une mine d'or. Aujourd'hui, il devait rouler carosse en compagnie de son associé.
Maintenant je sais que de danser ce dimanche aux Forges a été mon malheur. Aujourd'hui, si ce n'avait été de cette Célanire Sarrazin, je serais riche. Mais non, je mourrai dans ma chemise de voyageur avec juste de quoi me faire enterrer. Dansez jamais sur le dimanche, vous autres !

Et cric, crac, cra
Sacatabi, sac-à-tabac
Mon histoire finit d'en par là.

Astucieusement vôtre

La Jument de Ti-Jean

Adapté d'un conte populaire.

Le personnage de Ti-Jean le futé (voir l'introduction de Ti-Jean et le cheval blanc*), qui déjoue un roi ou n'importe quel personnage qui incarne la puissance, se retrouve partout sous d'autres noms. On s'amuse ici à voir triompher l'ingéniosité d'un pauvre paysan qui roule le roi sans avoir besoin de faire appel à des pouvoirs magiques.*

À partir de 5 ans

6 min

Château

Jument
Roi
Ti-Jean

Dans un pays qui n'est pas loin d'ici, vivaient un roi et son voisin, un pauvre paysan que l'on nommait Ti-Jean-joueur-de-tours. Ti-Jean logeait dans une vieille bicoque de poutres rondes rongées par le mauvais temps. Un jour, il dit à sa femme :

— Tu vois, le beau château du roi là-bas ? Eh bien, ma femme, avant longtemps, j'en aurai un aussi beau que le sien, je te le promets.

— Attention ! fit sa femme, tu peux manquer ton coup ! Même si tu te crois habile, un roi est un roi. Il ne se laissera pas rouler facilement.

— Laisse-moi faire, ma femme, dit Ti-Jean, je vais tenter ma chance… et tout de suite.

Ti-Jean fit venir son fils et lui dit :

— Va chez le roi, mon petit, et demande-lui de me prêter son demi-minot*. Quand il te demandera pourquoi tu en as besoin, tu lui diras que c'est pour mesurer des pièces d'argent. La reine va penser que, malgré notre pauvre maison et nos hardes trouées, nous sommes riches, plus riches que le roi. Allez, vas-y…

Le petit garçon tout sale, sans autre mouchoir que ses doigts, se présenta chez le roi.

— Bonjour, Sire le roi.

— Bonjour, mon petit garçon. Que fait ton père, en ce temps-ci ?

— Mon père travaille à réparer l'écurie. Il m'envoie vous demander si vous pourriez lui prêter votre demi-minot*.

— Diable ! fit le roi. Ton père ne sème pas. Il n'a pas de récolte car sa terre est bien trop petite. Qu'est-ce qu'il veut donc faire avec mon demi-minot* ?

— Ah ! Sire, ce n'est pas pour mesurer du grain ou des patates, répondit le petit garçon, c'est pour mesurer des pièces d'argent.

— Mesurer de l'argent ! s'écria la reine qui avait entendu. Je te l'avais bien dit que Ti-Jean était plus riche que nous. Il paraît pauvre comme du sel, mais il peut remplir des demi-minots* pleins de pièces d'argent. Tu vois bien qu'il peut nous acheter vingt fois.

— Je commence à te croire, murmura le roi à sa femme.

Il prêta quand même son demi-minot* au fils de Ti-Jean qui l'apporta à son père. Celui-ci le garda quinze jours puis il demanda à son fils d'aller le reporter chez le roi en le remerciant. Mais pour bien montrer que la mesure avait réellement servi à mesurer de l'argent, Ti-Jean prit une pièce de dix sous, la seule qu'il possédât, la trempa dans la mélasse et la colla à l'intérieur du demi-minot*.

— Va porter le demi-minot* du roi, dit Ti-Jean, quand tu arriveras tu diras : merci, Sire mon roi ! et tu jetteras le demi-minot* par terre avec assez de force pour faire détacher la pièce de dix sous. Et n'oublie pas de la ramasser, c'est la seule que je possède. Va, mon garçon…

Le petit garçon partit à pied en sifflant. Arrivé chez le roi il dit :

— Bonjour, Sire mon roi.

— Avez-vous fini de mesurer votre argent ? demanda le roi.

— Ah ! non, papa en aurait encore pour une quinzaine de jours à tout mesurer. Mais il n'en peut plus : c'est une dure besogne que de mesurer de l'argent nuit et jour ! Papa a décidé de se reposer quelque temps. Est-ce que je pourrai venir emprunter de nouveau votre minot* un peu plus tard ?

— Certainement, mon petit, dit le roi.

Et le fils lança le minot* par terre en criant :

— Merci ! Sire mon roi.

La pièce de dix sous se détacha du fond et tomba.

Et la pièce de dix sous se détacha du fond et tomba. Le fils s'empressa de la ramasser et il reprit le chemin de la maison. La reine dit :

— Je te l'avais bien dit que Ti-Jean était riche !

— Eh bien, fit le roi, je vais aller voir Ti-Jean pour savoir d'où lui vient cet argent.

Le lendemain, le roi s'en alla chez Ti-Jean son voisin.

— Est-ce vrai, Ti-Jean, demanda-t-il, que tu as autant d'argent qu'on le dit ?

— Vous voulez rire de moi, Sire, mon roi ?

— Mais non, je veux juste savoir où tu prends tout ton argent ?

— C'est simple, répondit Ti-Jean. C'est ma vieille jument dans l'écurie qui me fait de l'argent tant que j'en veux. Elle m'en fait ! elle m'en fait ! Venez donc la voir, proposa Ti-Jean. Ti-Jean conduisit le roi à l'écurie où une vieille jument mâchonnait un peu de paille ; elle se tenait debout misérablement sur trois pattes, si tordue qu'elle faisait peur !

— Vous voyez, Sire mon roi, ces grosses bosses que ma jument porte sur les hanches et sur les pattes ? Elles sont pleines d'argent, et toutes les pièces portent votre portrait, vous savez.

— Eh bien, fit le roi, tu vas me vendre cette jument-là.

— Ah ! Sire mon roi, il n'y a pas assez d'argent sur terre pour me décider à vendre ma jument. Songez qu'elle me fait de l'argent comme une vraie manufacture !

— Mais tu vas me la vendre. Un trésor comme celui-là convient mieux à un roi qu'à un pauvre paysan comme toi.

— Sire, si vous voulez vraiment acheter ma jument, elle va vous coûter cher. Pas moins de deux cent mille piastres !

— Je l'achète et je paye, dit le roi.

Il signa sur-le-champ un papier d'une valeur de deux cent mille piastres et la jument était sienne.

Des valets vinrent chez Ti-Jean chercher la jument ; mais ils durent la laver, la brosser et la parfumer avant de la conduire à l'écurie royale. Le roi donna ordre à ses valets de bien la soigner et de l'alimenter copieusement.

Et le roi décida de convier les plus illustres princes du monde entier à un spectacle inouï.

« Je suis le seul à savoir ce que cette jument est capable d'accomplir ! » pensa-t-il.

Le jour fixé pour le spectacle arriva. Les monarques et les princes de haut rang venant de par le monde se présentèrent au château du roi. Le salon où devait avoir lieu la démonstration avait été soigneusement décoré. Bientôt on y introduisit la vieille jument parée de rubans rouges. Les spectateurs ouvrirent de grands yeux. Le roi commanda solennellement :

— Jument, fais-nous de l'argent !

La jument qui avait été bien nourrie laissa tomber d'odorantes traces dont aucun salon n'avait jamais vu les pareilles. Le roi demanda encore et encore de l'argent, mais la jument ne fit que répéter son exercice. Le roi, humilié, fit sortir la jument de son salon tout crotté. Les invités s'en allèrent en se pinçant le nez.

— Tu vois, fit la reine, Ti-Jean est plus rusé que tu ne croies. Il n'est pas riche pour rien et il porte son nom de Ti-Jean-joueur-de-tours !

Le roi, furieux, jura qu'il allait se venger.

Barbaro-les-grandes-oreilles

Adapté d'un conte populaire.

Barbaro le débrouillard est un petit personnage qui ressemble à Ti-Jean (voir l'introduction de Ti-Jean et le cheval blanc*), sauf qu'il a de longues oreilles de lapin. On ne peut trouver enfant plus précoce, plus ingénieux et plus fort. Il triomphe de toutes les embûches grâce à ses dons et fera, après bien des aventures, le bonheur de ses parents.*

À partir de 5 ans

11 min

Bois
Château

Barbaro
Princes
Princesses
Roi

Un pauvre paysan et sa femme vivaient dans une maison au bord de la mer. Ils espéraient depuis longtemps un enfant, mais ils n'en avaient pas. Les matins d'automne, la femme regardait son mari partir avec sa hache pour aller bûcher du bois dans la forêt.

— Ah ! mon pauvre mari, si nous avions seulement un fils, il pourrait t'aider à couper notre bois pour l'hiver.

— Ma pauvre femme, si nous avions un fils, il ne serait qu'un enfant...

Et les jours s'écoulaient tristement. L'homme passait ses journées loin de la cabane et rentrait tard le soir. Un jour que la femme puisait de l'eau au puits, une fée lui apparut et lui dit :

— Tant que l'eau du puits sera claire, tu n'auras pas d'enfant. Mais quand ton eau sera brouillée, dis-toi que tu seras mère le lendemain de ce jour-là.

Et voilà que quelques jours plus tard, la femme constata que l'eau dans son seau n'était pas claire. Elle attendit avec impatience le retour de son mari pour lui annoncer cette nouvelle. Dès qu'il fut de retour elle dit en bafouillant d'excitation :

— Son père ! Son père ! nous allons avoir un enfant !

Et elle lui raconta les prédictions de la fée.

Le lendemain matin naissait un petit garçon tout maigre avec d'immenses oreilles comme celles d'un lapin. Il se mit à sauter sans arrêt et à dire :

— Bonjour papa ! Bonjour maman !

Ses parents le trouvèrent si drôle et si espiègle qu'ils l'appelèrent Barbaro-les-grandes-oreilles.

Quelques jours plus tard, Barbaro demanda à sa mère :

— Où va donc mon père, chaque matin ?

— Il va couper du bois, répondit la mère. Ici, l'hiver est long et il faut beaucoup de bois pour chauffer la maison.

— Beaucoup de bois ?

— Beaucoup de bois, répondit la mère en soupirant.

— Alors s'il faut tant couper de bois, je m'en vais aider papa, dit le petit garçon.
— Tu es bien trop petit ! lui dit sa mère. Puis, tu n'as pas de hache. Comment pourrais-tu faire ?
Barbaro sortit et fit le tour de la maison et des alentours. Il trouva un vieux bout de fer et arracha le tronc d'un petit érable. Puis, il ajusta le bout de fer à la branche et se mit à cogner et à couper des branches mortes. Il retourna voir sa mère.
— Regarde, maman, la belle hache que je me suis faite.
Et sans attendre plus longtemps il s'enfonça dans le bois à la recherche de son père. Il finit par le trouver et lui dit :
— Bonjour papa !
— Qu'est-ce que tu fais ici ? demanda le père.
— Je suis venu t'aider à couper du bois.
— Voyons donc ! Mais tu es bien trop petit ! Retourne à la maison.
Mais avant que son père n'eût le temps d'en dire plus, Barbaro saisit sa hache d'une seule main et frappa un gros arbre. Celui-ci tomba aussitôt, secouant la forêt tout autour.
Sans s'arrêter, Barbaro continua de bûcher au grand étonnement de son père. Et tout le jour, les arbres tombaient et Barbaro, avec sa hache, coupait des bûches et les empilait. À la fin du jour, il y avait douze cordes* de bois d'alignées.
Le père et le fils rentrèrent à la maison. La mère avait préparé un bon souper et ils avaient très faim. En coupant le pain, le père dit :
— Tu sais, sa mère, je n'ai pas besoin d'aller bûcher demain. Barbaro nous a préparé du bois pour tout l'hiver. Et même pour celui qui viendra après.

Barbaro saisit sa hache et frappa un gros arbre.

— Je me disais aussi, dit la mère, que si nous avions un fils, il aiderait son père. Mais tu oublies de manger, Barbaro.
Le petit en effet semblait absorbé dans ses pensées. Il dit à ses parents :
— Papa et maman, je vois bien que nous sommes pauvres. Aujourd'hui, j'ai aidé mon père mais je pense que je pourrais faire mieux, je pourrais gagner beaucoup d'argent. Pour ça, il va falloir que je vous quitte…
La bonne maman se mit à pleurer.
— Tu n'as que huit jours et tu veux déjà t'en aller ? gémit-elle.
— Ne pleurez pas, je ne partirai pas longtemps, dit Barbaro. Et je reviendrai avec une belle poignée d'argent.
Malgré leur chagrin, le père et la mère consentirent à le laisser partir et Barbaro quitta la maison paternelle le jour d'après. Il marcha sur la route longtemps, longtemps, avec ses grandes oreilles ballottant au vent. Il finit par gravir une colline et s'arrêta au sommet. En bas, il aperçut de beaux chevaux dételés et deux carrosses rangés le long du chemin. Et plus loin, il aperçut deux jeunes filles et des jeunes gens bien habillés qui lançaient des pierres dans le feuillage de noyers très hauts et chargés de noix.
Il les observa comme il faut et comprit que dès que les jeunes gens avaient réussi à abattre quelques noix, ils tapaient des mains et s'empressaient de les manger.
Barbaro les regarda faire un moment puis descendit à leur rencontre. L'une des jeunes filles le vit et se mit à crier :
— Le diable ! le diable arrive !
— Non, je ne suis pas le diable, je suis Barbaro-les-grandes-oreilles, dit Barbaro.
Son allure et sa voix rassurèrent la jeune fille.
Elle demanda :

— Que fais-tu ici ?
— Je fais… je fais… je vous regarde faire et je vois bien que vous avez du mal à recueillir des noix dans les arbres.
— Es-tu capable de les faire tomber mieux que nous ? demanda un garçon.
— Oui, j'en suis capable, répondit Barbaro. Et je vous le montrerai à condition que vous mangiez toutes les noix que je ferai tomber.
— Accepté ! Nous serons enchantés de les manger, s'écria un autre. Vas-y donc !
Barbaro hésita puis dit :
— Je ne blague pas et je tiens toujours parole. Alors, faites de même. Promettez-vous de manger toutes les noix que je ferai tomber des arbres ?
— Oui, oui, nous promettons.
— Puis-je me servir de n'importe quoi pour les attraper ? demanda Barbaro.
— De tout ce que tu voudras…
Devant les jeunes gens intrigués, Barbaro empila un tas de pierres énormes et commença à bombarder le feuillage des noyers. Les branches se cassaient, les troncs pliaient, les noix tombaient. En peu de temps le sol en fut couvert.
Les jeunes gens s'empressèrent de casser les noix tombées et de se régaler. Barbaro fracassait les coquilles entre ses doigts et distribuait les fruits. Bientôt, la troupe fut rassasiée.
— Assez ! assez ! lancèrent les jeunes gavés de noix à Barbaro. Nous n'avons plus faim.
Mais Barbaro insista pour qu'ils tiennent la promesse faite. Alors l'un d'eux s'écria :
— Laisse-nous en paix : nous allons te payer pour ton bon travail.

La jeune fille donna ses pièces d'or à Barbaro.

Les jeunes gens ouvrirent leurs bourses et les jeunes filles leurs mignons petits sacs perlés et donnèrent à Barbaro toutes les pièces d'or qu'ils contenaient. Barbaro n'en avait jamais vu autant. Il était très content.

— Maintenant que j'ai fini, n'auriez-vous pas un autre travail à me proposer ? demanda Barbaro. Je cherche un emploi.

— Notre père en aurait sûrement, dit un garçon.

— Comment s'appelle votre père ?

— C'est le roi.

Barbaro se dit que si le père de ces jeunes gens était le roi, eux étaient des princes et des princesses. Il se fit expliquer le chemin pour se rendre chez leur père et sans plus attendre, il partit à pied sur le chemin, ses oreilles au vent, non sans avoir remercié les princes et les princesses.

Il marcha longtemps et arriva au pays voisin. Il se rendit au château et frappa à la porte. Les domestiques ne voulaient pas le laisser entrer, croyant qu'il était le diable.

— Je suis Barbaro-les-grandes-oreilles, dit-il. Je veux voir le roi.

Il attendit toute une journée et, le soir, le roi finit par venir le voir. Le roi lui dit qu'il avait besoin d'un laboureur mais qu'il ne pensait pas qu'il pût faire l'affaire.

— Tu es bien trop petit, tu n'arriveras pas à tenir une charrue.

— Engagez-moi, vous verrez bien, dit Barbaro.

Le roi accepta de le prendre et Barbaro s'en alla labourer la terre et semer le grain. Il travailla fort tout le jour ; puis, au soleil couchant, il alla avec les autres travailleurs réclamer son salaire comme il avait été convenu. Mais le roi était un homme trompeur et méchant. Il voulut profiter de la jeunesse de l'enfant.

Chaque soir, au lieu de payer Barbaro, le roi l'envoyait accomplir une autre tâche. Mais une bonne fois, Barbaro se fâcha. Il se rendit au château et lui réclama son argent bien gagné. Le roi lui dit :

— Aujourd'hui, Barbaro, je te donnerai encore une dernière besogne, et après, foi de roi, je te paierai tout ce que je te dois. Voilà ce que tu dois faire : tu apporteras tous ces sacs de guenilles au moulin qui se trouve derrière la montagne. Tu en feras faire douze tapis et tu reviendras quand ils seront faits.

Barbaro se mit à charger les sacs de guenilles sur une charrette. Le roi, qui le regardait faire, dit en ricanant à la reine :

— Pauvre fou ! Pauvre âne, pauvre niais aux grandes oreilles qui tire sa charrette ! Il ne sait pas que je l'envoie tout droit au domaine de la bête à sept têtes.

Barbaro partit en tirant sa charrette. Il marcha, marcha, traversa une forêt et escalada la montagne. Tout à coup, il se sentit aspiré par un souffle brûlant et entendit un terrible vacarme. C'était la bête à sept têtes qui aspirait Barbaro de toute la force de ses quatorze narines !

Barbaro empoigna ses sacs de guenilles et les lança un à un à la bête féroce. Vlan ! Vlan ! la bête recevait les sacs sur ses têtes. Tout étourdie, elle s'arrêta et Barbaro en profita pour s'écrier :

— Holà ! Je ne suis pas venu ici pour faire la chasse au gros crapaud. Je viens porter ces guenilles au moulin pour faire des tapis. Pourquoi vous mettez-vous sur mon chemin ?

La bête à sept têtes.

— Il n'y a pas de moulin par ici, et je ne suis pas un gros crapaud ! répondit la bête. Je suis la bête à sept têtes et je suis le gardien de cette forêt de hêtres. C'est moi qui protège les animaux contre la cruauté des hommes de ce pays et surtout contre celle du roi.

— Ah ! ah ! dit Barbaro. Alors le roi qui m'a envoyé ici pensait que j'allais me faire dévorer. Que diriez-vous de donner à ce vilain roi la leçon qu'il mérite ?
La bête à sept têtes écouta ce que Barbaro avait à dire. Le lendemain matin Barbaro descendit de la montagne en tenant en laisse la bête à sept têtes. Les habitants fuyaient sur les chemins et dans les villages, on criait :
— Sauve qui peut à la ronde ! Le pays est envahi par une bête monstrueuse !
Mais Barbaro continua sa route. Il se rendit jusqu'au château du roi en tenant en laisse la bête qui crachait du feu et lançait des grognements épouvantables. Il dit au roi :
— Donnez-moi ce que vous me devez et trois fois plus. Sinon, je lâche la bête sur vous et elle vous dévorera, vous et tous vos sujets.
En tremblant, le roi paya tout de suite Barbaro et courut se cacher derrière ses murailles. Barbaro empocha son bien et repartit avec la bête à sept têtes jusqu'à son logis dans la montagne. Barbaro rassembla toutes les pièces d'or qu'il avait gagnées, celles que les princes et princesses lui avaient données et le gros salaire du roi. Il en remplit un gros sac qu'il attacha sur son dos.
Il fit ses adieux à la bête à sept têtes qui le salua gentiment sans cracher le feu ni grogner méchamment. Et il descendit la montagne pour s'en retourner chez ses parents. Il avait hâte de les revoir et de leur apporter sa fortune.
Il marcha pendant plusieurs jours, au cœur des forêts et grimpant les collines en laissant le vent agiter ses grandes oreilles. Un jour, en passant dans le creux d'un vallon, il entendit prononcer plusieurs fois son nom. C'était l'écho des sept voix de la bête à sept têtes qui répétait : « Bonjour Barbaro ! Bonjour Barbaro ! »

La Hotte du colporteur

Adapté d'un conte populaire.

Ce récit entrecoupé de chansons met en scène un mari pas trop bête qui déjoue les projets de sa femme. Cela ressemble tout à fait à une farce ancienne dont l'origine inconnue, mais tout à fait française, a été modifiée au fil des ans par les conteurs. On note que le décor du récit est assez flou et pourrait se référer à n'importe quel pays ; mais il faut aussi souligner qu'au Québec, dans les campagnes éloignées des grands centres, le colporteur était un personnage qu'on accueillait avec beaucoup d'égards. Il servait de gazette ambulante et aidait parfois, comme ici, à résoudre certains problèmes.

À partir de
6 ans

10 min

Forêt
Maison

Bûcheron
Colporteur
Femme
Prince

Jacques, le bûcheron, et sa jolie femme Finette, vivaient dans une clairière au bord de la forêt. Chaque matin, Jacques partait avec sa hache dans la forêt pour abattre des arbres qu'il fendait en bûches et empilait soigneusement.
Pendant ce temps sa femme, qui était une fameuse cuisinière, se préparait à recevoir un visiteur. Ce visiteur était nul autre que le prince Bellay, un riche héritier bon à rien qui n'avait qu'une seule occupation : manger.
Chaque jour où Jacques travaillait dans la forêt à couper du bois, le prince venait s'installer à la table de Finette pour faire bombance. Il faut dire que Finette ne détestait pas cuisiner pour le prince surtout que celui-ci, le repas terminé, lui laissait toujours une pièce d'or sous l'assiette.
Mais Jacques, le mari de Finette, n'était pas du même sentiment. Il se décida un beau jour à en parler à sa femme.
— Finette, commença-t-il, j'ai de l'amitié pour le prince et je suis ravi qu'il vienne manger à notre table. Mais doit-il venir aussi souvent ?
Finette promit d'en parler au prince. Le lendemain, son mari partit pour la forêt sa hache sur l'épaule, et quelques heures plus tard le prince Bellay se présenta comme d'habitude, un sourire sur les lèvres et une fleur à la boutonnière.
— Qu'y a-t-il au menu aujourd'hui ? demanda-t-il.
— Un cuissot de chevreuil. Mais j'ai un message à vous dire de la part de mon mari. Il trouve que vous venez ici trop souvent.
— Trop souvent ! répéta le prince. Eh bien, je pense qu'il a raison puisque je viens ici tous les jours. Il va falloir modifier ça.
Finette réfléchit. Ces mots signifiaient qu'il n'y aurait plus de pièce d'or sous l'assiette.

« Dommage, pensa-t-elle, car je commence à avoir une bourse pleine de pièces. Je trouverai bien un moyen de faire revenir le prince sur sa décision. »
— Alors, plus de soupe à l'oignon ? s'enquit Finette, d'un petit air triste.
— Plus de soupe à l'oignon ? répéta-t-il affolé. Oh ! non, je ne pourrais supporter ça. Vivre sans pouvoir se régaler de soupe à l'oignon ne vaut pas la peine !
— Et la semaine prochaine, continua Finette, je cuisinerai un lièvre aux pruneaux.
— Un lièvre aux pruneaux ! s'écria le prince en se léchant les lèvres. Je pourrais venir en cachette tandis que ton mari est dans la forêt, suggéra le prince.
— Il pourrait bien revenir à l'improviste, dit Finette. Et imaginez sa colère.
— Tu as raison, dit le prince. Il faut trouver une manière de garder ton mari loin de la maison.
Quand son plaisir était en jeu, le prince avait parfois des éclairs de génie. Il réfléchit en fronçant les sourcils et soudain son visage s'éclaira.
— J'ai trouvé ! fit-il. J'ai un plan qui va tenir ton mari loin de la maison pour au moins deux semaines. Après ce délai, on trouvera bien autre chose. Alors, écoute-moi...
Et le prince expliqua son plan à Finette. En pensant aux pièces d'or, elle écouta attentivement et promit de faire tout ce qu'il proposait. Le soir, quand Jacques rentra, elle fourra un mouchoir dans sa joue pour lui donner une apparence enflée. Puis, elle s'étendit sur son lit et se mit à gémir.
— Oh ! Jacques, Jacques. Quelle douleur !
Jacques jeta sa hache et s'empressa d'aller à son chevet.
— Qu'est-ce qui se passe ? Qu'est-ce que tu as ?

— Mal de dents, articula Finette. Le pire que j'aie jamais eu. Oh ! si tu savais comme j'ai mal. J'ai souffert tout le temps où tu étais dans le bois.

— Je cours chercher le docteur, fit Jacques en se précipitant vers la porte.

— Non ! grogna Finette. Le docteur ne peut rien pour moi. La seule chose qui peut me guérir c'est de l'eau de la fontaine qui est à la croisée des chemins qui mènent à Trois-Rivières.

— Ma pauvre femme, le temps d'aller à cette fontaine à la croisée des chemins qui mènent à Trois-Rivières et de revenir, ton mal se sera aggravé.

« Mal de dents », articula Finette.

— Non, non, dit Finette en se tenant la joue. Je vais attendre ton retour. Oh ! pars vite, je t'en prie, pour revenir vite ! Je t'ai préparé un casse-croûte pour la route.

Jacques, qui avait bon cœur, oublia sa fatigue et partit aussitôt sur la route vers le grand chemin qui menait à Trois-Rivières. Mais voici qu'il rencontra un vieil homme avec un panier sur son dos. Il reconnut le colporteur qui s'arrêtait quatre fois par an à sa demeure.

— Bonsoir, cher ami, fit le colporteur, où vas-tu donc de ce pas avec une si triste mine ?

— À la croisée des chemins qui mènent à Trois-Rivières, répondit Jacques. Ma femme Finette souffre mille douleurs à cause d'un mal de dents et je dois lui quérir de l'eau de la fontaine qui se trouve là.

Le colporteur se mit à rire.

— Ta ! ta ! Ta femme n'a pas plus de mal de dents que je n'ai une jambe de bois.

— On voit bien que tu ne connais pas Finette, fit le mari. Si elle dit qu'elle a mal aux dents, tu peux être sûr que c'est la vérité !

Le colporteur ferma un œil et ricana.

— Et elle te demande d'aller jusqu'au carrefour des chemins qui mènent à Trois-Rivières ? Mais n'a-t-elle pas une autre raison de t'éloigner de la maison ?

Le bûcheron se mit à penser.

— Il est vrai, dit-il, qu'il y a un prince bon à rien avec un grand appétit qui vient tout le temps à la maison. Mais, Finette ne m'enverrait pas jusqu'au carrefour du chemin des Trois-Rivières juste pour ça !

— Cher ami, dit le colporteur, laisse tomber ce voyage jusqu'à la fontaine. J'ai justement avec moi une bouteille de cette eau miraculeuse et je veux bien te la donner. Allez, tu es si fatigué, grimpe dans mon panier et je te ramène chez toi.

Et Jacques grimpa dans le panier du colporteur qui l'emporta sur son dos. À quelques lieues de chez lui, on sentait déjà les délicieux arômes de cuisson. Le colporteur frappa à la porte en cachant son sourire.

— Qui est là ? demanda Finette.

— Juste le colporteur avec son panier, gentille dame. Ouvrez à un pauvre homme affamé, par la grâce de Dieu.

— Le colporteur, à cette heure tardive ? s'écria Finette.

Et l'on entendit la voix du prince dire :

— Laisse-le entrer Finette. C'est un vieil homme fatigué. Il ne va pas nous déranger si tu le laisses dans la cuisine avec son panier.

— C'est bien, dit Finette en ouvrant la porte. Vous pouvez rester dans la cuisine à votre aise.

Le colporteur déposa son panier près du poêle.

Le colporteur entra et déposa son panier près du poêle. Le prince finissait le cuissot de chevreuil et, étant rassasié, il était dans de très bonnes dispositions.

— Pauvre homme, dit-il, il doit être plein de la fatigue de la route et avoir le ventre vide. Pourquoi ne pas l'inviter à table avec nous ?
Finette invita le colporteur à s'asseoir avec eux.
— Je vous bénis, bonne dame, dit le colporteur. Je ne refuse jamais une invitation. Mais, si vous le permettez, je prends mon panier avec moi. C'est mon gagne-pain, et je n'aime pas m'en séparer.
— Ce grand et gros panier dans ma salle à manger ? s'exclama Finette.
— Oh ! ne fais pas tant de manières, dit le prince. Il le mettra dans le coin et il ne gênera personne.
Finette pensait à la pièce d'or sous l'assiette et ne dit plus rien. Alors, le colporteur amena son panier et l'installa derrière sa chaise. Il s'assit et, se pourléchant les babines, acheva le cuissot de chevreuil.
— Ah ! l'hôtesse, quel repas ! dit-il lorsqu'il eut fini. Avec de tels mets vous devez rester en bonne santé !
— En effet ! dit Finette. Je n'ai pas été malade en dix ans !
À ces mots, on entendit un grognement venir du panier d'osier rangé dans le coin. Finette devint toute pâle mais le colporteur rigola et lui dit de ne pas avoir peur.
— C'est la chaleur, expliqua-t-il. Quand un vieux panier d'osier passe du froid au chaud, il craque et gémit comme un être vivant.
Le prince Bellay était de bonne humeur après son repas. Il dit :
— Pas de discours à cette table, monsieur le colporteur ; mais une chanson ou deux seraient les bienvenues !
— Une bonne idée, dit le colporteur. J'adore les chansons. Mais, chacun à sa place. Vous êtes le premier invité ici alors c'est à vous de commencer.

Le prince était enchanté car il se croyait doté d'une belle voix. Il demanda du vin et se mit à chanter un couplet qu'il venait d'inventer :

À deux pas de la forêt, Fifine
Soupe à l'oignon et petits pâtés
Tous les jours fait de la bonne cuisine
Soupe à l'oignon et petits pâtés
Jacques est parti, à moi le dîner !

— Ah ! que c'est joli ! s'écria le colporteur en riant et en tapant des mains.
— Maintenant, c'est à toi ! dit le prince à Finette.
— Non, non, dit Finette. Demandez au colporteur qui sait tant de chansons.
— Chacun à son tour, dit le colporteur hochant la tête. L'hôtesse ensuite, et en dernier le colporteur.
Alors Finette s'exécuta :

Mon mari va vers la fontaine
Soupe à l'oignon et beignets fourrés
Mangeons, buvons sans vergogne
Soupe à l'oignon et beignets fourrés
Quand il reviendra l'eau sera gelée !

— Excellent ! Excellent ! s'écria le colporteur. Il y a longtemps que mon panier et moi ne nous sommes aussi bien divertis.
— Encore du vin, réclama le prince. Et maintenant, monsieur le colporteur, chantez-nous votre couplet.
— Messire, fit le colporteur, puisqu'il ne reste plus que moi et mon panier, je suis à votre service.

Et voici ce qu'il chanta :

Sur le chemin j'ai rencontré
Marche et trotte, mon panier et moi
Un homme qui était bien pressé
Marche et trotte, mon panier et moi
Où cet homme est-il donc passé ?

Finette n'aimait pas trop cette chanson, à plus forte raison lorsqu'elle entendit un autre grognement venir du panier. Mais le prince Bellay, la panse remplie de bonne chère et de bon vin, n'y prêta pas attention. Il envoya une grande tape dans le dos du colporteur et hurla de rire.
— Ah ! tu me fais rire en parlant de ton panier qui marche et qui trotte comme une vraie personne ! S'il est si vivant que tu dis, pourquoi ne chanterait-il pas le prochain couplet ?
Le colporteur sourit et dit :
— Pourquoi pas ?
— Tiens, panier, prends un peu de vin, fit le prince en versant un verre de vin sur le panier.
— Assez, dit le colporteur. Maintenant, mon panier, chante-nous quelque chose.
Le panier craqua et d'une voix étouffée, il commença à chanter :

Ah ! femme, ton mal n'a pas duré
Le remède se cachait-il dans le pâté ?
Pour son repas le prince va payer
Soupe à l'oignon et gros gibier
Ça vaut cent coups ! Et surtout filez !

Et du panier sortit Jacques brandissant ses poings. Jamais un prince n'a quitté si vite une maison ! Il ne s'arrêta de courir que lorsqu'il fut sain et sauf dans son château avec la porte fermée à clef. Et jamais plus il n'approcha de la table de Finette.

Depuis ce jour, Finette a abandonné son idée d'amasser une fortune. Aujourd'hui, Jacques, le bûcheron, mange de la soupe à l'oignon quand il veut et des beignets fourrés et parfois même des cuissots de chevreuil. Il invite à sa table son ami le colporteur qui dépose par terre, derrière sa chaise, son panier. Celui-ci craque encore mais ne dit pas le moindre mot.

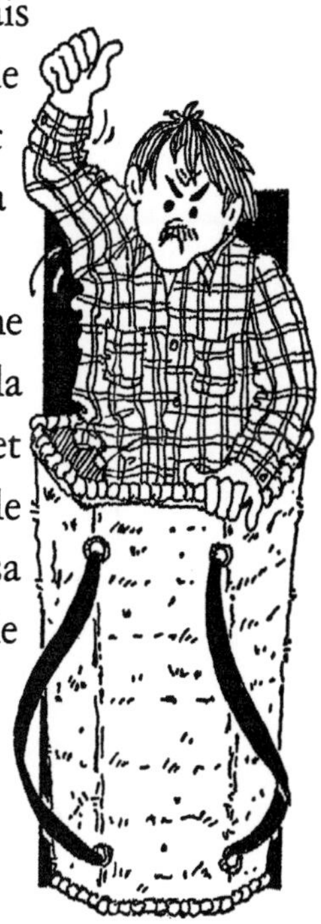

Du panier, sortit Jacques.

Quatre-poils-d'or-dans-l'dos

Adapté d'un conte populaire.
Un aventurier arrive à se tirer d'affaire et à mener une bonne vie en tirant profit de la crédulité des gens. On aimait beaucoup dans les villages du Québec d'autrefois, les histoires qui mettent en valeur les traits d'esprit et la débrouillardise ; ce qui surprend ici, c'est que le héros, qui est un vrai voleur, finit par s'en tirer admirablement. Pourtant les contes de cette époque (1860) avaient plutôt tendance à moraliser.

À partir de 7 ans

7 min

Navire
Village

Matelot
Médecin
Voleur

Un jour, dans le village de Kamouraska, arriva un étranger. Il était bien vêtu et cherchait du travail. Il s'arrêta chez le médecin et lui demanda s'il avait du travail pour lui.

Le médecin, qui avait justement besoin d'un jardinier, l'engagea sur-le-champ. Il lui dit :
— Vous allez me dire votre nom pour que je puisse vous appeler quand j'aurai besoin de vous.
— J'ai un drôle de nom, répondit l'étranger. Je suis mal à l'aise de vous le dire.
— Drôle ou pas, il me faut savoir votre nom, dit le médecin.
— Eh bien, puisqu'il faut vous le dire, je me nomme Quatre-poils-d'or-dans-l'dos.
— C'est en effet un nom bien rare ! s'écria le médecin.
L'homme s'en alla travailler au jardin.
Le lendemain, la servante avait besoin d'aide pour transporter un meuble. Elle appela le jardinier et lui dit :
— Vous allez me dire votre nom pour que je puisse vous appeler quand j'aurai besoin de vous.
— Ah ! non, fit l'étranger, je ne veux pas vous dire mon nom ; il est trop laid !
— Laid ou pas, il me faut savoir votre nom car j'aurai souvent besoin de votre aide.
— Eh bien, puisqu'il le faut, je me nomme Ça-me-démange.
— C'est un drôle de nom, en effet, fit la servante, mais j'aime mieux le savoir.
Le troisième jour, la mère du médecin eut besoin de l'engagé. Elle lui dit :
— Vous allez me dire votre nom. Quand j'aurai besoin de vous, il faut que je puisse vous appeler.
— Ah ! dit l'étranger, j'ai un trop curieux nom, madame, ça me coûte de vous le dire.
— Curieux ou non, je veux le savoir.
— Eh bien, puisque vous y tenez, je me nomme Dominus Vobiscum.

— C'est en effet un nom curieux, mais un beau nom tout de même.

Le quatrième jour, le médecin s'en alla faire ses visites à ses malades. Sa mère était allée faire ses emplettes au magasin et la servante était très occupée au ménage. C'est justement ce moment qu'attendait l'étranger car il était un grand voleur. Il monta dans la chambre du médecin et s'empara de tout l'argent qui lui tomba sous la main, en plus de quelques objets précieux, et il s'enfuit.

Le médecin, à son retour, constata le vol, avertit les autorités. Mais on ne put trouver par quel chemin avait disparu l'audacieux voleur. En fait, il avait rejoint un port de mer où il s'engagea comme matelot sur un bâtiment à voiles qui appareillait.

Le matelot se mit en frais de grimper dans les mâts.

Tout allait pour le mieux pour le prétendu matelot jusqu'au troisième jour où s'éleva une terrible tempête. Le bâtiment vint tout près de chavirer.

— Vite, commanda le capitaine, un bon matelot en haut des mâts pour serrer les voiles !

Aucun matelot ne voulait se hasarder en haut des mâts car cette manœuvre était fort périlleuse. Alors le capitaine, se rappelant le matelot qu'il avait engagé au moment de partir, lui ordonna de montrer son savoir-faire.

Il fallait bien s'exécuter et le voleur, matelot improvisé, se mit en frais de grimper dans les mâts. Rendu en haut, il serra les voiles du mieux qu'il put et il allait descendre lorsqu'une violente bourrasque lui fit perdre l'équilibre. Il tomba debout sur le pont sans se faire aucun mal. L'équipage accourut pour voir ce prodige et le matelot voleur leur dit :

— Ne vous étonnez pas, c'est toujours ainsi que je descends. C'est plus vite fait.

Les autres matelots étaient tous en admiration et le capitaine était bien fier de son matelot. Il se disait qu'il n'en avait jamais eu d'aussi adroit.

Le voyage se poursuivit puis, sur le chemin du retour une nouvelle tempête se déclencha. Le capitaine eut encore recours à son fameux matelot. Celui-ci, ne pouvant refuser d'obéir aux ordres, monta dans les mâts, serra les voiles du mieux qu'il put et, au moment de redescendre, une énorme houle fit tout à coup pencher le navire. Le matelot perdit prise et tomba ; mais cette fois, il tomba à l'eau.

Tout l'équipage accourut mais la mer était trop mauvaise pour lui porter secours et il disparut aux yeux de tous. Mais notre homme était tombé à l'arrière du bâtiment qui, vu la tempête, était presque arrêté. Il put facilement saisir le gouvernail et s'installer dessus. Il y resta trois jours.

Au bout de ce temps, le navire étant à l'ancre, les gens de l'équipage étaient occupés sur le pont à réparer les dégâts causés par la tempête. Tout à coup, ils entendirent crier au secours. Ils regardèrent dans la mer et virent le fameux matelot qui venait de quitter son refuge sur le gouvernail et de se lancer à l'eau. On s'empressa de mettre une chaloupe à l'eau pour lui porter secours. Quand on le ramena sur le pont, on l'entoura et on se mit à le questionner.

— Comment peux-tu être encore en vie ? lui demanda-t-on.

— En voulant sauter sur le pont après avoir serré les voiles, le bâtiment a penché et je suis tombé à la mer. Je vous ai suivis pendant trois jours à la nage. J'avais beau crier vous n'êtes pas venus me secourir.

Tous les matelots s'excusèrent de ne pas l'avoir entendu et pour lui prouver leur admiration pour ces actes extraordinaires, ils le portèrent en triomphe. Le capitaine lui dit qu'il

Il vint s'asseoir sur le banc du médecin.

n'aurait plus à travailler pour le reste de la traversée. Le voyage se poursuivit sans incident et le bateau vint mettre l'ancre dans le port qu'il avait quitté six mois auparavant. En arrivant à quai, le matelot-voleur demanda un congé de quelques jours au capitaine pour régler une affaire importante. Le capitaine lui accorda le congé demandé en lui disant qu'il était très heureux des grands services qu'il avait rendus au cours du voyage.

Le voleur s'en alla chez le médecin de Kamouraska pour voir s'il se souvenait de lui. Il arriva au village un dimanche matin, quelques minutes avant l'heure de la messe. Il entra dans l'église et vint s'asseoir, par le plus grand des hasards, sur le banc du médecin.

Bientôt les gens commencèrent à entrer et le médecin arriva, précédé de sa mère et de sa servante. Avant de se glisser sur le banc, la servante aperçut le voleur.

Se tournant vers sa maîtresse, elle lui dit :

— Madame, Ça-me-démange !

— Que veux-tu que j'y fasse ? répondit l'autre.

— Comprenez donc, madame, c'est Ça-me-démange qui est sur le banc.

La mère du médecin leva les yeux, aperçut le voleur et cria :

— Dominus Vobiscum !

Toute l'assistance se leva, scandalisée. Le médecin, qui suivait sa mère de quelques pas, s'empressa auprès d'elle et chuchota :

— Qu'avez-vous tant à crier ?

— Dominus Vobiscum ! répéta la mère en désignant le voleur sur le banc.

Le médecin suivit le geste que faisait sa mère et cria à son tour en reconnaissant le voleur :

— Mes amis, celui qui me prendra Quatre-poils-d'or-dans-l'dos, je lui donne cent écus.

À ces mots, les paroissiens qui étaient debout, prêts à fuir devant un tel scandale, se ruèrent sur le médecin. Ils le jetèrent par terre et se mirent en frais de lui ôter sa chemise. Le médecin avait beau crier d'arrêter le voleur, les gens n'avaient plus d'oreille pour entendre raison. Il avait dit « quatre poils d'or dans le dos » et on voulait les lui arracher.

Le voleur profita du brouhaha général et s'enfuit. Lorsque le médecin put enfin s'expliquer, il était trop tard : le voleur avait disparu.

Le voleur se rendit à son bâtiment qui reprit bientôt la mer. Jamais plus, à Kamouraska, on n'entendit parler du fameux voleur matelot Quatre-poils-d'or-dans-l'dos.

Le Petit Bonhomme de graisse

Adapté d'un conte populaire.
En provenance de Saint-Constant, ce petit conte montre la débrouillardise d'un petit garçon. Mais son intention de moralité est transparente : les méchants seront punis, et de belle façon ! La gentillesse sera récompensée. La drôlerie de ce conte vient aussi du fait qu'on associe la corpulence et la propreté à la gentillesse.

À partir de 4 ans

4 min

Maison
Village

Fils
Mère
Sorcière

Il était une fois une femme vivant seule dans un village avec son petit garçon. Le petit garçon était gras et joufflu et il était toujours habillé de blanc. Alors, on l'avait surnommé le

petit bonhomme de graisse. Tout le village l'aimait car il était gentil et aimable avec tout le monde.
Dans ce même village, habitait une méchante femme, qu'on disait un peu sorcière, avec son petit garçon. Son fils à elle n'était ni gras ni joufflu : il était plutôt maigre et sale et il passait le plus clair de son temps à jouer de mauvais tours à ses voisins. Aussi les gens le détestaient. Sa mère était jalouse du petit bonhomme de graisse et le haïssait.
Un jour, la mère du petit bonhomme de graisse s'en alla au marché. Elle mit son panier sur son bras et dit à son fils :
— Sois sage durant mon absence et n'ouvre la porte à personne.
L'enfant promit et sa mère partit. La méchante femme qui la vit passer se dit : « C'est le temps. Je vais aller voir le petit bonhomme de graisse ! » Et elle prit un grand sac et se dirigea vers l'autre maison.
Elle frappa à la porte.
— Qui est là ? demanda le petit bonhomme de graisse.
La méchante femme, contrefaisant sa voix, répondit :
— C'est une pauvresse qui vous demande la charité.
Le petit bonhomme de graisse prit un morceau de pain et ouvrit la porte pour le donner à la quêteuse. Et la méchante femme se jeta sur lui et le mit dans son sac en criant :
— Ah ! ah ! je vais te faire rôtir, maintenant.
Et elle reprit le chemin de sa maison. En route, elle déposa son sac par terre pour ramasser du bois pour alimenter son feu. Aussitôt le petit bonhomme de graisse sortit du sac ; il mit une grosse pierre à sa place et il se sauva à toutes jambes chez sa mère.
La vieille remit le sac sur ses épaules. En arrivant chez elle, elle dit à son petit garçon :

— Prépare la marmite que j'y jette le petit bonhomme de graisse.

Le garçon enleva le couvercle et la mère vida son sac dedans. Bang ! la pierre tomba dans la marmite qui se brisa en morceaux.

La méchante vieille était furieuse. Elle reprit son sac et se mit à courir vers la maison du petit bonhomme de graisse. Elle frappa de nouveau à la porte.

— Qui est là ? fit le petit bonhomme de graisse.

— Une pauvresse qui demande la charité, répondit la vieille.

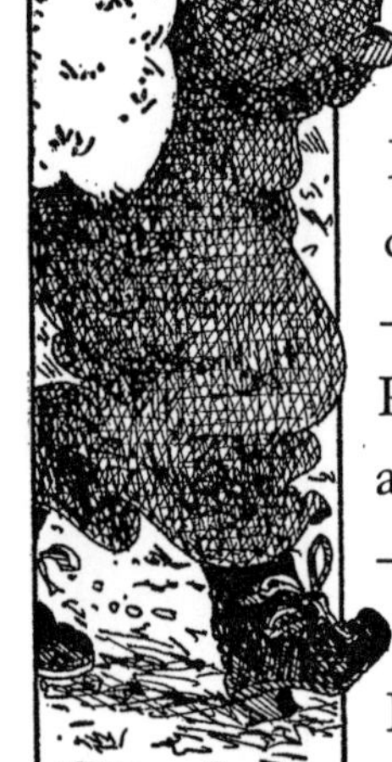

Elle rentra tout droit chez elle.

Le petit bonhomme de graisse n'ouvrit pas la porte. Alors, la méchante femme grimpa sur le toit et descendit par la cheminée. Elle saisit le petit bonhomme de graisse et le mit dans son sac en disant :

— Cette fois, tu ne m'échapperas pas !

Elle rentra tout droit chez elle, sans s'arrêter pour ramasser du bois. Elle dit à son fils :

— Viens tenir le sac pendant que je prépare mon couteau.

Pendant qu'il tenait le sac, le petit bonhomme de graisse dit au garçon :

— Ouvre un peu le sac que je te fasse voir le beau petit oiseau que j'ai dans ma poche.

Le garçon ouvrit le sac, juste un petit peu, et le petit bonhomme de graisse sauta à toute vitesse, empoigna le garçon maigre qu'il fourra dans le sac et qu'il attacha avec une corde solide. Et il s'enfuit à toutes jambes chez lui.

La méchante femme revint avec son couteau bien affilé et donna dans le sac un grand coup de couteau. Elle attendit un instant puis ouvrit le sac et y trouva... son fils mort.

Alors, elle devint encore plus furieuse. Brandissant son couteau elle courut vers la maison du petit bonhomme de graisse.

Pendant ce temps, la mère était revenue du marché et son fils lui avait raconté tout ce qui était arrivé pendant son absence. Sa mère plaça alors un grand chaudron dans la cheminée et le remplit d'eau qui se mit à bouillir. Quand la méchante femme arriva, elle frappa à la porte en disant :

— Ouvre-moi ta porte sinon je passe par la cheminée !

Le petit bonhomme de graisse ne dit pas un mot. La méchante grimpa sur le toit et descendit par la cheminée. Mais la vapeur de l'eau bouillante l'étouffa et elle tomba dans le chaudron et y mourut.

Et le petit bonhomme de graisse continua de vivre avec sa mère dans sa petite maison, gras et joufflu et aimé de tous.

Les Astuces de Pois-Verts

Adapté d'un conte populaire.

Pois-Verts est celui qui se moque de la cupidité de son maître en lui vendant comme charmes des objets inutiles et en le faisant mettre dans un sac et jeter à la mer. On voit ici le triomphe de l'ingéniosité. Le maître que Pois-Verts arrive à rouler n'est pas le médecin ni le roi, mais le curé. Le curé était un personnage très important dans la vie des gens d'autrefois et les conteurs adaptaient souvent des récits merveilleux en y introduisant des personnages de la vie courante.

À partir de 6 ans

10 min

Maison
Mer

Curé
Servantes
Serviteurs

Il était une fois un homme appelé Pois-Verts. Il était à la fois le serviteur et l'homme de confiance du curé. Un jour, il se mit à jouer des tours à son maître. Le curé s'en accommoda pendant quelques années mais, à la fin, excédé, il dit à son engagé :

— Pois-Verts, ramasse tes guenilles et va-t'en ! Je n'ai plus besoin de toi.

— Je ne demande pas mieux que de m'en aller, répond Pois-Verts, j'en ai assez de vous servir.

Et, sur ce, il s'en va et s'achète une petite propriété près de celle de son ancien maître.

Pois-Verts était très intelligent. Un bon matin, il s'invente un plan. Il prend deux gros morceaux de fer qu'il fait bien rougir au feu. Puis, il dépose son chaudron près de lui et se fabrique un petit fouet. Ensuite, il envoie chercher le curé, son voisin. Quand le curé est sur le point d'arriver, Pois-Verts prend les morceaux de fer rouge et les jette dans sa soupe. Il met son chaudron entre ses jambes et, avec son petit fouet, il claque sur le chaudron disant :

— Bouille, ma soupe !

Le curé entre, aperçoit son ancien serviteur fouettant son chaudron et la soupe bouillante.

— Pois-Verts, quel secret as-tu pour ainsi faire chauffer ton repas ?

— Ce secret est dans mon fouet, répond Pois-Verts qui fouette tranquillement son chaudron tout en parlant, tandis que la soupe bout de plus belle.

Le curé, enchanté de voir bouillir la soupe et d'apprendre le secret du fouet, dit :

— À moi qui ai des servantes pas trop vives, ce fouet serait bien utile. Toi qui es tout seul, Pois-Verts, tu n'en as pas besoin.

— On a toujours besoin d'un bon article, monsieur le curé. Mais pour vous rendre service je suis prêt à vous le vendre.

Mon fouet vaut cent piastres.

— Il n'est pas cher, reprend le curé, voilà cent piastres. Donne-moi le fouet.

Pois-Verts prend l'argent et remet le fouet.

Une fois l'entente conclue, le curé ne tient pas un long discours mais il s'en retourne au presbytère et dit à ses servantes :

— Je n'ai plus besoin que d'une servante. Les deux autres, je les mets à la porte.

Les servantes deviennent pensives. À celle qu'il garde, le curé dit :

— Va chercher la théière, mets-y le thé dans de l'eau froide.

« Qu'est-ce que le curé a envie de faire ? » se demande la servante en obéissant à son maître.

— La théière est-elle prête ? demande le curé.

— Oui, monsieur le curé, tout est bien prêt.

Monsieur le curé va chercher le fouet ; il prend la théière, la met sur la table et commence à la fouetter en disant :

— Bouille, théière !

Rien ne bout.

Le curé claque le fouet à nouveau. Rien ! découragé, il dit :

— Je ne m'y prends pas bien. Pois-Verts était assis à terre, le chaudron entre ses jambes. Je vais faire comme lui.

Il s'assoit à terre, il met la théière entre ses jambes et la fouette de son mieux. Après avoir fouetté tranquillement, il se met à la fouetter à grands coups. Il n'est pas plus avancé.

La servante demande :

— Monsieur le curé, où avez-vous eu ce fouet-là ?

— Je viens de l'acheter à Pois-Verts.

— C'est encore un tour qu'il vous a joué, comme au temps où il restait ici.

« Bouille, théière ! »

Furieux, le curé jette le fouet au feu en disant :
— Demain, Pois-Verts aura de mes nouvelles !
Le lendemain, Pois-Verts fait venir sa vieille mère en lui demandant de passer la journée chez lui. Ayant rempli une vessie de sang, il l'accroche au cou de sa mère et commence à se promener dans sa maison en regardant d'une fenêtre à l'autre. Il s'attendait à voir bientôt le curé arriver en fureur. Tout à coup, il l'aperçoit approcher de la maison. Faisant un grand vacarme, Pois-Verts se met à renverser la table et les chaises et à tout casser. Comme le curé entre, il saisit sa vieille mère et lève son canif en criant :
— Vieille garce ! il y a assez longtemps que le monde vous connaît. C'est fini !
Pour le calmer, le curé dit :
— Pois-Verts, que fais-tu ? Que fais-tu ?
— C'est mon affaire, fait Pois-Verts en prenant son sifflet, je ne veux pas voir de curieux chez moi.
Et de son couteau il perce la vessie pleine de sang qui pend au cou de sa mère. Le sang coule et la vieille tombe comme mourante. Cela dégoûte le curé qui commence à lancer des injures à Pois-Verts et à le menacer.
— Cette fois ton temps est arrivé ! Je vais te mettre entre les mains de la justice et ta tête tombera sur l'échafaud !
— Je viens de vous dire que je ne veux pas voir de curieux chez moi, répond Pois-Verts en prenant son sifflet. Ma mère est morte, mais elle va revenir à la vie !
Et le voilà qui retrousse la robe de la vieille femme et siffle :
— Tourlututu ! Reviendras-tu ?
La vieille commence à bouger.
— Tourlututu, reviendras-tu ? répète-t-il.
Et Pois-Verts ajoute :

— La troisième fois, je ne manque jamais mon coup. Tourlututu, reviendras-tu ? Ou ne reviendras-tu pas ?
Il n'a pas sitôt prononcé « Tourlututu » que la vieille est debout.
Étonné de voir ce sifflet si merveilleux, le curé demande :
— Pois-Verts, où as-tu pris ce sifflet ?
— Une vieille magicienne me l'a donné. Avec ce sifflet, je peux faire tout ce que je veux, répond Pois-Verts.
— Ah ! voilà ce qu'il me faut pour mes paroissiens.
— Un bon article fait l'affaire de tout le monde.
— Veux-tu me le vendre ? demande le curé. Combien veux-tu pour ton sifflet, Pois-Verts ?
— Pour vous rendre service, je vais vous le vendre, monsieur le curé.
— Combien veux-tu ?
— Deux cents piastres, monsieur le curé.
— Il n'est pas cher, Pois-Verts ; je le prends et je vais commencer par ma servante.
— Sachez bien vous en servir, monsieur le curé. Vous avez vu comment je m'y suis pris pour ma vieille mère.
— Sois sans crainte, dit le curé.
Le curé part et arrive au presbytère pas trop de bonne humeur. Il commence à brasser la table, le pupitre, la vaisselle.
— Monsieur le curé ! dit la servante, vous n'êtes pas à votre place dans mon armoire.
— Comment ça, je ne suis pas à ma place ? Ah ! je vais t'en faire une place !
Il prend le couteau à pain et tranche le cou de la servante. La servante est morte et le curé est fier d'essayer son sifflet. Il fait la même chose que Pois-Verts. Il siffle :

— Tourlututu ! Reviendras-tu ?
La servante ne bouge pas.
— Tourlututu, reviendras-tu ? siffle-t-il à nouveau.
Rien.
« C'est curieux, pense le curé ; la première fois que Pois-Verts a sifflé la vieille avait bougé ; et la deuxième fois elle s'était presque levée. Ici, c'est la troisième fois et elle ne bouge pas. Pourtant j'ai fait comme Pois-Verts. »
Il essaie encore.
— Tourlututu ! Reviendras-tu ? Ou ne reviendras-tu pas ?
Mais la servante est morte et le reste. Le curé devient pensif.
« Depuis longtemps Pois-Verts me joue des tours. Cette fois-ci, c'est le dernier ! Je vais faire prononcer un jugement contre lui en justice et le faire disparaître. »
Le curé dénonce alors Pois-Verts et Pois-Verts est condamné à être mis dans un sac et jeté à la mer. Pois-Verts est satisfait. Le soir, les deux serviteurs du curé viennent le chercher, le mettent dans un sac et partent pour la mer.
— Non ! je ne veux pas y aller ! Non, je ne veux pas y aller ! crie Pois-Verts tout le long du chemin.
Passant devant une auberge, les serviteurs entrent boire un verre et laissent le sac dehors sur le perron.
— Je ne veux pas y aller ! Je ne veux pas y aller ! crie toujours Pois-Verts, pour se désennuyer.
Pendant que les serviteurs boivent, un pauvre passe et, curieux, écoute Pois-Verts crier dans le sac : « Je ne veux pas y aller ! »
Approchant du sac, le pauvre homme y touche et demande :
— Où tu ne veux pas aller ?
— On m'emmène coucher avec la princesse ; mais jamais ils ne m'y feront consentir, dit Pois-Verts.

— Veux-tu me donner ta place ? demande le pauvre homme. Pois-Verts accepte avec plaisir.

— Détache le sac et prends ma place.

Pois-Verts sort et le pauvre s'y fourre. À peine Pois-Verts est-il en fuite que les serviteurs arrivent, saisissent le sac et pendant qu'ils marchent, le pauvre homme crie comme faisait Pois-Verts :

— Je ne veux pas y aller ! Je ne veux pas y aller !

— Veux, veux pas, répondent les serviteurs, c'est au large que tu vas aller.

Et tenant le sac à chaque bout, ils comptent un, deux, trois et vlan ! ils lâchent le sac qui tombe au large.

Ils lâchent le sac qui tombe au large.

Le lendemain, le curé demande à ses serviteurs :

— L'avez-vous jeté au large ?

— Soyez tranquille, monsieur le curé, répondent-ils, Pois-Verts a joué assez de tours ; il ne reviendra jamais.

« Enfin, je serai bien débarrassé ! » pense le curé en se promenant comme d'habitude sur le large perron de sa maison. Plus tard, après le repas, il voit venir un troupeau de bêtes à cornes. Plus le troupeau s'approche, plus il voit que celui qui le mène ressemble à Pois-Verts.

Appelant l'un de ses serviteurs, le curé dit :

— Voilà un beau troupeau de bêtes à cornes. Mais regarde donc en arrière, ça ressemble à Pois-Verts.

— Ça ne se peut pas, répond l'autre, hier au soir nous l'avons jeté à l'eau.

— Regarde comme il faut, serviteur ; ça m'a l'air de Pois-Verts !

De fait, Pois-Verts, le bâton à la main, menait le troupeau et de temps en temps criait :

— Ourche, mourche !

Le curé se hisse sur le bout des pieds pour mieux voir et s'écrie :
— C'est Pois-Verts !
— Bonsoir, monsieur le curé, bonsoir ! dit Pois-Verts en passant devant le presbytère.
— Comment, Pois-Verts, mais c'est bien toi ?
— Oui, monsieur le curé, c'est bien moi.
— Mais d'où viens-tu avec toutes ces bêtes à cornes ?
— Ah ! monsieur le curé, ne m'en parlez pas ! Si vos serviteurs m'avaient seulement jeté dix pieds plus loin, je vous ramenais les deux plus beaux chevaux noirs qu'on ait jamais vus dans la province. Mais ils m'ont jeté au milieu de ce troupeau de bêtes à cornes que j'ai ramené avec moi.
Le curé tombe encore dans le panneau et croit Pois-Verts.
— Si j'y allais moi-même, Pois-Verts ? Toi, qui connais la distance exacte... ?
— Je vous garantis, monsieur le curé, que je ne manquerais pas mon coup ! Si un de vos serviteurs m'aide ce soir, je vous jetterai en plein milieu des beaux chevaux.
— Accepté !
Pois-Verts mène son troupeau à sa ferme. Quand il revient le soir, il aide le curé à entrer dans le sac et s'en va avec un serviteur le porter au bord de la mer.
— Jetons monsieur le curé au large, dit Pois-Verts.
Et monsieur le curé s'en va rejoindre le pauvre homme au fond de la mer où il est resté.
Avec tous les tours qu'il avait joués, Pois-Verts devint un gros commerçant.

Comment l'orphelin devint un grand chasseur

Texte de Jacques Pasquet, extrait de L'esprit de la lune, *© éditions Québec/Amérique jeunesse, collection Clip, Boucherville, 1992, 128 p.*
Cette histoire a été racontée et sculptée dans la pierre par Saamisa Paqsauraaluk, un habitant de Povungnituk. Elle a été adaptée par Jacques Pasquet, un auteur qui a fait plusieurs séjours dans les villages inuits du Nunavik.

À partir de 5 ans

3 min

Village

Chasseurs
Garçon

Un jeune garçon orphelin était la risée de tout son village. Le destin ne l'avait pas choyé. En plus d'être laid et de bégayer, il avait perdu ses parents, emportés sur la banquise quand il n'était encore qu'un bébé.

Mais ce n'est pas tout ! En grandissant, il se révéla extrêmement maladroit. Le pauvre garçon était incapable de lancer le harpon, d'attraper du gibier ou de construire un iglou. Même dans les jeux, il commettait les pires maladresses.

Le jeune garçon occupait son temps à se promener et à regarder les autres. Comme il ne savait que faire de ses mains, il les gardait toujours dans les poches de son parka. Cette habitude faisait rire tout le monde :

— Il a mangé ses mains ! criait-on en le voyant ainsi.

Lui ne se fâchait jamais. Il se contentait de rire avec eux. Pourtant, quand il se retrouvait seul, il ressentait chacune des moqueries comme une blessure. Une blessure qui lui creusait une crevasse dans le cœur. Et le jeune garçon se mit à avoir peur d'y être complètement englouti.

Il se réfugia alors dans ses rêves. Un jour, il serait capable de tellement de choses que les autres l'envieraient.

Ainsi se passait la vie du jeune garçon orphelin.

Puis arriva un temps où les chasseurs partirent en expédition. Le jeune garçon décida de les suivre. Mais, au bout de quelques jours, fatigués de sa présence, ils le renvoyèrent au campement. Il n'avait qu'à y rester et le surveiller. Ce qu'il accepta volontiers.

N'ayant rien à faire, il ramassa un os de phoque abandonné par les chasseurs. Il achevait de le ronger quand une idée lui passa par la tête. Une image, plutôt. Il se revoyait, enfant, regardant le chamane* jeter les os pour entrer en contact avec les esprits de l'au-delà.

Le jeune garçon lança alors son os en l'air, très haut, exactement comme le faisait le chamane*. Ainsi, il saurait si son rêve allait se réaliser. L'os virevolta un instant puis retomba sur le sol. Après quelques rebonds, il s'immobilisa, la face plate tournée vers le ciel. Le jeune garçon ignorait le sens de ce signe. L'os aurait très bien pu se retrouver sur l'autre face. Pourtant, il eut la conviction que désormais tout lui était possible.

Bravant l'interdiction des chasseurs, il les rejoignit en suivant leurs traces. En le voyant arriver sur leur territoire, ils ne purent dissimuler leur étonnement :

— Comment as-tu fait pour arriver ici sans l'aide de personne, toi qui n'es même pas capable de retrouver ton iglou ?

Le jeune garçon ne répondit pas et se contenta de sourire, comme il avait coutume de le faire. Il n'avait plus les mains dans les poches de son parka mais aucun chasseur n'y prêta attention. N'ayant rien pris, ils étaient de mauvaise humeur et avaient hâte de se reposer. Il en profita pour emprunter un harpon, discrètement, et s'éloigna du campement.

Lorsque le jeune garçon revint un peu plus tard, les chasseurs n'avaient même pas remarqué son absence. Mais quand ils le virent avec deux phoques – un sur chaque épaule ! – aucun d'eux n'en crut ses yeux. Ils ne rêvaient pourtant pas. Personne ne dit quoi que ce soit. Ils étaient tous convaincus qu'il les avait trouvés sur la banquise.

Pourtant, à compter de ce jour, les chasseurs durent changer d'opinion. Non seulement le jeune garçon n'était plus maladroit, mais il ramenait toujours les plus grosses prises. Il devint rapidement un très grand chasseur, le meilleur du

village. Jamais il ne manquait ses proies et son adresse faisait l'envie de tous.
Parfois, on lui demandait son secret. Il ne répondait rien et se contentait de sourire en caressant de la main l'os de phoque qu'il portait suspendu à son cou.
Ainsi se continua la vie du jeune garçon orphelin devenu un grand chasseur grâce à un os de phoque magique.
C'était il y a bien longtemps, mais, moi le conteur, je l'ai entendu dire, alors je vous le répète pour que personne ne l'oublie.

La Baleine

Texte de Yves Thériault, extrait du recueil La femme Anna et autres contes, *© succession Yves Thériault, VLB éditeur, Montréal.*

Cette histoire a pour cadre un village de pêcheurs de la Gaspésie. Le conteur, Yves Thériault, est un écrivain québécois prolifique qui a fait tous les métiers et qui a mis en scène des personnages inoubliables, des gens simples comme cet Ambroise Bourdages qui sait très bien retourner une situation en sa faveur.

À partir de 6 ans

10 min

Mer

Baleine
Homme
Pêcheurs

De Gaspé à Paspébiac, sur tous les quais, à bord de toutes les barques, la nouvelle se répandit comme une traînée de poudre : Ambroise Bourdages prétendait avoir pris une baleine, de sa barque même !

Tous les pêcheurs en firent des gorges chaudes ! Qu'Ambroise ait prétendu avoir capturé une morue de deux cents livres qui se serait libérée de l'hameçon par la suite, et l'on aurait gravement fait semblant de le croire ! L'exagération aurait tenu ! Elle aurait été dans la mentalité, dans les habitudes et selon la coutume...

Mais une baleine ?

Ambroise jura à grands gestes :

— Je vous le dis, une baleine ! Un monstre ! Aussi grosse qu'une barque, plus grosse même ! Ah, mes amis, mes amis... Je l'aperçois qui se chauffe au soleil. Je me dépêche, je prends un filin, j'accroche un hameçon, je l'appâte avec un hareng, j'accroche un flotteur puis je laisse traîner ça derrière la barque... La baleine aperçoit l'appât, elle s'en vient. Je laisse du jeu, cent pieds, deux cents pieds de ligne. La baleine avale l'appât, l'hameçon accroche.

— Quelle grosseur, ton hameçon ? demanda Vilmont Babin.

— Un gros hameçon à morue. Un pouce et demi à peu près...

— Puis l'hameçon accroche la baleine ?

— Oui.

Un éclat de rire homérique secoua le quai entier.

Ils étaient une bonne douzaine de pêcheurs à écouter Ambroise raconter son aventure. Il y avait des filles aussi, comme il y en a toujours à la rentrée des barques. Et parmi les filles, Gabrielle, qui souriait beaucoup trop souvent à Adélard ces temps-ci, au gré d'Ambroise, qui n'avait d'yeux que pour elle.

Elle écoutait le récit gravement, sans rire, à l'encontre des autres qui trouvaient l'aventure bien bonne, et vraiment trop drôle pour être vraie.

Il y avait surtout, dans les yeux de Gabrielle, un regard que le pauvre Ambroise n'arrivait pas à comprendre.
Un regard sérieux, qui allait bien avec son visage posé, avec les manières douces et distinguées de Gabrielle, des manières qui ne se mariaient certes pas avec celles, désagréables et impertinentes, d'Adélard.
Il était là aussi, riant d'Ambroise avec les autres, se moquant de lui.
— As-tu mis la baleine dans la cale de ta barque ? demanda-t-il à Ambroise. À moins que tu n'aies pas la force de monter un pareil gibier par-dessus la rembarde de ton embarcation !
Les rires décuplèrent. On vint taper l'épaule d'Adélard. Voilà qui était lui dire son fait, à Ambroise ! Voilà qui répondait bien à la galéjade !
Mais Ambroise ne perdit pas son sang-froid.
— Traitez-moi de menteur, dit-il avec dignité, ça ne me fait rien. Mais souvenez-vous de ceci : sur mon lit de mort, si ma mère se tenait près de moi et me demandait de répéter chaque mot de ce que je viens de vous raconter, je le ferais. Je ne vous ai pas menti. Mes hommes dormaient, en bas. Nous étions en chemin vers les bancs de Shippagan, et j'étais à la barre. J'ai pris une baleine... Que ceux qui ne me croient pas s'en aillent. Je sais ce que j'ai fait. J'ai capturé une baleine avec un hameçon à morue.
Puis il cracha sur le bois du quai, vira les talons et s'en fut.
Naturellement, il ne fut pas long que dans tous les villages de la côte l'on discuta de cette supposée pêche miraculeuse d'Ambroise Bourdages. Mais d'être ainsi voyagée d'un quai à l'autre, l'histoire s'amplifia, se modifia, se déforma complètement. Ce qui en revint aux oreilles d'Ambroise le laissa stupéfait.

Ce fut Clovis, le fils précieux et maniéré du banquier de Port-Savoie où habitait Ambroise, qui rapporta le premier ces échos bizarres.

— Sais-tu ce qu'on raconte à Paspébiac ? dit-il à Ambroise. Pauvre cher ami, tu ne le croiras jamais ! C'est bien effrayant !

— Qu'est-ce qu'on rapporte ?

— Je dis que c'est effrayant, mais c'est plutôt drôle, vois-tu.

— Disons que c'est drôle, mais qu'est-ce qui se rapporte ?

Clovis eut un geste de grande lassitude, selon sa manière.

— Mon Dieu que t'es donc tannant d'être pressé de même... Il paraîtrait que tu as capturé une baleine avec tes deux mains nues, que tu la retenais par la seule force de tes muscles, que tu t'es battu comme un diable pour essayer de l'embarquer par la queue dans ta barque, mais finalement elle t'a échappé.

Ambroise eut un long gémissement.

— Ah ! non, non ! Ils se moquent de moi !

Gabrielle sortait justement du magasin de la Compagnie. Ses cheveux flottaient au vent et son sourire était une fleur de soleil.

« Comme elle est belle, songea Ambroise, si grande, si élégante. Si au moins elle pouvait m'aimer ! »

Mais comme elle passait à côté d'Ambroise, elle eut un rire bref, sarcastique.

— Il faut que j'apporte les preuves de mon histoire ! s'écria Ambroise quand Gabrielle se fut éloignée. Toi, Clovis, tu ne passes pas pour un menteur ! Fils de banquier, tu ne peux pas mentir !

— Évidemment, fit Clovis, que je ne peux pas mentir. C'est pas beau, mentir. D'ailleurs, je ne voudrais pas déshonorer mon père.

— Bon... Voilà ! Alors demain, nous irons au large, toi et moi. Tu seras mon témoin. Nous allons capturer une autre baleine. Et cette fois, elle ne m'échappera pas !

Ils mirent cap au large le lendemain, et la mer était grosse, maussade malgré le beau soleil. La barque roula et tangua pendant sept longs milles. Et voilà qu'au bout de ce trajet, ils aperçurent la colonne de vapeur émise par une baleine jouant sur la vague à six brasses de la barque.

Pour résumer les aventures de cette journée, disons qu'en déployant toute son habileté de pêcheur, Ambroise réussit à capturer la baleine à l'aide d'un hameçon à morue. Ce ne fut pas sans peine. Le monstre marin leur donna une magnifique démonstration de sa force et de son agilité. À trois reprises, plongeant à une vitesse vertigineuse pour tenter de se débarrasser de l'hameçon, la baleine faillit faire chavirer la barque. Mais elle se fatigua finalement, et revint docilement à la surface. Ambroise attacha le filin et prit la barre. Lentement, il remorqua sa proie vers la rade de Port-Savoie.

La baleine faillit faire chavirer la barque.

En lui montait une grande joie. C'en était fait de tous les doutes, de tous les sarcasmes. Même Gabrielle devrait se rendre à l'évidence que lui, Ambroise Bourdages, n'avait pas menti en racontant sa capture d'une baleine. Il avait si peu menti qu'une semaine plus tard, retournant en mer, il en capturait une autre.

Voilà qui ferait taire les mauvaises langues.

Et voilà aussi qui ferait de lui le meilleur pêcheur et l'homme le plus respecté de la côte.

Ce n'est pas tous les jours qu'un homme va capturer une baleine à l'aide de moyens aussi simples. Et s'il y a là-dedans un élément de chance, il y a aussi un élément de science et de savoir-faire qui n'est pas à dédaigner.

Mais alors qu'un mille seulement les séparait de Port-Savoie, voilà que la baleine se mit soudain à gambader. Puis, avec un magistral éternuement, elle cracha l'hameçon, prouvant par là qu'elle n'avait voulu que s'amuser et qu'elle aurait pu, bien avant, se libérer si elle l'avait voulu.

Puis, elle plongea et disparut sous l'eau.

Cette défection cependant n'émut pas trop Ambroise.

Il avait un témoin à ses côtés. Un homme franc, un fils de banquier, quelqu'un qui pourrait corroborer son histoire et que l'on croirait sans discussion. En sautant sur le quai, il poussa un grand cri.

— Ohé !

Une cinquantaine de personnes au courant de l'expédition se tenaient là, attendant le retour d'Ambroise et de Clovis.

Même Gabrielle y était.

Rapidement, Ambroise raconta l'aventure. Il en décrivit tous les détails. Puis quand les éclats de rire fusèrent :

— Écoute Ambroise, dit Vilmont Babin, une fois ça passe, mais deux fois la même menterie, ça ne colle pas !

D'un geste magnifique, Ambroise étendit le bras vers Clovis.

— Clovis était là. C'est mon témoin. Un témoin honorable. Il a tout vu. Lui peut vous dire que la même baleine a réussi à se libérer à peine à un mille d'ici, au large.

Mais Clovis arbora un sourire qui était plutôt un rictus. Puis de sa voix fluette il déclara :

— Ambroise est un menteur. Je ne l'ai jamais vu capturer une baleine !

Les cris et les menaces qui accompagnèrent cette déclaration prirent une telle proportion que le pauvre Ambroise, atterré par la duplicité de Clovis, ne trouva pas mieux que de s'enfuir à toutes jambes.

Deux heures plus tard, il osa se montrer dehors. Clovis était debout devant le bureau de poste. Ambroise se hâta de le rejoindre. Le jeune homme l'attendit sans bouger.
— Serpent ! lui cria Ambroise. Faux témoin ! C'est pire encore que du parjure ! Je vais te faire arrêter !
— Un moment, mon ami, dit Clovis dignement. Il y a quelque chose que tu ne sais pas. Moi aussi, j'ai l'œil sur Gabrielle. Crois-tu que j'allais te laisser l'impressionner avec tes histoires de pêche à la baleine ? J'ai décidé de combattre... avec mes propres armes ! Les fortunes de la guerre, mon vieux, je regrette.
Mais Ambroise était déjà parti, il était désespéré. Il était cerné, traqué. Adieu les beaux rêves ! Il avait perdu Gabrielle à jamais aux hommes plus rusés, Clovis entre autres, et, Adélard. Lui, Ambroise, se battait contre des ombres.
De nouveau il courut à la maison s'y réfugier.
Mais en entrant, soudain le soleil réapparut, la joie reprit espoir : Gabrielle était là, dans la cuisine, avec la mère d'Ambroise.
— Ah...! fit Ambroise... Gabrielle ?
Elle lui souriait.
— Ambroise, je t'en prie, excuse-moi, pardonne-moi... Je te méprisais pour ton mensonge au sujet de la baleine.
— Mais, fit Ambroise, ce n'était pas un...
Gabrielle l'interrompit du geste.
— Quand tu as tenté de le raconter une deuxième fois aujourd'hui, j'ai été dégoûtée, je l'avoue. Je savais que tu cherchais à m'impressionner... Mais quand je suis revenue à la maison, je me suis mise à réfléchir. Sais-tu, Ambroise, à quelle conclusion j'en suis arrivée ?
— Non... non.

— Une fille a de la chance qu'un gars brave ainsi l'opinion des gens seulement pour elle, pour l'impressionner, pour la gagner...
Ambroise allait protester de façon véhémente encore une fois, quand soudain il se ravisa. Un regard rusé, calculateur lui apparut dans les yeux. C'était donc de ce côté que le vent tournait ? Ah, tiens...?
— Gabrielle, dit-il doucement, c'était le moins que je pouvais faire. Un mensonge comme ça au sujet d'une simple morue, ça n'était pas assez... assez digne !... Concernant une baleine, concernant une pêche impossible... Question de valeur, d'équilibre... tu comprends ?
— Mais oui, je comprends. C'est pour ça que je suis ici...
Alors Ambroise la prit par la main, il la conduisit dehors, dans le village, et s'y promena avec elle, que tous voient bien qu'il venait tout de même de réussir la plus belle prise de sa vie... et au diable la baleine !

Ukaliq au pays des affaires perdues

Adapté d'un conte inuit par Henriette Major.

Les Inuits vivent dans les régions arctiques situées au nord du 55e parallèle. Les Inuits parlent l'inuktitut. Autrefois, ils vivaient dans des iglous et se déplaçaient en traîneau sur la neige et en kayak sur la mer. Les animaux familiers de ces régions sont les ours blancs, les phoques et les morses, les renards arctiques, les lagopèdes, les lemmings, les oies qui migrent et, bien sûr, les baleines.

Très souvent les contes et récits inuits expliquent les caractéristiques du monde d'aujourd'hui : ils avaient et ont parfois encore des fonctions bien précises correspondant à chaque étape d'apprentissage des jeunes.

À partir de
7 ans

5 min

Grand Nord
Mer

Baleine
Garçon
Parents

Ukaliq est un garçon inuit. Il vit dans le Grand Nord. Dans ce pays, c'est presque toujours l'hiver. Le père d'Ukaliq est un chasseur. Il s'en va souvent à la chasse au phoque avec les autres hommes du village. La mère d'Ukaliq est très occupée aussi : elle fabrique des vêtements chauds pour Ukaliq et son père. Dans ce pays où il fait très froid, on ne pourrait pas survivre si on n'était pas habillé chaudement. Ukaliq n'a pas d'amis de son âge et il s'ennuie souvent. Son père le trouve trop jeune pour l'emmener à la chasse. Sa mère n'aime pas qu'il traîne dans la maison. Souvent, elle lui dit :

— Va jouer dehors, Ukaliq. Mais ne t'éloigne pas, car tu serais ramassé par le Grand Faucheur. Le Grand Faucheur ramasse tout ce qui est perdu. Il apporte tout ce qu'il ramasse au pays des affaires perdues.

— Je vais faire bien attention, dit Ukaliq en sortant.

Rendu dehors, Ukaliq essaie de jouer tout seul. Il se fabrique un ami en neige, mais cet ami ne peut ni sauter, ni courir, et Ukaliq s'en fatigue vite.

Tout à coup, Ukaliq aperçoit un lièvre qui se cache derrière une butte de neige. En langue inuit, lièvre se dit « ukalik ». On a donné au petit garçon le nom d'Ukaliq c'est-à-dire lièvre.

— Bonjour, Lièvre, lui dit Ukaliq. Sais-tu que je porte le même nom que toi ? J'aurais mieux aimé m'appeler Ours ou Hibou. L'ours est fort, le hibou est sage. Mais toi, Lièvre, tout ce que tu sais faire, c'est courir.

À ce moment-là, le lièvre se met à courir. Ukaliq court après lui. Il court longtemps, mais le lièvre s'en va toujours plus loin.

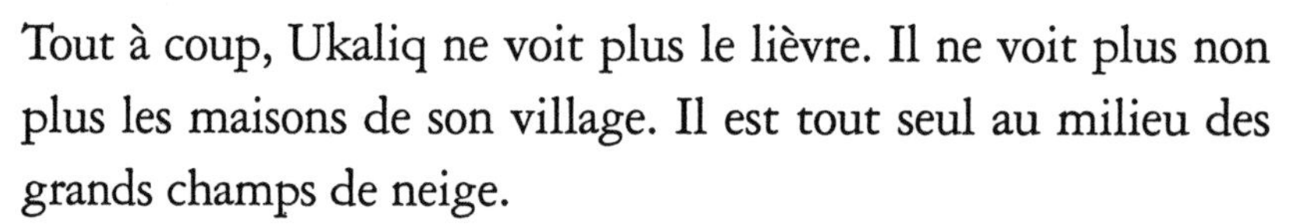

Tout à coup, Ukaliq ne voit plus le lièvre. Il ne voit plus non plus les maisons de son village. Il est tout seul au milieu des grands champs de neige.

— Je suis perdu, se dit Ukaliq. Si le Grand Faucheur me trouve, il m'emmènera au pays des affaires perdues. Il faut que je retrouve mon chemin.

Ukaliq ne sait pas de quel côté se diriger. Il aperçoit un vol d'oies sauvages. Il leur crie :

— Où allez-vous ?

Elles répondent en volant :

— Nous fuyons la longue nuit.

Il aperçoit un vol d'oies sauvages.

Ukaliq se rend compte que bientôt, la longue nuit va commencer. Dans ce pays, il fait nuit pendant plusieurs mois, et ensuite il fait jour pendant les mois suivants.

Ukaliq se dit : « Si je suis perdu pendant la longue nuit, j'aurai beaucoup de mal à me rendre jusqu'à mon village. Il faut que je retrouve ma maison au plus tôt. »

Il se met à marcher. Il rencontre bientôt un drôle de personnage. Il lui demande :

— Qui es-tu ?

— Je suis l'Esprit des rêves, répond le personnage. Pendant la longue nuit, je me promène un peu partout. Je cherche des compagnons de jeux. Je connais des jeux merveilleux. Veux-tu jouer avec moi ?

Ukaliq aimerait bien jouer avec l'Esprit des rêves. Mais il a autre chose à faire.

— Je ne peux pas jouer avec toi, il faut que je retrouve mon chemin, dit-il.

Il continue à marcher dans la neige. Il marche jusqu'au bord de la mer. Il perçoit une île pas très loin du bord de l'eau. Il saute sur cette île. Mais l'île se met à bouger : Ukaliq est installé sur le dos d'une baleine blanche. La baleine lui demande :

— Qu'est-ce que tu fais sur mon dos ?

Ukaliq répond poliment :

— Excusez-moi. Je croyais que votre dos était une île.

— Où t'en vas-tu ?

— Je m'en vais chez moi, dans mon village.

— De quel côté se trouve ton village ?

— Je ne sais pas.

— Tu es donc perdu !

En disant ces mots, la baleine fait tomber Ukaliq dans la mer. Ukaliq descend tout au fond de la mer. C'est là que se trouve le pays des affaires perdues. Le Grand Faucheur l'attend avec un grand filet.

Dans le filet, le Grand Faucheur a déjà ramassé toutes sortes d'affaires perdues : des traîneaux, des mitaines, des outils, des jouets, des raquettes. Il attrape Ukaliq dans le filet.

« Me voilà donc au pays des affaires perdues, se dit Ukaliq. Je ne reverrai jamais plus maman et papa. »

Tout à coup, Ukaliq aperçoit, au milieu des autres affaires, son vieil ours en peau de phoque !

— C'est mon ours ! C'est Nanok ! s'écrie-t-il ! C'est l'ours que maman m'avait fabriqué quand j'étais petit. J'ai retrouvé mon ours !

En disant ces mots, Ukaliq se met à réfléchir, il se dit : « Cet ours n'est pas perdu puisque je l'ai retrouvé ! »

Il va voir le Grand Faucheur.

Il lui demande :

— Grand Faucheur, est-ce qu'une affaire peut être en même temps perdue et trouvée ?

— Mais non, répond le Grand Faucheur, une affaire est ou bien perdue, ou bien trouvée. Elle ne peut pas être perdue et trouvée en même temps.
— Alors, dit Ukaliq, mon ours ne vous appartient plus. Il n'est plus perdu car je l'ai retrouvé !
— C'est vrai, dit le Grand Faucheur.
Et il soulève un coin du filet pour laisser sortir l'ours Nanok. Mais Ukaliq en profite pour sortir en même temps. Il nage très vite vers le rivage et il traîne après lui le filet rempli d'affaires perdues. Rendu sur la terre ferme, il se met à courir ; il tire toujours le filet qui glisse sur la neige.
Maintenant qu'il s'est échappé du pays des affaires perdues, Ukaliq se rappelle de quel côté se trouve sa maison. Il court sans s'arrêter jusqu'à son village. Là, il ouvre le filet et distribue les affaires perdues à tous ceux qui en ont besoin.
Tout le monde s'écrie :
— Ukaliq est revenu ! Ukaliq est retrouvé !
Sa mère et son père sortent de leur maison et viennent à sa rencontre. Comme ils sont heureux de le retrouver !
— Tu ne t'ennuieras plus, Ukaliq. Pendant ton absence, il nous est arrivé un bébé. Tu as maintenant une petite sœur. Tu auras une compagne de jeu.
Depuis ce temps, on raconte aux enfants inuits l'histoire d'Ukaliq, le garçon courageux qui a su échapper au Grand Faucheur.

Histoires à dormir debout

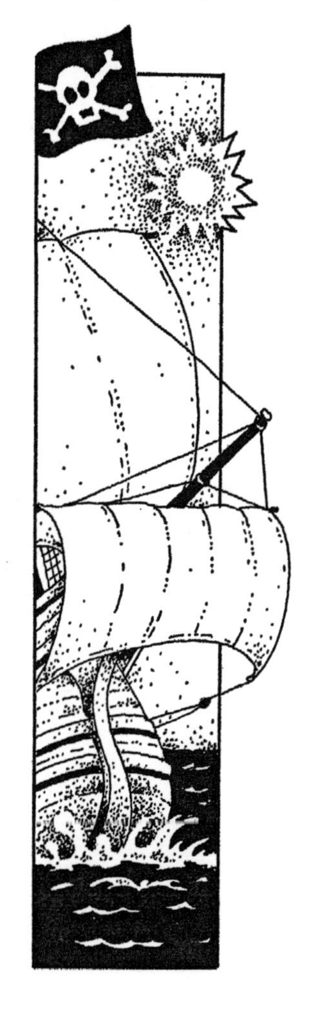

Le Loup-Garou

Adapté de contes populaires transmis par Wenceslas-Eugène Dick (1848-1919) et Pamphile Lemay (1837-1918).
Les histoires de loups-garous font toutes référence à la même croyance : celui qui ne fait pas ses pâques sept ans de suite se voit métamorphosé en loup féroce dont les yeux rouges flamboient pour la durée de la nuit. Le jour, le mécréant reprend forme humaine : pour le délivrer de ce sort il faut lui tirer du sang. On dit de quelqu'un qui subit cette transformation qu'il « court le loup-garou ».

À partir de 6 ans

8 min

Écurie
Maison

Jeune fille
Jeune homme
Loup-garou

Dans le village et les alentours tout le monde savait ce qu'était un loup-garou même si la plupart des paroissiens n'en avaient jamais vu. Les farauds avaient beau crâner parfois quand ils avaient bien bu, et rire de ces « histoires de peur » racontées par les vieilles, quand il s'agissait du loup-garou, un petit frisson leur parcourait l'échine. Et sans le dire, des hommes et des jeunes gens, rentrant la nuit d'une veillée dans un village voisin, évitaient les fermes où veillaient des chiens noirs. On n'était jamais trop sûr…

Aussi les parents surveillaient les jeunes qui dansaient dans les veillées, les filles surtout, de crainte qu'elles ne s'amourachent d'un « bambocheur*», d'un garçon qui risquait sa vie éternelle en blasphémant, et pire : en négligeant de faire ses pâques !

Les pratiques religieuses tenaient une grande place dans la vie des gens et les curés ne se gênaient pas pour promettre l'enfer aux hommes et aux femmes qui négligeaient leurs devoirs de religion. Et pourtant, un jour, Firmin Jambette eut l'occasion de voir de près un loup-garou. Ce fut à l'occasion d'un mariage.

Dans le village, une jeune fille nommée Catherine Miquelon était arrivée à l'âge de se marier. Les prétendants ne manquaient pas. Et voici que, pendant le carnaval, elle assista avec ses parents à une fête de famille chez des parents de l'autre côté du fleuve Et là, elle reçut les attentions d'un jeune homme de Cap-Santé, un garçon du nom de Misael qui la fit danser dix fois plutôt qu'une. Lors du réveillon, assis en face d'elle, il lui proposa :

— Après la fête, si vous le voulez bien, je vous raccompagnerai chez vous. J'ai un beau petit cheval bai et ma carriole est fraîchement repeinte.

Catherine donna son accord en ajoutant :

— Si mes parents le veulent bien, je viendrai avec vous.

Et la fête finie, la carriole blanche attelée au beau petit cheval bai suivit les autres qui traversaient le fleuve sur le pont de glace. La route était balisée d'épinettes* et la glace était épaisse. Et le cheval connaissait son chemin si bien que Misael avait tout le loisir de courtiser la belle Catherine et de la protéger du vent avec la grosse peau d'ours. Il fallait entendre, en plus du son des grelots de cuivre de l'attelage, le trot rapide des chevaux et le chant des lisses d'acier sur la route sonore. Le voyage sur le fleuve ne parut pas long et comme l'époque était aux réjouissances au milieu du carême, Misael resta à la ferme pour enterrer le mardi gras avec sa nouvelle amie. C'est à la veillée que Firmin Jambette rencontra le « nouveau » et devint son ami.

Et au bout d'un an, ne soyons pas surpris, on annonça les fiançailles de Catherine et de Misael.

Nous étions donc arrivés à la veille du mariage. Le troisième ban avait été publié du haut de la chaire. Le promis était arrivé chez sa future avec son garçon d'honneur, son père et plusieurs de ses amis. Chacun se disputait le plaisir de les héberger. Ils commencèrent par célébrer la mariée et se rendirent donc, le violoneux en tête, chez le père Miquelon. Ils venaient dire un tendre adieu à la jeune fille et lui faire des souhaits qui jetteraient un peu de trouble dans son cœur ! Les noces allaient être joyeuses : elles commençaient si bien ! Les violons vibraient sous le crin rude des archets. Les danses faisaient entendre au loin leurs mouvements rythmés comme si les pieds retombant en mesure sonnaient comme les fléaux des batteurs de grain. Or, pendant que le rire s'épanouissait comme un rayonnement sur les figures animées et que les refrains allègres se croisaient comme des fusées dans l'atmosphère chaude, le premier coup de minuit sonna. Le « marié » s'esquiva sournoisement. Il sortit de la maison.

Minuit ! C'était l'heure du départ. Les violons se turent. Le garçon d'honneur s'avança alors dans la foule et demanda :
— Le marié est-il ici ? Il faut qu'il me suive : il est encore mon prisonnier. Demain une jolie fille le délivrera.
Ce fut alors un éclat de rire. Puis, après un moment, l'un des convives dit qu'il l'avait vu sortir, tête nue, au coup de minuit, par la porte de derrière.
On attendit quelques instants puis le garçon d'honneur entrouvrit la porte et jeta un coup d'œil au dehors. Il ne vit personne. Il sortit. Au bout d'un quart d'heure, il revint, seul.
— C'est singulier, remarqua-t-il.
— L'avez-vous appelé ? demanda Firmin.
— Oui, mais sans succès comme vous voyez.
Catherine, la future, devenait inquiète.
— Il va rentrer, disait-on. Il ne peut rien lui arriver de fâcheux la veille de ses noces ! Et en plus, il est sorti sans chapeau !
— Qui sait ? un étourdissement... une chute...
Tous les hommes se mirent à chercher. Ils cherchèrent dans la grange, sur le foin, dans la tasserie*, dans les crèches, partout. Une heure sonna et Misael n'était pas revenu. Des femmes se mirent à pleurer. Catherine était pâle et une horrible angoisse lui serrait le cœur. Firmin, qui cherchait son ami dans une remise, pensa soudain qu'il était peut-être allé à l'écurie où se trouvait le jeune cheval bai dont il était si fier. Il s'y rendit et comme il levait le crochet de fer qui tenait la porte fermée il entendit marcher derrière lui sur la neige. Il crut d'abord que c'était quelqu'un de la noce. Il se retourna pour l'interpeller. Et dans la noirceur que le sol couvert de neige éclairait un peu, il vit venir vers lui une bête de la taille d'un gros chien. Elle était noire avec des yeux rouges flamboyants qui éclai-

L'animal s'avançait vers lui et le regardait.

raient comme des lanternes. Il resta là, figé de peur, incapable de bouger.

L'animal s'avançait vers lui et le regardait. Puis, il ouvrit sa gueule et montra des crocs menaçants. Firmin ressentait une peur épouvantable ; il se dit qu'il allait être dévoré par ce loup affamé et que c'en était fait de sa vie.

Mais l'instinct de conservation lui revint tout à coup ; il fit sauter le crochet de fer et entra dans l'écurie. Le loup entra à sa suite. Firmin fit le signe de la croix et, malgré sa peur, il sortit son couteau de sa poche et s'apprêta à défendre sa vie, coûte que coûte.

L'animal se dressa et lui mit ses pattes velues sur ses épaules tandis qu'il allongeait, comme pour le mordre, son museau pointu d'où s'exhalait un souffle brûlant. Firmin frappa. Le couteau atteignit l'épaule du loup et fit couler le sang.

Aussitôt la bête disparut et un homme blessé à l'épaule surgit on ne sait d'où.

— Vous m'avez délivré, fit l'homme.

Et à ce moment, Firmin reconnut Misael !

— Comment, Misael, c'est vous ?

— Oh ! n'en dites rien, s'il vous plaît !

— Vous courez le loup-garou ? Qui aurait pensé cela ! s'écria Firmin.

Et, reprenant ses esprits, il pensa à la noce, à Catherine. Allait-elle donc épouser un mécréant qui n'avait pas fait ses pâques depuis plus de sept ans ? Il ne savait plus quoi faire et que penser quand Misael dit à voix basse :

— Je vais aller à confesse demain, je le jure. Ne dites rien, je promets de changer de vie. Je serai un bon chrétien à l'avenir.

— Le jurez-vous ? fit Firmin.

— Je le jure !

— Si vous ne tenez point votre parole, je dirai tout ! dit Firmin. Et le mariage n'aura pas lieu.
— C'est promis.
Pendant ce temps, dans la maison du père Miquelon, la plupart des hommes étaient rentrés. Ils causaient à voix basse comme auprès d'un mourant. Tout à coup, la porte s'ouvrit et le « marié » parut. Il était livide. Du sang coulait le long de son bras et tombait goutte à goutte du bout de ses doigts glacés. Firmin le suivait sans dire un mot avec un visage blême et l'air hébété d'un homme qui ne sait pas s'il dort ou s'il veille.
— D'où viens-tu, Misael ? Que t'est-il donc arrivé ? demanda le garçon d'honneur.
Assez gauchement, il dit :
— J'avais senti un malaise et je suis sorti pensant que l'air froid me ferait du bien. Je suis tombé sur la glace et me suis blessé à l'épaule. J'ai dû perdre connaissance...
Firmin le regardait avec des yeux animés. Il laissait voir, par des signes de tête et des haussements d'épaules, qu'il en connaissait long. Mais il ne dit rien. On pansa la blessure. On aurait dit un coup de couteau. Il y a des glaçons qui tranchent comme un poignard.
On but une dernière rasade et chacun alla se coucher.
Le lendemain les cloches carillonnèrent pour le mariage de Catherine et de Misael. Avant de se présenter à l'autel, Misael passa par le confessionnal sous l'escorte de Firmin. Il y resta longtemps.
Ce fut une belle noce. Tout le monde dansa à la santé des nouveaux époux. Et Firmin Jambette garda son secret pour lui tout au long de sa vie. Ce n'est que sur son lit de mort qu'il raconta cette histoire de loup-garou...

La Traversée du père Dargis

Adapté d'un conte populaire.

Les feux follets sont des flammes errantes qui terrorisent les voyageurs imprudents qui se hasardent la nuit sur les chemins. Selon la croyance populaire d'autrefois, ces feux étaient les âmes de défunts qui avaient trépassé en mécréants. Ils égaraient les voyageurs et souvent les faisaient tomber dans des précipices. Même ceux qui voyageaient en canot sur l'eau n'étaient pas à l'abri de leurs malices. Le père Dargis de Trois-Rivières eut affaire, une nuit, à un feu follet particulièrement entreprenant.

À partir de 6 ans

3 min

Fleuve

Feux follets
Homme

À Trois-Rivières, sur le bord du fleuve Saint-Laurent, vivait le père Dargis. C'était un costaud, celui-là, un vrai colosse qui n'avait peur de rien et que les histoires de feux follets et de revenants faisaient rigoler.

Un soir, il chargea son canot de trente minots* de blé pour aller le faire moudre au moulin du Cap-de-la-Madeleine qui était situé en face, sur la rive opposée du fleuve. Cette opération prit plus de temps que prévu et le père Dargis ne put quitter la rive qu'à la nuit tombée. Traverser le fleuve dans le noir ne le préoccupait guère ; il avait franchi des périls et pour la force, il en valait deux.

Il prit l'aviron et travailla ferme jusqu'au chenal au milieu du cours d'eau. Son canot filait à vive allure. Et soudain, il sentit son canot s'immobiliser d'un seul coup. Il n'y avait ni écueil ni monstre marin qui auraient pu l'arrêter mais de toute façon, on n'y voyait rien, la lune étant cachée derrière les nuages. Un malaise s'empara de lui ; c'était peut-être même une certaine frayeur car le père Dargis savait bien, comme tout le monde, que les feux follets habitaient l'eau profonde. Et ici, au mitan* du fleuve, elle était profonde, c'était certain. Le père Dargis n'avait pas l'habitude de porter foi aux mille épeurances* qu'on racontait dans les villages mais, cette fois, il se mit à réfléchir. Il se souvint d'avoir entendu dire que si on appelait les feux follets du nom offensant de « culs grillés », toute leur troupe se mettait en branle et pouvait le transporter avec son canot d'un seul trait sur la rive opposée. « Bah ! se dit-il, ce sont des contes ! Mais si c'était vrai ? » Et de sa grosse voix qui grondait comme le tonnerre, il répéta trois fois :

— Hé ! Culs grillés, je vous attends, les culs grillés !
Sa voix n'était pas encore éteinte dans sa gorge qu'un feu follet se mit à danser à la pince* de son canot. Le père Dargis fut frappé de stupeur et avant qu'il pût réagir le feu follet lui donna un soufflet qui le renversa et lui fit perdre connaissance.

Combien de temps le père Dargis resta-t-il ainsi au fond de son canot ? Nul ne peut le dire. Mais lorsqu'il s'éveilla, il s'aperçut que sa traversée était faite : il était rendu avec son canot sur la rive Nord du fleuve à quelque cent pieds du moulin.

« Les feux follets sont bienfaisants, je m'en souviendrai », se dit-il tandis qu'il se préparait à transporter ses sacs de blé. Mais il ignorait que les feux follets contrôlaient ses moindres gestes pour la durée de la nuit. Il eut beau essayer tant et plus, il ne put déplacer un seul sac de blé ni aller au moulin voisin où brillait une accueillante lumière pour raconter sa mésaventure. Ce n'est qu'au point du jour qu'il put accomplir sa tâche. Et, aussitôt son blé moulu, il s'en revint tranquillement de l'autre côté du fleuve.

Jamais plus, le père Dargis ne s'aventura sur le fleuve à la nuit tombée, et l'on raconte que, depuis cette traversée du fleuve, il est devenu très peureux : un rien l'effarouche, même la flamme d'une bougie dans une fenêtre.

Le Passager clandestin

Adapté d'un conte populaire.

Il était fréquent, pour les voyageurs d'avant l'époque des autoroutes, d'avoir à traverser des forêts sombres en roulant sur des chemins isolés, dans des voitures tirées par des chevaux. Les voyageurs, la nuit tombée, étaient heureux de faire halte dans des auberges. Mais c'est là que, parfois, des farceurs et des joueurs de tours s'amusaient à leurs dépens.

À partir de
7 ans

8 min

Auberge
Route

Chien
Cocher
Fantôme
Garçon
Sœur

Je me doutais bien qu'un jour – ou plutôt une nuit – il se passerait quelque chose de terrible à cause de toutes ces âmes en maraude. Mais je ne pensais jamais que j'y serais mêlé de si près.

Moi, Grégoire Bérubé, j'habite avec ma famille sur le Chemin Long près du cap Saint-Ignace. Mes parents sont aubergistes. Quand on vit dans une auberge, on ne s'ennuie jamais. Il y a toujours du monde. Avec ma sœur Adeline, je prends plaisir à conduire les chevaux à la remise quand les cochers nous les confient. Parfois, il y a dix voitures qui s'arrêtent chez nous en même temps.

Le soir, cachés en haut de l'escalier, on écoute les conversations qui montent de la salle tandis que les hommes jouent aux cartes. Tous les placoteux* et les farceurs du canton se rencontrent ici. On en entend des commérages, des potins et des histoires de peur !

L'autre jour, Déodat, le cocher du docteur, a raconté une histoire terrifiante. Il paraît que, la nuit qui précède la Toussaint, ceux qui sortent après la tombée du jour peuvent être poursuivis par les âmes des pécheurs. Ces âmes toutes noires cherchent à s'emparer de celles des vivants pour essayer d'entrer au paradis. Elles suivent les voyageurs sur les routes désertes jusqu'à ce qu'elles les rattrapent…

— Tu sais bien que ce sont des inventions, ces histoires-là, Déodat !

— Non, c'est vrai, je te le jure.

— Eh bien, moi, je n'en crois rien.

— J'ai entendu dire, a continué le gros Narcisse, que si les âmes s'approchent assez près, elles peuvent te jeter un sort ou te transformer en hibou pour le restant de tes jours !

— Voyons, voyons ! Et elles ont l'air de quoi, ces âmes ?

À ce moment, la porte de la salle s'est ouverte et madame Bellavance est entrée avec son mari, Hector. Madame Bellavance est une dame corpulente et fort riche. Elle portait un curieux chapeau qui nous a fait pouffer de rire et un énorme manchon en peau d'ours qui, paraît-il, fait l'envie de toutes les dames des alentours.

On était bien contents, ma sœur et moi, parce que le cocher des Bellavance est notre ami. Il s'appelle Roberge. Vite, on est sortis par-derrière pour le saluer après avoir chipé deux morceaux de sucre pour Bélise, la jument.

Plus tard, les discussions à propos des âmes errantes ont repris de plus belle :

— D'horribles bêtes noires, sans pattes ni bras, suivent les voitures sans relâche… expliquait le gros Narcisse.

— Alors, demain, après le coucher du soleil, il ne faut plus sortir.

— Et pourquoi donc ? demanda Roberge qui venait d'arriver.

— C'est veille de la Toussaint. Si tu veux que les âmes te courent après…

— Ha ! Ha ! Ha ! Je n'ai pas peur d'elles et je sais quoi dire pour les chasser :

Rabistaqui
Gripette et mistigri,
Sacatabi
Retire-toi d'ici !

Avec ça, rien à craindre. Pas une âme ne va me courir après ! s'écria Roberge.

J'aurais pu passer encore des heures à écouter les histoires des gens d'en bas, mais maman nous a découverts en montant chercher les édredons de plume pour madame Bellavance, et il a fallu regagner notre soupente.

Le lendemain, comme convenu, on a brossé Bélise, puis on s'est mis à explorer les carrosses et toutes les voitures stationnées dans la cour. Tonnerre – c'est ma chienne – nous suivait partout en lançant des petits cris de joie. Vers la fin de l'après-midi, on a décidé de jouer à la cachette.

Quand ce fut mon tour de me cacher, j'ai cherché un bon coin. J'ai trouvé : j'ai grimpé dans la berline des Bellavance avec Tonnerre et, tous les deux, on s'est enfouis sous la couverture de laine. On a attendu qu'Adeline nous cherche.

Puis, j'ai entendu monsieur Bellavance dire à Roberge :

— Attelle Bélise. Ma femme ne se sent pas bien. Il faut que tu ailles tout de suite chez l'apothicaire chercher des poudres de gingembre et de romarin.

Ça me plaisait bien de faire une petite promenade en secret.

Quand ils ont entendu ça, les joueurs de cartes se sont écriés :

— Tu ne vas pas sortir pendant la nuit des âmes, Roberge ?

— Les mistigris vont t'attraper !

En effet, aucun d'eux ne voulait se retrouver dehors cette nuit-là. Mais Roberge avala son dernier verre de rhum et les salua en disant :

— Bandes de peureux ! Deux lieues pour aller, deux lieues pour revenir ; je serai de retour avant que vous n'ayez fini votre partie !

J'ai entendu des pas près de ma cachette : j'ai pensé que c'était Adeline qui me cherchait, alors j'ai retenu mon souffle. Puis, tout d'un coup, la berline a bougé et j'ai compris que Bélise trottait sur le chemin. Fallait-il rester caché ou sortir ? J'ai soulevé la couverture : la berline était vide. Roberge tenait les rênes. Alors j'ai souri ; ça me plaisait bien de faire une petite promenade en secret. J'ai songé : « Je vais lui faire une jolie surprise ! Et Adeline va me chercher un fameux bout de temps ! »

On roulait à vive allure et Roberge sifflotait. Tonnerre s'était endormie. On s'est arrêtés à la maison de l'apothicaire. J'ai murmuré tout bas :

— Dans trois minutes, je sors de ma cachette.

Quand Roberge est revenu avec un paquet dans les mains, j'ai montré ma tête et j'ai crié :

— Coucou !

— Qu'est-ce que tu fais ici ? Petit coquin, va…

Nous avons bien ri tous les deux et j'ai pris place auprès de lui.

— Heureusement, je ne vais pas bien loin. Dans une petite heure, nous serons de retour à l'auberge.

On a fait demi-tour. La neige a commencé à tomber : il faisait presque nuit. Roberge m'a laissé conduire Bélise et j'étais bien content. Tout à coup, au carrefour, on a entendu un curieux grognement. Roberge a sursauté :

— Qu'est-ce que c'est ?

Je me suis souvenu de Tonnerre.

— C'est Tonnerre ; je l'ai emmenée, elle aussi.

Tonnerre grognait de plus belle. Derrière la berline, on a vu… une grosse bête toute noire qui nous suivait. Tonnerre s'est dressée puis s'est mise à japper comme une folle.

Roberge, malgré ses fanfaronnades, tremblait comme une feuille. Il m'a arraché les guides des mains et a lancé Bélise à toute vitesse sur le chemin désert.

Son visage était blême. Il se retournait sans cesse. J'ai regardé à mon tour derrière la voiture et j'ai constaté que l'énorme bête noire se rapprochait de plus en plus. Jamais je n'ai eu aussi peur…

Est-ce que j'allais être transformé en hibou ?
Est-ce que l'âme noire allait m'emporter au royaume des morts ?
J'ai crié à Roberge :
— Vite, dis la formule !
Il a bafouillé :

Rastaquouère
Pet gris... mistinoir,
Sac à tabac
Va t'en voir...

Il mélangeait tout et répétait tout de travers. Moi, je ne me souvenais plus de rien.
La berline roulait à fond de train, et Tonnerre hurlait plus qu'elle ne jappait. Bélise était couverte de sueur. Tout à coup, Roberge s'est écroulé sur moi.
Est-ce que l'âme noire lui avait jeté un sort ? Il ne bougeait plus. La porte de la berline s'est ouverte avec fracas. La couverture de laine traînait par terre.
Je ne pensais qu'à une chose : rentrer à la maison. J'ai aperçu à travers les arbres du bois les lumières de l'auberge. J'ai employé tout ce qui me restait de force pour saisir les rênes des mains inertes de Roberge.
C'est Tonnerre qui m'a sauvé. Elle se moquait bien des histoires de fantômes et de revenants, elle. D'un énergique coup de reins, elle a bondi hors de la voiture et s'est jetée sur la bête qui nous poursuivait. Bélise a henni de frayeur et s'est cabrée. Moi, j'ai fermé les yeux.
Je crois bien que Bélise est entrée dans la cour toute seule. Quand j'ai réalisé où j'étais, j'ai traîné Roberge jusqu'à la

porte. Les curieux se massaient aux fenêtres et n'osaient pas ouvrir.

C'est mon père qui a ouvert. À travers mes sanglots, j'ai essayé de raconter notre aventure, de décrire la bête monstrueuse qui nous avait poursuivis. On avait étendu Roberge sur un banc mais il n'avait pas repris conscience.

Soudain, ça s'est mis à gratter à la porte. Un silence glacial s'est abattu sur nous.

— N'ouvrez pas ! chuchota quelqu'un. C'est l'âme qui revient.

La porte, mal verrouillée, s'est ouverte en grinçant : on a vu entrer Tonnerre qui tenait dans sa gueule… le manchon en peau d'ours de madame Bellavance, tout crotté, tout enneigé. J'ai vu, enfilée dans le gros manchon noir, une longue corde qui avait dû se casser quand Tonnerre s'était jetée sur la « bête ».

Dehors, sur les montants à l'arrière de la berline, pendaient des bouts de corde.

Je me souviendrai toute ma vie de cette nuit des âmes. À l'auberge, on en parle encore. Jamais on a su qui, parmi les farceurs et les joueurs de tours, avait manigancé cette affaire-là. Et on ne revit jamais Roberge passer par ici.

Madame Bellavance n'a plus voulu porter son manchon. On l'a laissé dans la remise : Tonnerre dort dessus.

Justement, elle vient de donner naissance à deux jolis chiots noirs comme le poêle. Je les ai appelés Gripette et Mistigri.

Tonnerre tenait le manchon dans sa gueule.

Le Trésor du buttereau

Adapté d'un récit populaire de Gaspésie et des îles de la Madeleine.
Toutes les côtes du Saint-Laurent ont été témoins de nombreux naufrages et de navigation suspecte. En effet, il y avait des pirates autrefois même au Québec ! La tradition orale veut qu'il arrivait que des poursuites ou des tempêtes empêchent les pirates d'emporter leur butin à bord. Alors, on enfouissait les trésors sous terre dans un lieu isolé avec l'idée de revenir le chercher plus tard.
Pour garder le trésor, le capitaine du navire faisait tirer les matelots à la courte paille. Il tranchait la tête de celui qui était ainsi désigné et on l'enterrait à côté du coffre pour qu'il veille à ce que personne ne vienne s'en emparer.
Aux îles de la Madeleine, de nombreuses histoires circulent qui racontent les aventures de plusieurs téméraires qui tentèrent de s'approprier des trésors enfouis par les corsaires. Les buttes et les buttereaux sont des collines sans arbres.

À partir de
7 ans

8 min

Île
Mer

Fantôme
Fils
Marins
Parents

Il était une fois, un jeune garçon, Étienne Lapierre, qui habitait aux îles à quelques pas de la mer et qui n'avait peur de rien. Quand il n'allait pas aider les pêcheurs qui rentraient avec leurs prises au quai, il allait se promener sur les buttes rondes de l'île du Havre-aux-maisons et il explorait les petits bois de conifères qui résistaient au vent furieux de ce pays. Un jour qu'il arpentait une butte en regardant la mer, il vit venir vers la côte un bateau qu'il ne reconnaissait pas. Il n'avait pas l'allure des goélettes de pêche qui vont, en saison, pêcher le hareng ou le homard.

Étienne regarda le bateau approcher et se diriger vers une petite baie protégée, cachée par un buttereau* escarpé. Il alla se cacher derrière un rocher et attendit. Bientôt, le bateau accosta. Étienne comprit en voyant les matelots et en les écoutant parler qu'ils n'étaient pas des pêcheurs des îles ni du Cap Breton mais bien des pirates !

Il se cacha encore mieux entre deux gros rochers et observa leurs mouvements. Une chaloupe fut mise à la mer avec trois marins qui transportaient un gros coffre qui semblait lourd. Les trois marins accostèrent et Étienne vit qu'ils avaient aussi une pioche et une pelle avec eux.

Ils escarpèrent* le buttereau* et l'un d'eux se mit à piocher. Ils piochèrent à tour de rôle et creusèrent un trou qui semblait bien grand au petit Étienne. Bien à l'abri dans les rochers, il tressaillait de peur car il avait compris que ces gens allaient sans doute enfouir le coffre dans la terre du buttereau* voisin et que sans aucun doute, celui-ci contenait un trésor. Ah ! Si l'on avait le malheur de le surprendre, il n'était pas mieux que mort !

Et la suite confirma ses doutes. Tout d'un coup, l'un des marins sortit un grand couteau et dans le plus parfait silence, il trancha le cou de l'autre. La tête, elle, dégringola sur les rochers abrupts et tomba dans la mer. Aussitôt les deux qui restaient saisirent le corps sans tête et le déposèrent au fond du trou avec le coffre. Étienne fut tellement surpris de ce qu'il vit qu'il resta figé dans l'horreur, seuls les battements de son cœur témoignaient qu'il était encore en vie. Les deux hommes remplirent le trou avec de la terre et des cailloux, sans dire un mot. Puis, quand le buttereau* eut repris son aspect habituel, le plus grand des deux hommes qui portait un grand chapeau posa sur le monticule une grosse roche et dit à son compagnon :

— Maintenant, c'est fait. Le trésor est en sécurité.

— Mais il est bien gardé par un gardien sans tête, est-ce bien ?

— Sans aucun doute, le diable se chargera de faire fuir quiconque aurait la hardiesse de creuser ici. Il fera sortir l'homme sans tête de terre…

Le plus grand posa une grosse roche sur le monticule.

Le compagnon frissonna. Le soleil était couché depuis longtemps et bientôt il ferait nuit. Les deux hommes jetèrent un dernier coup d'œil à l'endroit où ils avaient enfoui leur butin et descendirent vers la chaloupe pour repartir vers le bateau. Étienne entendit distinctement le plus grand, qui devait être le capitaine, dire :

— Quand le coq labourera et que la poule hersera, le trésor pourra être levé. Mais pas avant ! et personne ne pourra rien entreprendre autrement.

— On reviendra dans un an ou deux quand on aura fini les tournées dans le golfe, répliqua son compagnon.

Et les deux hommes quittèrent le rivage.

Étienne mit du temps avant de reprendre ses esprits et de sortir de sa cachette. Il faisait nuit noire lorsqu'il rentra chez lui. Il ne souffla mot à personne de son secret. Il n'oubliait pas les mots qu'il avait entendus.
Le temps passa, les saisons se succédèrent et Étienne allait souvent rôder non loin du buttereau* pour voir si la terre était remuée et si l'on était venu lever le trésor. Mais rien ne semblait avoir bougé et la grosse pierre était toujours à sa place. De temps en temps, pour ne pas oublier, Étienne répétait : « Quand le coq labourera et la poule hersera », en attendant son heure.
Dans les villages de pêcheurs de toute l'île du Havre-aux-maisons, des rumeurs commençaient à circuler à l'effet que l'on avait vu errer un homme sans tête la nuit sur le buttereau*. L'effet fut instantané : on ne sortit plus après le coucher du soleil. Les gens savaient bien ce que ce phénomène voulait dire : un trésor avait dû être enfoui là avec son gardien. Et c'était ce pauvre bougre qui, possédé par le diable, tentait de se dénicher une meilleure sépulture.
Bientôt, toute l'île parlait du fantôme du buttereau*. Le curé alla en procession avec quelques paroissiens bénir le lieu maudit, mais l'homme sans tête continua d'errer au bord des falaises. Étienne tenta à plusieurs reprises de soulever la grosse pierre sur le buttereau*. Mais on aurait dit qu'elle avait triplé sa masse : on ne pouvait la bouger. La terre tout autour était devenue si compacte à cause des pluies et des neiges, qu'elle était dure comme du ciment, et aucune pioche, aucune pelle n'auraient pu l'entamer.
Puis, un jour, Étienne qui avait dix-huit ans décida que le temps était venu d'agir. Il confia son secret à son frère en qui il avait une confiance absolue. Et les deux se mirent à l'œuvre.

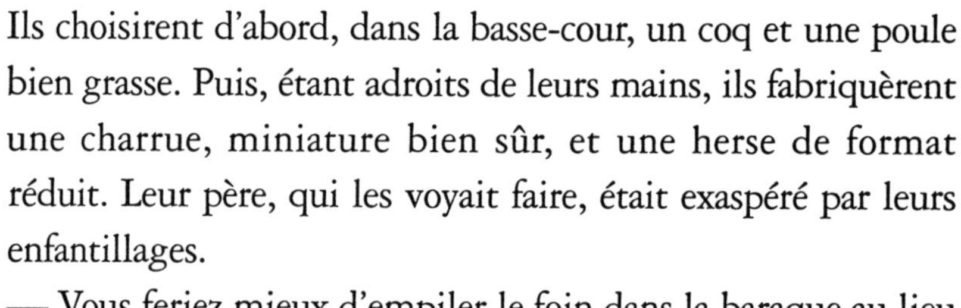

Ils choisirent d'abord, dans la basse-cour, un coq et une poule bien grasse. Puis, étant adroits de leurs mains, ils fabriquèrent une charrue, miniature bien sûr, et une herse de format réduit. Leur père, qui les voyait faire, était exaspéré par leurs enfantillages.

— Vous feriez mieux d'empiler le foin dans la baraque au lieu de jouer comme des enfants.

— Vous allez voir, mon père, que nos jeux vont être utiles, répliqua Étienne.

— Attendez encore un jour et vous aurez une belle surprise, renchérit son frère.

Ils attelèrent le coq et lui firent labourer un bon carré de sable.

Enfin, tout fut prêt. Un soir, Étienne et son frère s'en allèrent en cachette à la dune du Sud avec le coq, la poule et leur attirail. Ils se rendirent sur la plage, attelèrent le coq et lui firent labourer un bon petit carré de sable, ce qu'il fit très bien. Ensuite, ils attelèrent la poule à la herse et, à son tour, elle hersa la portion que son compère venait de labourer. De retour à la maison, ils dirent à leurs parents :

— Maintenant, venez avec nous. Il est temps d'aller lever le trésor du buttereau*.

— Quoi ? fit la mère. Le trésor du buttereau* ? Vous allez nous faire mourir de peur !

— Avec le corps sans tête qui errait encore hier au soir ! s'écria le père.

— Le fantôme ne nous fera pas de mal. Nous en sommes sûrs.

Le père et la mère se demandaient si leurs deux fils n'étaient pas un peu fous mais ils consentirent à les suivre au buttereau*. Arrivés là, Étienne commença par enlever la grosse pierre ce qu'il fit sans aucune difficulté. Puis, ils se mirent tous les deux à creuser la terre meuble et bientôt ils touchèrent quelque chose de très dur. C'était le coffre !

La nuit arrivait et les parents redoutaient l'apparition du corps sans tête ; mais les garçons, trop occupés par leur tâche, ne s'en souciaient guère.
Ils n'eurent aucun mal à déterrer le coffre qu'ils transportèrent séance tenante dans leur logis. Ils allumèrent la lampe et déposèrent leur fardeau au milieu de la cuisine.
Étienne ouvrit le couvercle. Le coffre était rempli de pièces d'or et d'argent. Il y avait là une fortune. Étienne et sa famille n'en croyaient pas leurs yeux. Ils ne savaient pas très bien ce qu'on doit faire quand on est riche. Alors, ils allèrent se coucher.
Le lendemain matin, au lever, la mère trouva sur la galerie un squelette sans tête allongé sur le banc. Un billet auprès de lui disait : « Enterrez-moi au cimetière. Ma tâche est accomplie. »
La famille Lapierre, qui n'était pas mesquine, partagea ses biens avec tous les gens de l'île et l'on parla pendant de longues années encore du fameux trésor du buttereau* qu'Étienne Lapierre avait réussi à déterrer.

Le Fantôme de l'érablière

Adapté d'un conte populaire de la Beauce.
Quand la sève des érables se remet à couler au mois de mars, on doit la recueillir pour la faire bouillir et la transformer en sirop et en sucre. Autrefois, le bouilleur montait à son bois d'érables éloigné de la ferme et il passait souvent quelques semaines tout seul dans sa cabane pour accomplir sa tâche. Et l'on sait bien que les fantômes rôdent, la nuit, dans les érablières...

À partir de 5 ans

4 min

Érablière

Fantôme
Homme

Chez nous, au Québec, le printemps c'est le temps des sucres. Dès le début de mars la vie reprend dans les érablières. On rouvre les « cabanes à sucre » et l'on s'apprête à faire la récolte de la sève des érables. Pendant cinq à huit semaines le cultivateur délaisse sa ferme pour venir à l'érablière fabriquer le sirop et le sucre d'érable.

Les érablières sont souvent assez distantes des fermes. C'est pourquoi, avant l'ère de l'automobile et de la motoneige, le sucrier partait avec le cheval et la charrette vers le « haut ». Il habitait l'érablière tout le temps qu'il fallait pour bouillir la récolte de sève. Mais bouillir n'est pas un travail de paresseux car il faut sans cesse alimenter le feu et surveiller la cuisson du sirop. S'arrêter en cours de cuisson signifie qu'il faut tout recommencer. Les sucriers préféraient souvent partir seuls pour ne pas être dérangés et finir le plus vite possible. Mais pendant les longues nuits passées à la cabane, ils étaient parfois victimes de tours joués par des sucriers voisins ou de bien étonnantes tromperies.

Une nuit que Baptiste Riverin « bouillait », il entendit une plainte venir de la cheminée : « Oh, Ooh, Oouh ! »

« C'est le vent », se dit-il.

Une heure plus tard la plainte se fit de nouveau entendre plus forte et plus longue : « Oh, oh, hou, ohouou, houoo… »

Baptiste alla voir dehors, mais il ne vit aucune trace de pattes ou de pas dans la neige autour de la cabane.

« Sans doute un animal pris dans un piège », se dit-il, ne voulant pas donner à la peur la chance de l'envahir.

Il revint à son sirop.

Mais voilà que la plainte devint un cri et qu'elle s'accompagna d'un grattement sonore dans la cheminée.

Pauvre Baptiste sentit ses cheveux se raidir. Pris d'une grande panique, il abandonna le poêle et le sirop et se sauva à toutes jambes. Il traversa l'érablière et s'enfuit à sa maison d'en bas. Il y passa une nuit pleine de cauchemars.

Au petit matin, il fallut bien retourner à la cabane à sucre. Il s'y rendit, remit le feu en marche et recommença à bouillir. La nuit venue la plainte sinistre se fit de nouveau entendre : « Oh, oh, ohouh... »

Baptiste Riverin, il faut le dire, n'avait pas la conscience tranquille. Tout au fond de lui-même il pensait : « C'est la voix du fantôme de Philémon Gamache. Je la reconnais ! »

Philémon Gamache était un voisin à qui il devait une somme d'argent assez rondelette. Mais le Philémon était mort pendant l'hiver et Baptiste s'était cru libéré de sa dette. Ce soir il comprit que le fantôme de Philémon ne le laisserait pas faire son sirop en paix. Baptiste essaya de travailler malgré les bruits ; les plaintes et les grattements se firent de plus en plus lugubres et persistants. Le fantôme de Philémon Gamache allait arriver par la cheminée et lui réclamer son dû !

N'y tenant plus, Baptiste se sauva encore une fois dans la nuit froide, vers le village où le protégeraient les vivants. Le lendemain, avant de remonter à l'érablière, Baptiste Riverin s'en alla chez la veuve Gamache payer sa dette sans en parler à personne. La veuve, ravie, accepta l'argent avec joie car elle en avait bien besoin et Baptiste, penaud, reprit le chemin de l'érablière. Il ralluma le feu, continua la cueillette de la sève et ne s'arrêta plus de bouillir jusqu'à la fin de la saison des sucres.

Il n'entendit plus ni plaintes ni grattements dans la cheminée. Puis, quand la sève s'arrêta de couler, Baptiste rangea ses seaux, ses goudrelles* et ses chaudrons. Il entassa les bidons de sirop dans la charrette et vérifia l'état de la corde de bois.

Puis, en dernier lieu, le feu étant tout à fait éteint, il démonta le tuyau de la cheminée.

Savez-vous ce qu'il trouva dans le tuyau ?

Un gros hibou mort !

Le Fantôme de l'avare

Adapté d'un conte populaire.
Dans les contes populaires du Québec les fantômes sont très présents ; ils sont ces êtres mystérieux condamnés à revenir sur la Terre pour racheter une faute commise avant leur mort. Ici, dans cette histoire transmise par Honoré Beaugrand en 1875, on rencontre Jean-Pierre Beaudry qui, ayant refusé l'hospitalité à un voyageur en détresse qui mourut gelé, doit accomplir sa pénitence en accueillant un autre voyageur s'il veut avoir droit à la vie éternelle.

À partir de 6 ans

9 min

Maison

Fantôme
Jeune homme

On était le 31 décembre. Sur l'ordre de mon père, j'étais parti de grand matin pour Montréal afin d'aller y acheter divers objets pour la famille. Et surtout une magnifique dame-jeanne de rhum de la Jamaïque qui nous était absolument nécessaire pour traiter dignement les amis à l'occasion du nouvel an. À trois heures de l'après-midi, j'avais fini mes achats et je me préparais à prendre la route de Lanoraie. Mon berlot* était assez bien rempli et, comme je voulais être rentré avant neuf heures, je fouettai vivement mon cheval qui partit au grand trot. À cinq heures et demie, j'étais déjà au bout de l'île mais le ciel s'était couvert peu à peu et laissait présager une forte bordée de neige.

Je m'engageai sur la route tracée sur le fleuve gelé, et avant d'avoir atteint Repentigny, il neigeait à plein ciel.

Je ne voyais ni ciel ni terre, à peine pouvais-je suivre le chemin du roi devant moi ; les balises n'étaient pas encore posées car l'hiver venait de commencer. Une poudrerie* se mit à me fouetter la figure et m'empêchait d'avancer. Je n'étais pas bien certain de la localité où je me trouvais, mais je croyais être aux environs de la ferme du père Robillard. Je ne crus pouvoir faire mieux que d'attacher mon cheval à un pieu de la clôture et me diriger à l'aventure à la recherche d'une maison.

J'errai pendant quelques minutes et je désespérais de réussir quand j'aperçus, sur la gauche de la route, une masure à demi ensevelie sous la neige et que je ne me rappelais pas avoir encore vue. Je me dirigeai, en me frayant avec peine un passage dans les bancs de neige*, vers la cabane, que je crus tout d'abord abandonnée. Je me trompais cependant : la porte était fermée mais je crus apercevoir par la fenêtre la lueur rougeâtre d'un bon feu de bois qui brûlait dans l'âtre.

Je frappai et j'entendis aussitôt les pas d'une personne qui s'avançait pour m'ouvrir.

— Qui est là ? fit une voix d'homme.

— Un homme qui a perdu sa route, répondis-je en grelottant.

J'entendis aussitôt le loquet se lever. On ouvrit la porte à moitié pour empêcher autant que possible le froid de pénétrer, et j'entrai en secouant mes vêtements, qui étaient couverts d'une épaisse couche de neige.

— Soyez le bienvenu, me dit l'hôte de la masure en me tendant une main qui me parut brûlante, et en m'aidant à me débarrasser de mon capot*.

Je lui expliquai en peu de mots la cause de ma visite et après avoir accepté un verre d'eau-de-vie qui me réconforta, je pris place sur une chaise boiteuse qu'il m'indiqua de la main au coin du foyer. Il sortit, me disant qu'il allait sur la route quérir mon cheval et ma voiture pour les mettre dans une remise, à l'abri de la tempête.

Je ne pus m'empêcher de jeter un regard curieux sur l'ameublement de la pièce où je me trouvais. Dans un coin, un misérable banc-lit, sur lequel était étendue une peau de bison, devait servir de couche au vieillard voûté qui m'avait accueilli.

Un ancien fusil, datant de l'époque des Français, était accroché aux soliveaux de bois brut qui soutenaient le toit de chaume. Plusieurs têtes de cerfs, d'ours et d'orignaux* étaient suspendues comme trophées de chasse aux murs blanchis à la chaux. Près de l'âtre, une bûche de chêne solitaire semblait être le seul siège vacant que le maître de céans eût à offrir au voyageur qui frappait à sa porte pour lui demander l'hospitalité.

Une tête d'orignal était suspendue au mur.

Je me demandai quel pouvait être l'individu qui vivait ainsi en sauvage sans que je n'en aie jamais entendu parler ? Je me torturai en vain la tête, moi qui connaissais tout le monde, depuis Lanoraie jusqu'à Montréal, mais je ne trouvais pas. Sur ces entrefaites, mon hôte rentra et vint, sans dire un mot, prendre place en face de moi, à l'autre coin de l'âtre.

— Grand merci de vos bons soins, lui dis-je. Voudriez-vous m'apprendre à qui je dois une hospitalité aussi franche ? Moi qui connais les paroisses comme ma main, j'ignorais jusqu'à aujourd'hui qu'il y eût une maison située à l'endroit qu'occupe la vôtre et votre figure m'est inconnue.

En disant ces mots, je le regardai en face et j'observai pour la première fois les rayons étranges que produisaient les yeux de mon hôte. On aurait dit les yeux d'un chat sauvage. Je reculai instinctivement mon siège sous le regard pénétrant du vieillard qui me regardait en face mais qui ne me répondait pas.

Le silence devenait fatigant et mon hôte me fixait toujours de ses yeux brillants comme les tisons du foyer.

Je commençais à avoir peur.

Rassemblant tout mon courage, je lui demandai de nouveau son nom. Cette fois, ma question eut pour effet de lui faire quitter son siège. Il s'approcha de moi à pas lents et posant sa main osseuse sur mon épaule tremblante, il me dit, d'une voix triste comme le vent qui gémissait dans la cheminée :

— Jeune homme, tu n'as pas encore vingt ans et tu demandes comment il se fait que tu ne connaisses pas Jean-Pierre Beaudry, jadis le richard du village ? Je vais te le dire, car ta visite, ce soir, me sauve des flammes du purgatoire où je brûle depuis cinquante ans. Je n'ai pu, jusqu'à ce jour, remplir la pénitence que Dieu m'avait imposée. Je suis celui qui, jadis, par un temps comme celui-ci, avait refusé d'ouvrir sa porte à un voyageur épuisé par le froid, la faim et la fatigue.

Mes cheveux se hérissaient, mes genoux s'entrechoquaient et je tremblais comme la feuille du peuplier pendant les fortes brises du nord. Mais le vieillard, sans faire attention à ma frayeur, continuait toujours d'une voix lente :

— Il y a de cela cinquante ans. C'était bien avant que l'Anglais eût jamais foulé le sol de ta paroisse natale. J'étais riche, bien riche et je demeurais alors dans la maison où je te reçois ici, ce soir. C'était la veille du jour de l'an, comme aujourd'hui, et seul près de mon foyer, je jouissais du bien-être d'un abri contre la tempête et d'un bon feu. Le froid dehors faisait craquer les pierres de mes murs. On frappa à ma porte ; j'hésitai à ouvrir. Je craignais que ce ne fût quelque voleur qui, sachant mes richesses, ne vînt pour me piller et, qui sait, peut-être m'assassiner !

J'étais assis près de l'âtre comme aujourd'hui.

Je fis la sourde oreille et après quelques instants, les coups cessèrent. Je m'endormis bientôt pour ne me réveiller que le lendemain au grand jour, au bruit que faisaient deux jeunes hommes du voisinage qui ébranlaient ma porte à grands coups de pied. Je me levai à la hâte pour aller les châtier de leur impudence quand j'aperçus en ouvrant la porte le corps inanimé d'un jeune homme qui était mort de froid et de misère sur le seuil de ma maison. J'avais, par amour pour mon or, laissé mourir un homme qui frappait à ma porte. J'étais presque un assassin. Je devins fou de douleur et de repentir. Après avoir fait chanter un service solennel pour le repos de l'âme du malheureux, je divisai ma fortune entre les pauvres des environs, en priant Dieu d'accepter ce sacrifice en expiation du crime que j'avais commis.

Deux ans plus tard, je fus brûlé vif dans ma demeure et je dus aller rendre compte à mon créateur de ma conduite sur cette terre que j'avais quittée d'une manière si tragique.

Je ne fus pas trouvé digne du bonheur des élus et je fus condamné à revenir, à la veille de chaque nouveau jour de l'an, attendre ici qu'un voyageur vînt frapper à ma porte afin que je puisse lui donner cette hospitalité que j'avais refusée de mon vivant à l'un de mes semblables.

Pendant cinquante hivers, je suis venu, sur l'ordre de Dieu, passer ici la nuit du dernier jour de l'année sans que jamais un voyageur de détresse ne vînt frapper à ma porte. Vous êtes enfin venu ce soir et Dieu m'a pardonné. Soyez à jamais béni d'avoir été la cause de ma délivrance des flammes du purgatoire. Sachez que, quoi qu'il vous arrive ici-bas, je prierai pour vous là-haut.

Le revenant – car c'en était un – parlait encore quand, succombant aux émotions terribles de frayeur et d'étonnement qui m'agitaient, je perdis connaissance.

Je me réveillai dans mon berlot*, sur le chemin du roi, vis-à-vis de l'église de Lavaltrie. La tempête s'était apaisée et j'avais sans doute, sous la direction de mon hôte de l'autre monde, repris la route de Lanoraie.

Je tremblais encore de frayeur quand j'arrivai ici à une heure du matin et je racontai aux convives assemblés ma terrible aventure.

Quelques jours plus tard, j'eus l'occasion de raconter mon histoire au curé de la paroisse. J'appris que les registres de son église faisaient en effet mention de la mort tragique d'un nommé Jean-Pierre Beaudry, dans sa maison incendiée, survenue il y a cinquante ans.

En parcourant, en hiver, la grande route qui longe la rive du fleuve, je frissonne encore à la pensée de ce voyage que je fis la veille du nouvel an, même si certains de mes amis prétendent que j'avais rêvé en chemin. Jamais je n'oublierai le regard de feu du fantôme de l'avare.

De sacrés caractères

Madeleine de Verchères

À partir d'une anecdote, la légende de Madeleine de Verchères est née. L'aventure des débuts de la Nouvelle-France en terre d'Amérique est remplie de péripéties de ce genre. Mais sont-elles vraies ? Sont-elles fausses ? Historiens et chroniqueurs contestent certains détails des faits qui vont suivre. Il est utile de rappeler qu'en l'absence de registres de l'époque, les seuls documents qui nous restent sont les récits de voyages des explorateurs et des missionnaires. Et ils ont tendance à être parfois un peu fantaisistes.

Mais aujourd'hui, l'histoire de cette jeune fille est connue de tous. Dans son village de Verchères, au bord du Saint-Laurent, elle a même son monument. Et c'est une si belle histoire !

À partir de 6 ans

3 min

Fort

Fille
Indiens

Madeleine Jarret de Verchères naquit sur la seigneurie de son père en 1678. Le seigneur de Verchères, enseigne au régiment de Carignan, prenait part aux manœuvres militaires mais gérait aussi son domaine, ses bêtes et ses cultures comme la plupart des Français installés en Nouvelle-France à cette époque.

Aussi, il fit élever un fort autour de son manoir et de ses bâtiments. Un fort destiné à protéger ses biens, sa famille et ses censitaires* des attaques des Iroquois qui étaient très fréquentes. Dans cette palissade, il n'y avait qu'une seule porte qui donnait sur le fleuve. Ah ! la vie n'était pas toute simple dans la colonie.

Non loin de Verchères coulait le fleuve Richelieu. C'est ce fleuve qu'empruntaient souvent les Iroquois, voyageant sur leurs canots d'écorce, pour pénétrer au cœur de la colonie. Les Iroquois étaient des champions des attaques sournoises et sanglantes. Ils s'acharnaient sur cette famille pourtant paisible : déjà les deux frères aînés de Madeleine s'étaient fait tuer lors d'une précédente attaque. Plusieurs fois, en l'absence de son mari, la mère de Madeleine, Marie, avait repoussé les attaques iroquoises avec l'aide de quelques hommes. Il fallait être prêt à tout et défendre sa vie chèrement. Hommes et femmes, jeunes ou vieux, n'étaient jamais sûrs de rien.

Voici qu'un matin d'octobre, Madeleine âgée de quatorze ans est à quelques pas du fort. Sa mère est partie à Montréal ; son père a été appelé à Québec. Il n'y a à l'intérieur des palissades, que des femmes et des enfants et un seul soldat qui veille. Une vingtaine d'habitants sont occupés aux travaux des champs des alentours.

Dans les buissons, des Iroquois sont cachés. Ils observent sans bruit les gens qui vaquent tranquillement à leurs occupations. Soudain, un cri retentit. Un Iroquois se précipite sur Madeleine et l'attrape par le fichu.

Vive comme l'éclair et avec une étonnante présence d'esprit, Madeleine dénoue son fichu et court vers le fort en criant :

— Aux armes !

Elle referme la porte derrière elle et, négligeant les cris des femmes dont les maris sont restés en dehors de la palissade, grimpe sur le bastion où se tient la sentinelle. Sans se démonter un instant elle prend les choses en main : elle coiffe un chapeau d'homme et se déplace rapidement pour donner l'illusion d'un va-et-vient de plusieurs personnes.

Elle mobilise ses petits frères qui font comme elle et elle fait tirer un coup de canon qui épouvante les assaillants. C'est aussi une façon d'alerter les autres forts et habitations qui ponctuaient les rives du Saint-Laurent jusqu'à Montréal, espérant qu'on comprendrait son appel à l'aide.

Avec leurs quelques prisonniers, les Iroquois se retirent. Le secours finit par arriver des forts voisins. Les habitants du fort de Verchères sont saufs, pour le moment, grâce à la ruse de la jeune Madeleine. L'histoire de son fichu fait le tour de la colonie et du pays. On n'est pas près de l'oublier et toutes les jeunes filles qui nouent un fichu sur leurs épaules y pensent encore aujourd'hui.

Et dans les cours d'école, l'hiver, les enfants construisent, pendant les récréations, le fort de Madeleine de Verchères !

Auguste Le Bourdais

Adapté d'un récit véridique.

Au milieu du golfe du Saint-Laurent il existe un archipel d'îles qui s'appellent les îles de la Madeleine. On lui a donné le nom de « cimetière du golfe » car plus de trois cents bateaux firent naufrage sur ses côtes.

L'histoire d'Auguste Le Bourdais est exceptionnelle et si l'on peut aujourd'hui la raconter c'est parce qu'il a été sauvé par miracle de son bateau, le Wasp, *un jour d'hiver 1871 sur une plage battue par les vents de ces îles perdues.*

À partir de 7 ans

8 min

Navire

Curé
Jeune homme
Marins

Par sa mère, Auguste appartenait à une grande famille de marins de cette région qu'on nomme le Bas du Fleuve : il était cousin du célèbre capitaine Bernier qui avait mené plusieurs expéditions au pôle Nord. Dès l'âge de treize ans, Auguste avait commencé à naviguer. Il se trouvait en ce jour de novembre 1871 à bord du *Wasp* en qualité de premier maître. Le navire, chargé de grain, allait quitter le quai à destination de la Belgique. Ce serait sans doute son dernier voyage avant l'hiver. C'était un long et périlleux voyage, surtout en cette saison, mais les navigateurs des environs de Montmagny et de l'Islet étaient de hardis voyageurs.

Auguste était costaud : un mètre quatre-vingt-dix et pesait pas loin de cent cinquante kilos, des épaules larges et solides. Il était content de partir car, une fois en Europe, il projetait de se rendre à Londres pour y passer ses examens de capitaine au long cours. Il le fallait bien puisqu'il n'y avait pas encore d'école de marine au Canada.

Le petit brick s'éloigna du port. Arrivé là où l'eau atteignait une certaine profondeur, Auguste lança :

— Montez toutes les voiles !

Le bateau avançait à vive allure. On dépassa bientôt la pointe de l'île d'Orléans. Le vent soufflait, gonflant les voiles et accélérant l'allure du navire. Puis, au bout d'un certain temps, on contourna la péninsule de Gaspé et l'on se retrouva en plein milieu du golfe du Saint-Laurent. Le ciel devenait de plus en plus sombre et le froid de plus en plus intense. Soudain, le vent vira de bord. D'épais flocons de neige se mirent à tomber et à s'accumuler sur le pont. Les matelots soufflaient dans leurs mains pour les réchauffer.

Le vent devint si fort que les voiles menaçaient de se déchirer. Auguste commanda de baisser la voile du milieu. Le brick avançait en louvoyant tantôt à droite, tantôt à gauche. Des vagues furieuses se ruaient avec force sur le navire.
Auguste et le capitaine en avaient vu d'autres. Mais ces rudes marins qui connaissaient cette route dangereuse craignaient quand même plus que tout les rochers voisins des îles de la Madeleine.
La tempête faisait rage. La neige tombait toujours et l'on ne voyait ni ciel ni mer. Le bâtiment craquait de toutes parts. Finalement le mât se cassa en plusieurs morceaux, déchirant la seule voile qui restait. Une vague énorme balaya deux marins par-dessus bord. La panique s'empara de l'équipage. Auguste demeurait à la barre, tentant de cacher son angoisse. Mais la tempête se déchaînait. Les écoutilles de la cale se fendirent sous les coups répétés de la vague en furie, qui entra de plein fouet, mouillant complètement la cargaison de grain qui s'y trouvait. Le grain mouillé doubla de volume et fit éclater, en gonflant, les membrures du navire. D'un seul coup, sous les assauts des vents violents, le *Wasp* coula sur le fond sablonneux d'une anse de la Pointe-aux-loups.
Une vague haute comme une montagne happa Auguste qui réussit à se cramponner au beaupré qui s'était détaché de l'éperon. Il flottait encore dans la mer glacée mais, petit à petit, s'éteignirent tous les cris et les appels à l'aide. Il ne restait plus que le concert infernal des éléments déchaînés.

Il flottait dans la mer glacée.

Auguste croyant sa dernière heure arrivée fut soulevé par une vague énorme qui le projeta sur le rivage. Puis, plus rien... Quand il reprit conscience, il était à demi enseveli dans la neige. Une épaisse couche blanche recouvrait son corps, lui donnant l'allure d'un monstre sorti d'un monde étrange.

Épuisé et glacé par l'eau de mer, il regarda autour de lui, cherchant un abri quelconque. Il n'avait aucune idée de l'endroit où il se trouvait. Il crut entrevoir la forme d'une maison. Alors, il s'y rendit en laissant dans la neige la trace de ses pas. Il aboutit à une meule de foin de dune abandonnée. Il en dégagea péniblement quelques brassées pour y creuser un trou et réussit à se glisser à l'intérieur. Et là, il s'endormit. Pendant ce temps, à la Pointe-aux-loups, deux jeunes garçons étaient sortis rôder sur la dune, à la recherche d'épaves que la mer ne manquait jamais de déposer après une tempête. Ils ramassaient souvent des débris, des vêtements, des bouts de bois. Cette fois, ils furent ravis de trouver les restes d'un bateau qui avait fait côte*. Ils ramassèrent quelques effets et s'apprêtaient à les ramener vers la maison quand ils se trouvèrent face à face avec un monstre tout blanc qui semblait avoir le visage d'un homme et qui avançait de façon incertaine vers eux.

« C'est le diable ! » pensèrent-ils. Pris de panique, ils se sauvèrent à toutes jambes non pas vers leur maison mais vers celle du curé qui les reçut avec étonnement.

— Qu'est-ce qui vous arrive ? demanda-t-il.

— Je pense qu'on... qu'on a rencontré le diable sur la dune, finit par balbutier l'un d'eux.

— Le diable ? fit le curé Boudreau. Et comment était-il donc ?

— Grand, grand... et pis tout blanc. Il faisait des signes avec ses bras comme pour nous attraper...

Le bon curé les rassura en leur disant qu'ils avaient dû voir autre chose que le diable et il leur suggéra de rentrer chez eux.

Le soir même, le curé raconta la nouvelle : quelque chose de monstrueux avait été vu sur la dune du nord. Personne ne voulait y croire, mais une ourse polaire, emportée par la banquise, était déjà venue jusque-là. Il valait peut-être mieux vérifier sur place.

Le lendemain, au petit jour, le père Boudreau rassembla quelques pêcheurs et ils partirent à la recherche du monstre. Ils scrutaient les buttereaux* et les amoncellements de glaces quand le curé remarqua des traces de pas à demi effacés qui venaient de la mer et s'arrêtaient à une meule de foin.

Ils découvrirent, enfoui dans le foin, le corps d'un homme dont seuls les pieds gisaient dehors à moitié recouverts de neige. Ils réussirent à le tirer de là et constatèrent qu'il était encore vivant. Enfin, d'une voix rauque, le naufragé leur dit :

— Je suis Auguste Le Bourdais, premier maître à bord du *Wasp.*

Seuls les pieds gisaient dehors.

L'étranger essaya de se lever sur ses pieds mais il n'y parvint pas. On le souleva et on le transporta à dos d'homme à la mission de Pointe-aux-loups. Ses pieds, qui étaient restés hors du foin, avaient gelé dur.

À cette époque il n'y avait ni médecin ni hôpital aux îles. Mais un certain Riopel de Cap-aux-meules avait quelques notions de premiers soins. Lorsqu'il vit dans quel état étaient les pieds du naufragé il dit :

— Il n'y a qu'une seule chose à faire si on veut qu'il vive : l'amputer.

Auguste Le Bourdais avait compris. On le plaça sur quatre planches et on lui donna tout un tonneau de rhum à boire pour tuer la douleur. On prit une scie bien affilée qu'on trempa dans l'eau bouillante pour la nettoyer et l'opération commença.

Auguste, amputé de ses deux pieds, resta tout l'hiver à la Pointe-aux-loups. Doté d'une santé de fer, il commençait à oublier son aventure. Mais ce qu'il attendait plus que tout, c'était le bateau du gouvernement qui allait le transporter à l'hôpital de Québec pour achever de le guérir. Mais la navigation ne reprenait qu'en juin dans le golfe, à la fonte des glaces.

Au mois de mai, la gangrène reprit dans ses deux jambes et on dut l'amputer de nouveau. Accablé de souffrances et découragé, Auguste, cette fois, se dit que c'en était fait de lui. Mais en juin, une voile apparut à l'horizon. On emmena le pauvre malade à Québec où il demeura une année entière à l'Hôtel-Dieu. Il finit par guérir et il fabriqua lui-même ses deux jambes de bois et de cuir.

Il se remit debout. Auguste n'était pas homme à rester inoccupé. Il se mit à apprendre le code morse et la télégraphie sans fil. En peu de temps il devint un expert en ce domaine. Puis, le gouvernement le nomma agent inspecteur de la marine. Ainsi, il reprit la mer et retourna plusieurs fois aux îles de la Madeleine revoir ceux qui l'avaient sauvé.

Puis, dix ans après son sauvetage, on installa un poste de TSF à Grosse-Île au nord des îles de la Madeleine. C'est Auguste Le Bourdais qui obtint le poste. Il partit donc à trente ans vers une nouvelle carrière aux îles.

Il se déplaçait avec une grande facilité sur ses jambes de bois. Il devint bientôt un vrai insulaire et épousa Émilienne Renaud, une jolie enseignante de l'Étang-du-Nord. Il vécut le reste de sa vie aux îles de la Madeleine et y mourut en 1919. Il reste pour tous, un modèle d'endurance et de courage.

Jos Montferrand

D'après un récit de Benjamin Sulte.

Le Québec a connu beaucoup d'hommes forts au cours de son histoire. On peut citer les noms de Louis Cyr, de Victor Delamarre mais c'est sans conteste celui de Jos Montferrand qui est le plus connu.

Jos Montferrand vécut au début du XIXe siècle à Montréal. À cette époque, les Anglais, qui étaient les nouveaux maîtres du pays, provoquaient sans cesse les Canadiens français et de multiples bagarres en résultaient. Jos Montferrand, un colosse, acquit sa réputation de redresseur de torts grâce à son adresse et à ses muscles mais aussi parce qu'il ne pouvait supporter qu'un Anglais méprisât ou insultât l'un des siens.

Benjamin Sulte a écrit son histoire et Gilles Vigneault en a fait le héros d'une de ses chansons.

À partir de 7 ans

5 min

Ville

Boxeurs
Homme

Dans le quartier Saint-Laurent où naquit Jos Montferrand, à Montréal en 1802, on trouvait beaucoup de gymnases et de tavernes ; tous les hommes forts de passage à Montréal s'y rendaient. La boxe était très à la mode. Les militaires, les gentilshommes, les badauds et même les dames assistaient à des joutes et exhibitions de force physique. Joseph, tout jeune homme, ne manquait pas d'y être.

Un jour, deux boxeurs anglais se battaient sur le Champ-de-Mars. Le vainqueur fut proclamé champion du Canada. Aussitôt les organisateurs lancèrent un défi à la foule :

— Qui veut disputer le titre au champion du Canada ? Qu'il s'avance !

Jos Montferrand, qui n'avait que seize ans et était déjà un colosse, s'élança dans le cercle et chanta :

— Co-co-ri-co !

C'est ainsi qu'il fit savoir qu'il relevait le défi. Ce qui le motivait plus que tout c'était de prouver qu'un Canadien était meilleur qu'un Anglais. Les gens du quartier battirent des mains quand il se mit en place ; et ils ne furent pas déçus. Jos Montferrand ne porta qu'un seul coup de poing mais si bien appliqué qu'il battit l'Anglais. Le lendemain son nom était sur toutes les lèvres.

Ainsi commença la renommée de Jos Montferrand. Il se battit maintes et maintes fois dans des combats singuliers et gagna. Mais Jos Montferrand ne restait pas longtemps en ville.

Il passa une bonne partie de sa vie au service des marchands de bois et de fourrures. À cette époque dans l'Outaouais, des bûcherons coupaient des arbres qui étaient ensuite enchaînés entiers l'un à l'autre et qui formaient ce que l'on appelait des

« cages ». Ces immenses radeaux de troncs étaient flottés par des hommes robustes, les « cageux », sur les rivières en direction des scieries ou des ports de mer où ils étaient acheminés surtout vers l'Angleterre. Contremaître de chantier, puis guide de cage, Jos Montferrand s'efforça toute sa vie de faire régner l'ordre, ce qui n'était pas une mince tâche.

Car dans ces forêts sauvages, des luttes féroces se déclaraient à tout moment. Soit pour garder le contrôle d'un territoire, soit tout simplement parce que les Anglais et les Irlandais détestaient les Canadiens de langue française et les provoquaient sans cesse. Comme les bûcherons et les voyageurs n'étaient pas des enfants de chœur, il y avait de perpétuelles bagarres. Et c'étaient surtout les « chaîneurs », ennemis jurés des Canadiens français qui travaillaient avec les arpenteurs du gouvernement, qui faisaient régner la terreur. Leurs méfaits dans la région ne se comptaient plus.

Les immenses radeaux de troncs étaient flottés sur la rivière par les « cageux ».

Jos Montferrand allait d'un chantier à l'autre pour mater les fiers-à-bras qui terrorisaient tout le monde. Il se battait aux poings et en dernier recours, il se servait de son pied dévastateur qui lui donnait invariablement la victoire sur n'importe quel adversaire. Clac ! Un coup de savate et l'opposant ne tenait plus debout !

Son plus grand coup d'éclat eut lieu sur le pont qui enjambe le gouffre de la Chaudière, entre la ville de Hull et Bytown, qui est aujourd'hui devenue la ville d'Ottawa.

Tout le monde connaissait la force de Jos Montferrand et redoutait cette adresse qui lui permettait d'assommer quelqu'un d'un coup de pied. Mais cela ne suffisait pas à ralentir l'ardeur des matamores. Jos en avait maté plusieurs et ceux-ci attendaient leur revanche. Un jour, où ils savaient que Jos passerait le pont étroit qui reliait les deux villes, des « chaîneurs » se regroupèrent et l'attendirent, cachés sur la berge accidentée. Ils étaient une centaine. À peine s'engagea-t-il sur le pont, qu'une douzaine de silhouettes noires armées de gourdins bondirent en poussant des cris. Jos s'immobilisa et se rendit compte qu'il était pris dans un guet-apens. À l'autre bout du pont, la meute grossissait. Jos Montferrand sentit monter en lui une colère froide.

Il fit quelques longues enjambées et se trouva face à face avec ses premiers agresseurs. Ses poings voltigèrent et quatre ou cinq « chaîneurs » s'écroulèrent.

Sur les deux rives, les curieux accouraient pour voir le combat d'un seul homme contre cent. Ils connaissaient presque tous Montferrand mais ils ne donnaient pas cher de sa peau devant tant d'adversaires.

Mais Montferrand se déchaîna. Son pied meurtrier chaussé de lourdes bottes cloutées décrivit un arc et faucha au passage crânes, mâchoires et membres de ceux qui se trouvaient dans sa trajectoire. Montferrand abattait méthodiquement ses agresseurs, s'arrêtant pour souffler, reculant pour mieux prendre son élan. Bing ! Bang ! Clac ! Les coups pleuvaient. Puis, tout à coup, il saisit les chevilles de l'un d'eux et le fit tournoyer à la façon d'un fermier qui fauche d'un mouvement circulaire. Bing ! Bang ! Clac ! À l'aide de cette massue humaine, il envoya culbuter dans le torrent les « chaîneurs » encore debout : ils tombaient du pont en hurlant, d'autres s'écroulaient à ses pieds.

La panique gagna les rangs des attaquants qui ne cherchèrent plus qu'à atteindre la rive. Jos Montferrand restait maître du pont. Seul contre cent, il avait déjoué ses adversaires. La foule l'acclama. Et cette prouesse fit le tour du pays. Jos Montferrand n'avait pas encore trente ans et il était célèbre.

Il se battit encore souvent, toujours avec le souci de prouver à la face du monde que les gens de sa race, les Canadiens de langue française, n'allaient pas supporter les affronts. Bien sûr, il avait les muscles et la force pour le dire ! Dans son quartier de Montréal, une auberge a gardé longtemps sa signature. C'est que Jos, d'un vigoureux coup de jarret, avait un jour marqué de l'empreinte de sa semelle cloutée le plafond de la salle commune. L'auberge aussi devint célèbre car on vint de partout voir cette curiosité.

Ainsi vécut Jos Montferrand, pugiliste au cœur sensible et joueur de savate inégalé.

Alexis le Trotteur

D'après des ouvrages de Jean-Claude Larouche.
Alexis Lapointe fut une figure marquante de la région de Charlevoix et du lac Saint-Jean, au tournant du siècle. Au cours de sa vie on lui a donné toutes sortes de sobriquets : Alexis le Nigaud, le Cheval du Nord, le Surcheval, mais c'est sous le nom d'Alexis le Trotteur qu'il est le plus connu. Ses prouesses à la course ont fait le tour du pays. Alexis pouvait voyager aussi vite à pied que ses contemporains à cheval, en voiture ou même en chemin de fer. Il gagnait même des courses contre les trains. Alexis le Trotteur était-il un précurseur naturel des grands athlètes olympiques ? Peut-être... mais il n'était pas qu'une légende au royaume du Saguenay. Plusieurs se souviennent encore de ses exploits. Il mourut en 1924, frappé par une locomotive qu'il tentait de devancer. Son squelette est exposé au musée du Saguenay à Chicoutimi de même que des objets lui ayant appartenu.

À partir de 5 ans

3 min

Ville

Jeune homme
Père

Alexis Lapointe, né dans une ferme à La Malbaie en 1860, était un petit garçon turbulent. Sa famille comptait quatorze enfants.

À cette époque, les travaux de la ferme nécessitaient beaucoup de bras et l'on n'envoyait pas les enfants à l'école bien longtemps. Alexis faisait mille travaux et dès son jeune âge, il développa un goût pour les chevaux et les courses. Il se fabriquait des petits chevaux avec des bouts de bois et s'inventait des courses contre le vent.

Il aimait à se mesurer à d'autres gamins. Avant de courir, il se fouettait les jambes avec une branche en criant :

— Hue ! Hue !

Et il partait comme une flèche, sautant par-dessus les obstacles. Il arrivait toujours avant les autres.

Il grandit et devint un fameux joueur de tours. Il jouait de l'harmonica avec adresse et il aimait par-dessus tout les veillées de campagne et les fêtes. Il quitta la maison familiale très jeune et fit quarante-six métiers pour gagner sa vie, dont celui de constructeur de fours à pain.

Toutes les maisons du Québec de ce temps avaient un four à pain bien rond et chaulé construit à l'extérieur. Alexis excellait dans ce travail. Il parcourait les rangs et allait d'une ferme à l'autre pour construire ses fours. Des branches recourbées servaient d'armature et une épaisse couche de glaise séchée lui donnait sa forme. Il fallait voir Alexis piétiner la glaise dans l'auge avant d'enduire son four. Il se fouettait les jambes et ses muscles entraient en action. Une vraie machine à pilonner ! L'automne, il partait dans les chantiers et revenait au printemps. Et là, il parcourait les veillées pour danser. Il semblait infatigable, étant capable de danser des gigues simples pendant cinq heures d'affilée sans se fatiguer.

Alexis parsemait sa vie de prouesses sans en tirer trop de gloire. Il se faisait même prier parfois pour participer à une course. Et il n'acceptait pas toujours les défis qu'on lui lançait. Mais quand il courait, il gagnait. On venait de loin pour le voir.

Il rendait aussi bien des services pour un peu d'argent. Par exemple, il allait chercher le courrier dans un dépôt en courant sur une distance de trente kilomètres. Il faisait ce trajet en moins d'une heure.

L'anecdote la plus connue veut qu'un jour, il se trouvait au quai de La Malbaie avec son père qui attendait le départ du bateau pour Bagotville et Chicoutimi : le bateau quittait le quai à onze heures pour arriver à Bagotville à vingt-trois heures. Alexis voulait embarquer avec son père mais celui-ci refusa de l'emmener. Alors Alexis lui dit :

— Quand vous arriverez à Bagotville, je prendrai les amarres.

Et il fila.

Pour faire le trajet par le chemin de terre il fallait compter cent quarante-six kilomètres. Alexis retourna à la maison, saisit un petit fouet, se fouetta les jambes et partit.

Lorsque le bateau arriva à Bagotville, Alexis était sur le quai qui l'attendait. Il avait couru la distance en moins de douze heures.

On se demande encore d'où lui venait cette formidable facilité de courir. Il faut dire qu'il s'entraînait sans cesse, en sautant, dansant et pirouettant. En fait, Alexis Lapointe, le simple, se prenait vraiment pour un cheval.

À qui voulait lui lancer un défi à la course, il répondait : « Tu peux pas courir plus vite que Poppé ! »

Poppé, le cheval du nord, c'était lui.

Jean de la Lune

Texte de Félix Leclerc, extrait de Carcajou ou Le Démon des bois,

Il n'y a pas si longtemps, des hommes choisissaient de passer une vie entière en solitaire sur les bords du grand fleuve. Ils parlaient aux étoiles, sans doute, pour se désennuyer. Jean de la Lune, ce gardien de phare de la côte nord, leur ressemble comme un frère.

À partir de 8 ans

5 min

Lune
Phare

Fils
Indiens
Père

Le père était un homme dur, sans gaieté, malchanceux et chétif. Cela venait peut-être de ses yeux. Il voyait mal et ses lunettes le fatiguaient.

Depuis toujours, il avait comme un marteau dans la tête qui

tapait sur une enclume. Alors, il vivait avec ce marteau dans la tête comme on dit d'un autre qu'il a un grelot dans la tête ou une folle dans le logis.

Lui, un marteau.

Durant la crise mondiale où personne ne trouvait de travail, il sortit du rang des chômeurs et rejoignit des colons sur des terres de roches.

Il connut les feux de forêt, les abattis, les longs carêmes, les mouches, le manque d'eau et d'argent et d'avenir.

Et toujours le marteau dans sa tête.

Ses deux fils grandissaient.

L'aîné s'éloigna, se fit commerçant et réussit.

Le cadet, dit Jean de la Lune parce qu'il semblait toujours y être, était, bien sûr, un être à part.

L'impôt, le vaccin, l'assurance, l'identité, le droit de vote, la taxe, les syndicats étaient pour lui du chinois.

Il s'entendait mal avec son père.

Le radeau, dans la petite crique, était son seul refuge.

Quand il eut du poil au menton, il rêva de bateaux. À ceux qui lui reprochaient de ne pas toucher le sol, il répondait : « Terre à terre, on déraille : les locomotives ne touchent pas le sol… »

Un soir, son père lui dit :

— La chienne a eu des petits, il faut s'en débarrasser. Va les noyer.

— Vous vouliez que je tue le chat l'an dernier et je ne l'ai pas fait. Je ne veux pas tuer, je ne peux pas, je n'aime pas ça.

— S'il y a une guerre, tu n'iras pas ?

— Non.

— Lâche !

Ce mot qui marque comme un coup de bâton dans l'œil est aussi un signal.

L'heure était venue.

Le cadet prit candidement la route, un lundi matin, en disant adieu à son père qui ne comprenait rien à cause du marteau dans la tête.

— Tu t'en vas où ?

— Vers la mer.

— Comment ?

— Sur un manche à balai comme les sorcières !

Et pan ! pan ! le marteau ! Il lui fit signe de « bon voyage », ce qui voulait dire « bon débarras ».

Le cadet fit de l'auto-stop, et quatre jours après, il arriva à la mer et s'y baigna longtemps et la mer le léchait partout comme si elle lui disait : « Je t'attendais. »

Il travailla dix ans sur les cargos qui charroyaient des briques jusqu'aux Grands Lacs.

Il fabriquait des pigeons de bois qui prenaient vie, disait-il, quand ils rencontraient les vrais.

— Et l'amour ? lui demandait-on. La femme, tu t'en passes ? Comment fais-tu ?

— Je ne m'en passe pas, mais je ne me marierai jamais. Le mariage, c'est deux billets d'avion aller seulement, vers une île inconnue. On en revient à la nage ou jamais. Comme je ne sais pas nager…

Le phare de Jean.

Puis, il fit un pas de plus vers la solitude en s'offrant comme gardien de phare sur une île perdue dans le fleuve.

Il recevait des messages par radio et en donnait. Un bateau en vue, de la brume en vue, il mettait la sirène en marche.

Beau temps en vue, il prenait du repos.

De mars à novembre, neuf mois par an sans voir de gens, et ce, pendant dix ans.

— Comment fais-tu pour vivre seul et aimer cela ?

— Pas seul. Il y a les dauphins. Ils viennent en mai et en octobre, et ensemble, tous les matins, on fait le tour de l'île.
— Et les sept autres mois ?
— Il y a les Indiens.
Les deux Kiouikichiches de la Pointe Bleue venaient le voir en canoë une fois par mois, lui apporter du gibier, de la ouananiche*, des fruits sauvages et passer trois jours avec lui dans la maison de pierre au pied du grand phare qui guide les transatlantiques vers la bouche du golfe.
— Et puis, il y a le bateau du gouvernement qui me ravitaille une fois par mois, mais j'ai hâte qu'il s'en aille, ses gars ne pensent qu'à boire.
— Que peux-tu dire à des Indiens ?
— Je n'ai rien à leur dire, ce sont eux qui m'instruisent.
— Ils connaissent quoi ?
— Les castors, les ravages des chevreuils, les pollutions, les remous, les caches d'ours, le carcajou* qui fait sauter le piège avec un bâton et s'enfuit avec l'appât. Et, surtout les dernières beautés du monde…
— Et toi, qu'est-ce que tu leur apprends ?
— Le nom du Premier ministre, le nom du pape, le nom du président des États-Unis, celui de Russie et celui de Chine.
— Ils ne sont au courant de rien ?
— De quoi ?
— Des élections, des loteries, des meurtres, du sida, des vedettes, des vidéos…
Rendu à ce point des conversations, Jean de la Lune se taisait. Comme un chien libre qui entend de loin les jappements des chiens attachés.
— C'est vrai que tu as vu des soucoupes volantes ?
— Oui. Et le diable aussi, je le vois souvent.

Alors, c'est au tour des autres de lui tourner le dos et de vouloir fuir.
Mais il en a vu et l'a dit aux deux Kiouikichiches, qui, eux, n'ont pas ri sous cape, sachant d'instinct que les derniers à voir des soucoupes volantes seront les taupes.
Un après-midi, les deux Indiens trouvèrent Jean endormi au pied du phare, épuisé de fatigue.
— D'où viens-tu ?
Il avait un visage transfiguré.
— Allez-vous me croire ? Je viens de la lune. Des extraterrestres m'ont emmené et ramené. La lune n'est pas habitée. Dans quatre jours, je vais sur Mars.
Et les Indiens n'ont marqué aucun étonnement.
Le matin du quatrième jour, sa radio ne répondait plus. Le phare resta allumé tout le jour.
Affolement au poste de contrôle du golfe. Le gardien était absent. Enquête, aucune trace de lui.
Les Indiens ont déclaré avoir entendu Jean leur dire qu'il était allé deux fois dans la lune avec des extraterrestres, qu'elle n'était pas habitée et qu'il y retournerait.
On remplaça le phare à mèches par un phare à rayon électrique qui s'allume quand penche le soir et s'éteint quand se lève le jour.
— C'est vrai, cette histoire ?
Tous les gens de la côte le savent.

Les deux indiens trouvèrent Jean endormi.

Maria Chapdelaine

D'après le roman de Louis Hémon.

Quand on évoque la région du lac Saint-Jean, on ne peut passer sous silence le nom de Maria Chapdelaine. Cette jeune héroïne, issue de l'imagination du romancier français Louis Hémon, participe à l'histoire exemplaire des colons défricheurs qui, au XIXe *et au* XXe *siècle, ont créé le pays, c'est-à-dire qu'ils ont abattu des arbres jour après jour pour « faire de la terre » et établir des villages.*

La figure de Maria Chapdelaine, la fille simple et ardente, astreinte à la vie rude dans des paysages démesurés, incarne tout l'acharnement et la détermination des premiers habitants de la région, comme de bien d'autres régions du Québec, qui ont créé un pays de leurs bras. Maria Chapdelaine est devenue un symbole universel.

À partir de
7 ans

10 min

Maison
Village

Jeune fille
Jeunes
hommes
Mère

Il était une fois une famille de colons qui habitait une région encore sauvage et peuplée d'immenses forêts. Les colons sont des gens qui arrivent dans un coin de pays vierge pour défricher une terre, c'est-à-dire pour couper les arbres et dégager le sol à cultiver, puis construire une maison et des clôtures à la force de leurs bras.

Le père s'appelait Samuel Chapdelaine. Vivaient autour de lui sa femme, Laura, et leurs six enfants. Toute la famille participait activement aux durs travaux même les plus jeunes. L'aînée des filles, Maria, était une belle fille vaillante. Lorsqu'elle venait en visite chez des parents à Saint-Prime, sur les bords du lac Saint-Jean, les jeunes farauds* la remarquaient. Ils regrettaient bien gros de ne pouvoir aller chez elle la courtiser. Car elle habitait « de l'autre bord de la rivière, en haut des chutes, à plus de douze milles de distance et les derniers milles quasiment sans chemin » ! Samuel Chapdelaine avait choisi d'installer sa famille dans un lieu bien éloigné des villages autour du lac.

Maria s'ennuyait beaucoup, là-bas, en haut de la rivière. Pourtant le souvenir d'une brève rencontre qu'elle avait faite à Péribonka nourrissait ses rêves. Elle pensait à ce jeune homme aux yeux bleus qui avait parlé au père.

Dès le mois de mai, quand la glace libérait les rivières de son emprise, le père reprenait sa hache en compagnie de ses trois fils pour « se faire de la terre ».

Mais les garçons ne travaillaient pas tous la terre dans ce pays sauvage ; d'autres étaient trappeurs, voyageurs ou charpentiers. François Paradis était l'un de ces voyageurs. Un jour de printemps, tandis qu'il menait à pied des acheteurs de fourrure chez les Indiens, il fit une halte chez les Chapdelaine. S'il s'était arrêté chez eux ce n'était pas pour le père Chapdelaine, ni pour ses fils, non, c'était pour Maria. La vue de cette belle fille sur le parvis de l'église de Péribonka quelques semaines plus tôt l'avait troublé. Il n'arrivait pas à l'oublier.

Maria sur le parvis de l'église.

Il resta veiller bien peu de temps dans la maison de bois. Et, durant sa courte visite, il ne s'adressa qu'à Samuel et à sa femme. Il ne parla pas directement à Maria et elle, n'osait le regarder en face. Mais elle sentait que sa présence la faisait rougir, bien malgré sa volonté, et faisait battre son cœur. François les quitta en promettant de repasser à la fin de son voyage.

— Ah ! dit la mère, exprimant ainsi l'ennui de tous et chacun, que c'est donc plaisant de recevoir de la visite !

Pendant tout l'été, Maria continua de repasser dans sa tête les traits de ce voyageur, dont elle enviait quelque peu la liberté, et de rêver de lui.

En août, François Paradis reparut. Ce soir-là, il n'était pas le seul invité chez Chapdelaine. Il y avait le voisin, Eutrope Gagnon, et Ephrem Surprenant accompagné de son neveu Lorenzo, celui qui travaillait dans une manufacture aux États-Unis. On écouta son discours avec intérêt tant l'histoire de ses voyages et de la vie dans un village américain fascinait.

Mais Maria, en jouant aux cartes, ne portait pas attention aux paroles qui lui étaient pourtant destinées. C'est la voix de François qu'elle aurait voulu entendre, mais il gardait le silence.

Le lendemain, la mère Chapdelaine lança :

— On s'en va aux bleuets* !

Ils partirent tous, munis de seaux et de gobelets pour la cueillette des petits fruits succulents qui abondaient dans les clairières du bois. Timidement, François se rapprocha de Maria et lui fit découvrir, grâce à sa connaissance des sentiers de bois, des buissons rampants chargés de fruits. Et il profita de ce moment pour confier à Maria ses projets.

— Je m'en vais aller travailler dans un chantier du côté de La Tuque, en Mauricie. Je vais mettre mon argent de côté tout l'hiver.

Maria écoutait et taisait son émoi. Quand François lui demanda si elle serait toujours là, le printemps prochain, elle ne sut que prononcer un simple « oui ». Mais cette question et sa réponse avaient, entre eux, valeur de serment.

L'automne arriva et Maria ne cessa de penser à François et de dessiner son visage dans sa tête : elle revoyait la peau brunie par le soleil, les yeux bleus si clairs. Elle laissait vagabonder son imagination et grandir ses espérances.

On fit les préparatifs pour l'hiver et enfin, quand arriva la neige, les grands frères partirent pour les chantiers de coupe du bois. Plusieurs fois par jour, Maria regardait le chemin qui disparaissait sous la couche de neige et, au loin, les grands arbres du bois. Elle songeait à François qui allait venir jusqu'à elle par ce chemin... au printemps. Puis, Noël passa et arriva le jour de l'an qu'on célébra modestement, en famille.

Au moment de se mettre à table, on frappa à la porte. C'était Eutrope, le voisin, qui apportait des nouvelles. À voir sa mine, elles n'étaient pas bonnes.

Il annonça, les yeux baissés, la disparition de François Paradis, que la tempête avait surpris dans la forêt au cours du voyage qu'il avait entrepris, à pied, pour venir passer les fêtes au lac Saint-Jean. Il arrivait souvent que des voyageurs se perdent dans la forêt enneigée. Mais lui, qui connaissait si bien les chemins du bois !

— Il s'est écarté, répétait Eutrope.

Maria sentit une main de fer se refermer sur son cœur. Un lourd silence pesait sur la maisonnée. Le soir, les prières dites, Maria resta longtemps seule, près du gros poêle, les yeux rivés sur la vitre de la petite fenêtre que le gel rendait opaque. Des larmes coulaient sur ses joues. Elle ne cessait de penser à François qui devait avoir si froid dans son lit de neige. Ses beaux rêves venaient de s'envoler.

En mars, Ephrem Surprenant convia les habitants des environs à une grande fête. À cette occasion, Lorenzo, le neveu, venu des États-Unis, fit un discours sur les difficultés de la vie paysanne et les bienfaits des grandes cités américaines. Il parla des plaisirs à portée de main, de l'argent qui circulait, des machines... On l'écoutait en silence. Maria se rendit compte que c'était pour elle que Lorenzo parlait. Aussi ne fut-elle pas surprise de l'entendre dire :

— Demain, dimanche, j'irai vous voir, Maria.

Tandis que tintaient les grelots du traîneau qui la ramenait chez elle, Maria songeait en soupirant aux paroles qu'elle avait entendues.

Le lendemain, Lorenzo lui avoua, en marchant avec elle en raquettes sur la neige :

— C'est pour vous que je suis revenu, Maria. Pour vous dire ce que j'ai à dire et savoir ce que vous me répondrez. Ce n'est pas une place pour vous, ici, Maria. Je gagne assez pour deux... et on aurait un plain-pied dans une maison en brique, le gaz, l'eau chaude, toutes sortes d'affaires dont vous n'avez pas idée !

En marchant avec elle en raquettes sur la neige, Lorenzo parla à Maria.

Maria resta muette. Chacune des phrases de Lorenzo Surprenant venait battre son cœur comme une lame s'abat sur la grève.

Lorenzo finit par dire :

— Vous n'avez pas besoin de dire oui tout de suite... je reviendrai.

Et quand il fut parti, Maria s'assit encore une fois près de la fenêtre et regarda la nuit et la neige envelopper le paysage en songeant à son grand ennui.

Personne ne parla de la visite de Lorenzo Surprenant mais le dimanche suivant, Eutrope Gagnon vint voir Maria à son tour et lui fit la même demande avec un peu plus de timidité et un ton hésitant, comme s'il s'était senti découragé d'avance. Maria lui répondit :

— Je ne peux rien vous dire, Eutrope. Ni oui, ni non. Il faut attendre.

La vie reprit son cours et l'on attendit le printemps. Le soir, les besognes accomplies, Maria pensait aux demandes faites par les deux hommes. Et surtout, elle songeait aux rues éclairées des villes, aux magasins, aux voyages loin de ces arbres noirs dont les troncs s'alignaient devant la maison comme des menaces. Elle essayait d'oublier François Paradis qui ne reviendrait pas comme il l'avait promis, ni au printemps, ni plus tard. Elle savait bien qu'il faudrait qu'elle se décide, si elle ne voulait pas rester « vieille fille ». Mais elle ne pouvait faire autrement que de continuer à attendre car il lui était impossible de formuler une réponse.

En avril, sa mère tomba malade d'un mal que personne ne sut guérir, même les pilules grises qu'apporta Eutrope. Le père se résigna à partir en charrette sur les mauvais chemins chercher le médecin. Mais ni le médecin, ni le ramancheur*, ni le curé du village le plus proche ne purent faire grand-chose. Elle mourut d'une maladie mystérieuse en dedans du corps.

Toute la famille veilla Laura Chapdelaine et le père se mit à raconter, à la lueur des bougies, des souvenirs lointains de leur vie commune. Maria découvrit avec surprise des aspects singuliers de la vie de sa mère. Elle avait vécu tout son « règne » dans des lieux désolés sans la sécurité paisible des villages, et pourtant elle avait été une femme heureuse. Maria se mit à repasser dans sa tête les images et les noms qui dessinaient leur quotidien. La neige, si blanche, qui recouvrait tout pendant les sept mois d'hiver. Puis, l'apparition presque miraculeuse de la terre au printemps ; les bourgeons des bouleaux, des aulnes et des trembles qui éclataient au soleil. Elle énumérait tous les lieux de ce pays : Pointe-aux-outardes, Trois-Pistoles, Sainte-Rose-du-dégelé...

À force de penser et d'écouter les petites voix intérieures qui s'adressaient à elle dans le silence de la nuit, Maria finit par comprendre qu'elle était liée à ce pays qu'elle aimait. Elle décida d'y rester, pour continuer le travail de Laura Chapdelaine et celui que les pionniers français avaient entrepris, il y a trois cents ans. Elle choisit de ne pas s'en aller au loin parce que, confusément, elle sentait qu'elle était d'une race qui ne sait pas mourir, à plus forte raison dans ce pays rude et splendide qui lui collait à l'âme. Elle avait envie, comme sa mère, de faire ce pays.

En mai, quand ses deux frères descendirent des chantiers, leur chagrin raviva celui des autres et toute la famille pleura encore la mort de la mère. Puis, Eutrope vint veiller, un soir. Il demanda avec hésitation :

— Calculez-vous toujours de vous en aller, Maria ?

Elle fit non de la tête. Puis, elle dit, calmement :

— Je vous marierai le printemps d'après celui-ci, Eutrope, quand les hommes reviendront du bois pour les semailles.

Vous avez dit blizzard

Léo et les presqu'îles

Texte de Gilles Vigneault, extrait du recueil Léo et les Presqu'îles, *© Nouvelles Éditions de l'Arc, Montréal, 1992.*

En même temps qu'il chante sur les scènes du monde, Gilles Vigneault (voir l'introduction de Conte-fable*), cisèle des histoires merveilleuses qu'il raconte aux enfants. Celle-ci nous emmène autour des cinq doigts de la main et nous plonge en pleine magie. Une magie que tous peuvent côtoyer chaque jour puisqu'elle semble être, sous ces mots, à la portée de la main.*

À partir de 7 ans

20 min

Étang
Maison
Mer
Navire

Femme
Garçon
Jeune fille
Pêcheurs

Avertissement :
Pour ajouter au merveilleux de l'histoire qui va suivre il convient de mentionner ici qu'elle a d'abord été racontée à un petit garçon en parcourant du doigt les chemins de Léo dans les lignes de sa main. Il nous a semblé que, pour tous, même pour les grandes personnes, les aventures de Léo y gagneraient encore.

Gilles Vigneault

Il était une fois un petit garçon qui s'appelait Léo et qui vivait dans une vieille maison située derrière deux petites collines entre lesquelles un chemin menait vers la mer. Sa maison était ici et avait nom « Le Quai-qui-part ». Léo vivait seul avec sa mère parce que son père qui avait toujours été pêcheur s'était perdu en mer alors que le petit garçon avait trois ans. Il y avait de cela plusieurs années et Léo devenait doucement un petit homme aussi vaillant que débrouillard.
Un jour de printemps il demanda à sa maman :
— La mer, est-ce que c'est loin d'ici ?
Sa maman, qui ne voulait pas lui mentir, mais qui ne voulait pas non plus que son petit garçon s'éloigne trop de la maison, lui répondit :
— C'est à peu près trois heures au pas d'un homme... C'est loin.
Léo répondit d'un air décidé :
— Ça ferait à peu près cinq heures, à mon pas. Demain, je vais aller voir ça !
Sa maman savait bien que cela viendrait un jour. Elle se dit que l'empêcher serait pire que tout. Il valait mieux lui montrer tout de suite le chemin des choses de la mer et les routes de la vie plutôt que de faire couver des jours et des jours

l'envie de partir qui ne ferait que grandir avec le temps.
Elle dit :
— C'est bien, Léo ! Le temps est venu. Demain matin, très tôt, je t'emmènerai entre les deux collines et de là, je te montrerai où rejoindre le chemin de la mer et le monde des cinq presqu'îles.
Ce soir-là, le petit garçon prit un peu plus de temps à s'endormir et rêva qu'il était loin sur la mer, à la pêche, et qu'il prenait un poisson si gros qu'il en avait peur et devait lui abandonner sa ligne. Et mille autres aventures qui l'attendaient.
Premier debout le lendemain, il allait rappeler à sa maman la promesse de la veille, mais ce fut elle qui dit :
— Il faut bien manger au petit déjeuner Léo, parce que la route est longue pour aller à la mer, à midi tu n'y seras pas encore…
Il mangea bien, prit un baluchon dans lequel sa mère avait mis de quoi casser la croûte, une gourde pleine d'eau fraîche, puis ils se mirent en route… vers huit heures. À la grande surprise de sa mère qui avoua ne pas trop s'y connaître en distance, ils furent entre les deux collines au bout d'une heure seulement.
Ils étaient donc rendus ici.
Alors la maman dit :
— Tu vas descendre vers ce grand lac que tu vois en bas et que ton père a toujours appelé l'Étang-à-Sel. Arrivé au bord, tu prends à gauche un petit chemin que tu trouveras en traversant un ruisseau qui coule comme ça. Puis tu montes comme si tu revenais ici mais tout droit sur la colline de gauche… Après, tu suis le chemin qui te mènera chez le capitaine. C'est un bon vieux qui a aidé ton père autrefois et il va

t'aider à ton tour. Si jamais tu ne sais que répondre aux questions qu'on te pose, tu peux toujours dire : « Ma mère disait : « À donner ce que l'on a, on ne perd rien de ce qu'on n'a pas encore… »

Puis elle embrassa son petit garçon :

— Reviens vite me dire comment les choses se font !

Et il partit. Elle le regarda un moment et, quand il eut dépassé un certain caillou, fit un grand signe de la main et s'en revint au Quai-qui-part, en priant pour que le ciel protège son enfant. Elle était pleine d'inquiétude, mais très fière aussi d'avoir un petit garçon si vaillant et si audacieux.

Léo descendit donc jusqu'au lac et tourna à sa gauche, puis, sautant le petit ruisseau, remarqua qu'il était plein de tout petits poissons couleur d'argent, il se dit : « Voilà sûrement une eau où je ne pêcherai pas. Ce ne serait pas très nourrissant… »

Un grand vieux curieusement vêtu l'apostropha.

Il but un peu d'eau à sa gourde et se remit en marche pour monter la colline qui lui faisait face.

Un quart d'heure après, il était au sommet et s'engageait dans un sentier assez étroit mais très évident qui le mena en une heure à peine devant une vieille cabane de bois rond qui avait l'air cependant très solide, comme si on l'eût fait pousser là, avec, à sa porte, un grand vieux curieusement vêtu qui l'apostropha :

— Ah… c'est le petit Léo. Je ne t'attendais pas avant tes quinze ans, toi… mais je suis content de te voir. Ton père était un bon pêcheur. Oh ! T'en seras un ! Alors Léo, t'es venu te faire bâtir un bateau chez le vieux Abel ?

Pris dans les mots de son destin, Léo répondit aussi sec :

— C'est ça. Mais un peu plus grand et un peu plus fort que celui que vous aviez fait pour mon père. Seulement, pour vous payer… c'est que… maman n'a pas d'argent et moi… je suis vaillant, mais en dehors de mon baluchon… j'ai rien.

— Je vais te faire ton bateau ! Je vais te faire ton bateau ! T'es vaillant, tu dis ? On verra ça. Moi, de toute façon, tout ce que je te demanderai, ça sera de me donner le plus gros poisson que t'auras pris à chaque saison que tu pêcheras… Ça te va, mon Léo ?

— Sûr que ça me va ! c'est pas cher.

— Bon, bien si c'est comme ça, rentre-moi un peu de bois pour le souper, tu vas coucher ici et, demain, tu te rendras chez la vieille Benoîte dans la Presqu'île du Phare, c'est elle qui fait les filets puis les voiles. Elle est souvent malcommode, mais je te dirai quoi faire pour l'amadouer. Allons rentre ! Ici tu es chez moi, dans la Presqu'île du Capitaine.

Ils mangèrent un repas de morue rôtie et, après le thé, le vieux se mit à chanter.

Le plus petit bateau demande un capitaine.
Le plus grand capitaine a besoin d'un bateau.
Maille à terre ! Maille à l'eau !
C'est la vie du matelot. C'est la vie du matelot.

Mais Léo était déjà endormi. Il avait eu une grosse journée. Le lendemain après déjeuner, il partit vers la Presqu'île du Phare, avec la recommandation de ramasser quelques brins de thym sauvage qu'il ferait bon offrir à la vieille en arrivant. Il sauta le ruisseau vers midi, trouva le thym sauvage, en cueillit plus que suggéré et après avoir pris un bout de pain noir que le vieux capitaine lui avait mis dans son baluchon et bu un peu d'eau au ruisseau, il reprit courageusement son voyage. Le chemin était plus étroit, et il pouvait voir à travers les arbres rares l'eau qui le séparait de la presqu'île suivante. Il arriva en vue de la vieille hutte vers les trois heures. Tout avait l'air désert et abandonné. Mais en s'approchant de la hutte couverte de paille… il remarqua un oiseau qu'il prit pour un grand corbeau perché sur un piquet. Il en eut presque peur.… l'oiseau aussi peut-être, puisqu'il s'envola en trouant l'air d'un cri étrange que Léo ne connaissait pas. Et la vieille apparut. Vêtue d'un accoutrement d'un jaune sale constitué, en fait, de plusieurs sacs de pommes de terre, de la jute usée de travail et de mauvais temps.

— Bonjour madame Benoîte.

— Qu'est-ce qu'il veut celui-là ? De la voile puis du filet… C'est encore ce vieux grigou d'Abel qui me l'envoie… Ton nom ?

Léo décida de ne pas se laisser impressionner par la vieille et répliqua :

— Vous avez bien deviné. Et c'est lui aussi qui m'a dit que je vous ferais plaisir en vous apportant ça…

Et il lui tendit son gros bouquet de thym sauvage… La vieille eut une sorte de demi-sourire et changea de ton…

— Au moins t'es poli… Ton nom toujours ?

— Je m'appelle Léo. Et monsieur Abel me fait un bateau. Il m'a dit qu'il allait le commencer aujourd'hui.

— Bon. C'est bien. Tu peux entrer. Un filet, j'en ai un de fini. Mais il faut que tu me dises bien la longueur de ton bateau pour la voile…

Léo et madame Benoîte.

La vieille paraissait apprivoisée. Mais elle se déplaçait avec difficulté. Il s'offrit donc à aller lui chercher un seau d'eau puis, à rentrer un peu de bois… Vers l'heure du souper, ils mangèrent un peu de poisson fumé : c'était de l'aiglefin, et c'était fort bon. Puis, invité à dormir sur une paillasse, il accepta après qu'ils se furent entendus sur le prix de la voile et du filet.

— Chaque fois que tu auras pris neuf poissons, le dixième sera pour la vieille Benoîte. Qu'il soit petit ou qu'il soit gros. Peu m'importe. Moi ce que je veux c'est le dixième. T'as compris ?

— J'ai compris et je suis bien content. Vous êtes bien bonne pour moi...

— Ah... il est poli... celui-là... il est poli au moins.

Le lendemain, après avoir été lui quérir de l'eau et rentrer deux brassées de bois, Léo quitta la vieille et, sur ses recommandations, entreprit de faire le tour de l'anse pour se rendre au bout de la Presqu'île Majeure, qu'elle avait dit, et y rencontrer un drôle de personnage qui s'appelait Colin.

Ce fut l'étape la plus longue du voyage. Il fut rendu au fond de l'anse vers les deux heures de l'après-midi et si fatigué du chemin qu'il décida de s'y arrêter un moment. Puis après une bouchée d'aiglefin fumé et une gorgée d'eau de sa gourde, Léo s'endormit au pied d'un gros caillou. Il fut réveillé au bout d'une heure par un bruit d'eau et de chicane. Un grand héron bleu venait d'attraper un brochet presque aussi long que son cou et luttait furieusement pour le tuer. Léo observa la bataille avec ravissement. Le grand oiseau la gagna bien sûr et Léo ne put se retenir de crier :

— Il l'a eu... il l'a eu...

Aussitôt le héron s'envola et en passant au-dessus de Léo lui fit peur. Il n'aurait jamais pensé que ses ailes fussent si grandes.

Il se remit en route en se disant que ça lui fera quelque chose à raconter à Colin qui selon la vieille avait encore plus mauvais caractère qu'elle-même.

Il arriva au bout de la Presqu'île Majeure comme le soleil se couchait et fut surpris de n'y trouver ni cabane ni habitation. Mais, comme le sentier menait jusqu'au bord de l'eau, il le suivit et se trouva bientôt face à un grand bateau à deux mâts, un de misaine et un de hune... d'où quelqu'un lui cria :

— Si tu sais ramer tu peux embarquer... le souper est prêt... Prends le canot qu'est là.

Léo décida qu'il était temps d'apprendre à ramer et s'y exerça d'abord sans détacher le canot. Puis, quand il eut saisi la manière, s'éloigna courageusement de terre. Après quelques virées maladroites, il réussit à se rendre au bateau sous les moqueries mêlées de conseils du capitaine qui finit par lui dire, en le faisant monter à bord :

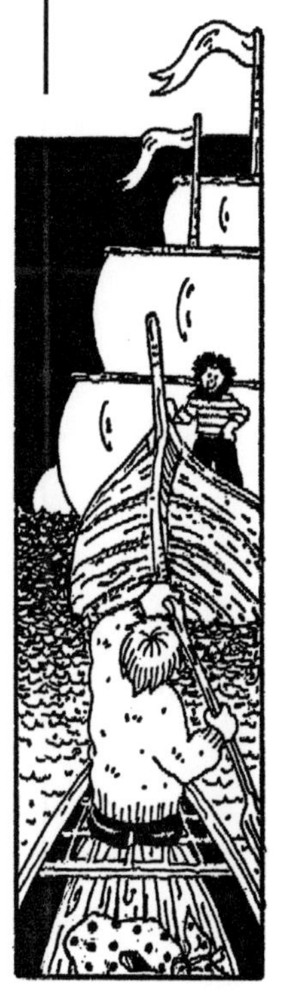

Il s'éloigna courageusement de la terre.

— Tu vas apprendre vite toi, t'es un petit débrouillard !

— Êtes-vous monsieur Colin ? Quelqu'un m'a dit en chemin que vous aviez un mauvais caractère... Excusez-moi de vous dire ça mais, moi, je vous trouve bien accueillant...

— Ah... Ça, c'est ma mère, la vieille Benoîte. Elle a si mauvais caractère qu'elle s'imagine que le reste du monde est comme elle. C'est une bonne personne au fond. Lui as-tu donné un petit coup de main ?

— Ah... c'est votre mère ? Bien elle a été bien aimable pour moi, puis elle va me faire ma voile. Je l'ai aidée un peu. Oui. Oui. Puis il me reste encore de l'aiglefin fumé qu'elle m'a donné... En voulez-vous ?

— Oh ! Oui, il y a longtemps que j'ai eu de son aiglefin... mère Benoîte, pour fumer le poisson... Le capitaine Abel, lui comment il se porte ?

— Oh... bien ! il me fait un bateau, plus grand que celui de mon père... Est-ce qu'il est parent avec vous ?

— C'est mon père. On s'entend bien, mais mieux de loin. On

se salue des fois, au large... en pêchant le flétan, là où les fonds se creusent. Puis, toi, tu veux un mât puis des rames ? Ah oui ! Pour les rames, j'en ai deux de faites, mais pour le mât, c'est un peu plus long mon garçon. B'en... la mesure ! Puis le trouver ! Trois, quatre jours. T'as rencontré personne, sur ton chemin ?
— Oh... j'ai vu un grand héron qui a réussi à tuer un poisson presque aussi long que lui... !
— Ouais... le grand salaud, il m'a vidé mon filet l'autre jour, j'avais pris de la truite de mer... j'ai pas eu l'honneur d'y goûter. Pour vivre de la pêche, faut en surveiller des choses !

Et ils causèrent ainsi, tard dans la soirée. Léo apprit encore pour le lendemain qu'il devait se rendre dans la Presqu'île de l'Anneau. Et que pour se faire fabriquer une ancre et une chaîne, il faudrait arriver là en chantant une chanson de marin et que pour obtenir un mot du vieux géant forgeron, il faudrait l'appeler mon oncle Déodat en arrivant et prendre le grand soufflet pour attiser le feu qui ne doit jamais s'éteindre... toute une cérémonie !...
— Mais pour mon mât et mes rames... ce sera combien, monsieur Colin ?
— Ce sera les dix premiers poissons plats que tu prendras dans ta saison : du flétan, de la plie, de la limande, du turbot. Mais plats ! C'est d'accord ?
— Ah ! D'accord.
Et Léo partit pour la Presqu'île de l'Anneau. Colin l'accompagna jusqu'au fond de l'anse où il avait son filet. Puis, l'anse contournée, Léo commença à se chercher quelque chose à chanter... Il finit par se souvenir du refrain que le vieux capitaine avait chanté :

Le plus petit bateau
Demande un capitaine.
Le plus grand capitaine
A besoin d'un bateau.
Maille à terre ! Maille à l'eau !
C'est la vie du matelot.
Maille à terre ! Maille à l'eau !
C'est la vie du matelot.

Il se dit qu'il ne savait là qu'un refrain mais qu'il le reprendrait sur un autre ton. Il vit d'abord le feu. De loin, il avait déjà entendu le marteau sur l'enclume... Mais il se demanda comment l'oncle Déodat pouvait vivre dans un pareil trou. Tout était noir comme le derrière du chaudron et ça sentait le charbon et la suie, le fer brûlé, trempé, l'eau qui grésille. Un véritable enfer.
— Bonjour mon oncle Déodat...
— Qu'est-ce que tu chantes ?
— Je disais : « Bonjour mon oncle Déodat... », criait Léo de toutes ses forces dans le vacarme.
— Ouais ! Je t'ai entendu... Bonjour mon garçon. À c't'heure chante ta chanson... !
Léo commença :

Le plus petit bateau...

Le géant s'arrêta net pour écouter... et de surprise Léo s'arrêta de chanter.
— Continue, continue...
Et l'oncle Déodat se mettait à chanter avec Léo d'une voix aussi énorme qu'il était grand et noir de suie jusqu'aux yeux.

Il reprit par trois fois le refrain qui semblait toujours avoir flotté sur les mémoires sans que personne n'en sût le moindre couplet.
Léo trouvait que l'oncle Déodat était bien moins effrayant qu'on le disait, et s'aperçut bientôt que toutes ces cérémonies étaient, en fait, une suite de farces que le bonhomme faisait pour se distraire. Quand on en vint au prix à payer pour avoir l'ancre et la chaîne faites, le vieux géant lui dit :
— Si je te demande de me donner le plus petit poisson que t'auras pris dans ta semaine... Vas-tu trouver ça cher ?
Léo ne savait trop que penser et se souvint soudain de ce que sa mère lui avait dit et répondit :
— À donner de ce qu'on a, on ne perd rien de ce qu'on n'a pas encore... Ça c'est sûr !
L'oncle Déodat éclata de rire :
— T'es adroit, toi. Cré Léo. T'es futé comme une anguille ! C'est sûr, c'est toi qui vas avoir une fille... C'est toi ! il n'y a rien de plus certain.
— Quelle fille ?
— Tu verras. En attendant on va aller dormir.
Mais l'oncle Déodat, lui, ne se couchait pas. Il réattisait son feu et Léo s'endormit aux échos du marteau sur l'enclume.

Il se réveilla avec le soleil et la voix tonitruante du bonhomme qui chantait :

Le plus petit bateau...

en tapant du marteau, à croire qu'il avait passé la nuit à forger.
— Viens voir ton ancre, Léo...

Léo eut la belle surprise de voir une ancre noire suspendue à une poutre de la forge par sa chaîne…

— Je vous promets le plus petit poisson que vous aurez jamais vu mon oncle.

— Cette ancre-là est un peu pesante pour toi. Mais elle sera sur ton bateau avec sa chaîne quand le bateau sera prêt. Avec ça, il ne te manque plus que le filet.

— Ah ! pour le filet, la vieille Benoîte m'a dit qu'elle allait me le faire…

— Bon. C'est une autre de ses menteries, ça. Vieille folle ! Mais elle s'imagine qu'elle fait encore du filet. Bon. Seulement elle ne voit plus très bien la vieille, et ça donne un filet avec de grands trous de mailles qui manquent. Pour les voiles, elle est parfaite. Mais avec le filet qu'elle maille, on pourrait manquer des marsouins. On accepte, pour ne pas lui faire trop de peine, mais on pêche avec les filets de la Sirène.

— La Sirène ? Qui c'est donc ça ?

— Irène, c'est la fille de la vieille Benoîte qui reste là en face, sur la Pointe de l'Oreille. Une presqu'île comme ici, mais plus petite. Tu y seras dans une heure. Puis toi, comme t'as pas la langue dans ta poche, ça te coûtera pas cher… Salut, mon petit Léo, puis bonne chance !…

Le plus petit bateau…

Léo se mit en chemin pour ce qui semblait la dernière étape de son périple. Il contourna la petite anse et il y vit une tortue qui se chauffait au soleil. Il ralentit alors son pas… en se disant que, décidément, il avait hâte de rencontrer cette Irène qu'on avait, pour des raisons à lui obscures encore, surnommée « La Sirène ».

Quand il arriva au bout de la presqu'île derrière laquelle c'était la mer à l'infini jusqu'aux nuages bas sur l'horizon, la belle Irène était en train de faire du filet, dehors. Elle maillait le fil vert avec doigté, une gestuelle du bras qui ressemblait à de la danse. Ses cheveux blonds très longs flottaient au vent de quatre heures. La corde à flotteurs était tendue entre deux grands piquets sur l'un desquels était posé un gros oiseau qui regardait le visiteur avec un air de juge.

Elle maillait le fil vert avec doigté.

— Bonjour Léo ! dit-elle, le vent m'a dit que tu viendrais aujourd'hui. Et je me suis mise tout de suite à l'ouvrage. Tu auras ton filet demain soir.

Mais je vais te demander de commencer à me le payer tout de suite…

— Mais c'est que je n'ai pas d'argent, mademoiselle Sirène… Est-ce que je peux vous rendre service ?

— Mais la parole est d'argent… Léo. Pour me remercier et… m'encourager à poursuivre le travail… tu vas me raconter comment s'est déroulé ton voyage jusqu'ici. Et quand j'aurai fini, une fois par semaine, le dimanche, tu viendras me raconter ta semaine de pêche. Bon. Tu peux commencer.

Et Léo raconta, en trouvant que ce n'était vraiment pas cher pour un outil aussi précieux qu'un filet… il racontait… le vieil Abel, dans la Presqu'île du Capitaine, la vieille Benoîte, mais sans mentionner le filet qu'elle lui avait promis, puis Colin, leur fils, qui vivait sur le bateau ancré au bout de la Presqu'île Majeure. Il la fit rire en lui narrant la forge et surtout le souper chez l'oncle Déodat, qui couvert de suie, insista pour que Léo aille se laver les mains pour souper… Pendant qu'il parlait, il remarqua que l'oiseau l'écoutait comme s'il eût tout compris…

Elle s'en aperçut et lui dit :

— Martin t'écoute, oui ! Oui ! Tout comme moi... il comprend tout. Il y a cinq ans qu'il est avec moi. C'est moi qui l'ai élevé et tu serais surpris de savoir tout ce qu'il sait faire. Tiens... regarde !

Elle s'arrêta un moment de mailler et s'adressant à l'oiseau :

— Martin, vas donc nous pêcher un peu de poisson pour souper... !

Le martin-pêcheur s'envola aussitôt et vira vers le large. La Sirène se remettait à mailler de ses gestes clairs dans le soleil. Et Léo se mit à parler de sa mère, et du Quai-qui-part d'où il venait...

L'oiseau revint avec, dans son bec, un poisson presque aussi gros que lui-même. Et avant que Léo eût le temps de s'en étonner, il posait le poisson près de sa maîtresse et repartait pour le large. Au bout de trois poissons, elle l'arrêta :

— Tu peux te reposer maintenant, Martin, merci, tu fais un bon pêcheur !

Ce soir-là Léo dormit dans un grand hamac tressé de cordes fines, et le lendemain matin, il repartit vers le Quai-qui-part pour donner des nouvelles à sa mère. Arrivé à l'étang, il décida d'en faire le tour complet, pour une fois. Revenu à son point de départ, il se demandait encore comment faire pour donner le plus gros poisson au capitaine Abel, puis un poisson sur dix à la vieille Benoîte, puis les poissons plats à Colin et enfin, le plus petit poisson à l'oncle Déodat... Ça devenait un casse-tête épuisant... il avait soif et s'aperçut qu'il avait oublié sa gourde chez la Sirène ; il se pencha pour boire à l'étang... et recracha aussitôt sa gorgée d'eau... Elle était salée...

« L'Étang-à-Sel... L'Étang-à-Sel se dit-il, j'aurais dû y penser avant. C'est ma solution, chaque fois que je vais revenir de la

pêche, je vais mettre dans l'étang, le plus gros, le plus petit, le dixième et le poisson plat que j'aurai pris. Et je pourrai dire à tout le monde : “Le poisson est là, rien qu'à vous servir. Avec une épuisette chacun aura son dû...” »
Et Léo se mit à danser sur le chemin qui le ramenait vers sa maman. Il chantait en montant le petit chemin entre les deux collines :

Le plus petit bateau
Demande un capitaine.

L'Herbe qui murmure

Texte de Cécile Gagnon, adapté d'un conte amériendien, extrait du recueil L'Herbe qui murmure, *© éditions Québec/Amérique Jeunesse, collection* Clip, *Boucherville, 1992, 94 p.*
Dans la mythologie de plusieurs nations amérindiennes, les manitous sont des bons esprits qui viennent en aide aux hommes.

À partir de
6 ans

13 min

Campagne
Grotte

Animaux
Chasseurs
Herbe

Il y a très longtemps, au pays des grandes forêts, une colline toute verte faisait une tache claire au milieu des arbres noirs et drus. Elle était couverte d'une herbe qui savait parler et murmurer quand le vent l'agitait. Cette herbe douce avait tissé des liens d'amitié solides avec tous les animaux de la forêt voisine, en particulier avec les cerfs, les renards et les loups gris.

On était en été. Ce jour-là, l'herbe qui murmure était très soucieuse car le vent du sud venait d'apporter, le matin même, une rumeur inquiétante. Une rumeur qui parlait d'un danger qui approchait. L'herbe n'avait osé en parler à personne, mais voici qu'en plein soleil de midi, tous les brins d'herbe constatèrent avec effroi que la rumeur s'était transformée en réalité. Et dès le premier coup d'œil, ils comprirent que leurs amis les animaux étaient en danger de mort.

L'herbe décida donc d'envoyer des messagers les avertir du danger terrible qui les menaçait.

L'herbe appela les papillons et leur dit :

— Allez vite chez les cerfs, les loups et les renards. Dites-leur de venir sur-le-champ nous rejoindre sur la colline verte.

Les papillons s'envolèrent et livrèrent leur message. Les animaux se dirigèrent vers la colline et en peu de temps s'y trouvèrent réunis.

— Écoutez-moi, mes frères, dit l'herbe qui murmure. Un grand danger vous menace. Une bande de chasseurs traverse à cet instant la forêt et s'avance vers vous pour venir prendre vos vies.

— Des chasseurs ? Quel est ce mot ? Que signifie-t-il ? demandèrent les animaux.

— Ce sont les hommes portant arcs et flèches. Ces flèches mortelles vont transpercer vos cœurs. Ces chasseurs sont tout proches d'ici ; sitôt qu'ils vous verront, ils lanceront leurs flèches et vous mourrez !

— Que devons-nous faire ? demandèrent les animaux désemparés. Herbe qui murmure, toi qui es sage et qui connais tant de secrets, dis-nous comment sauver notre vie.

— Courez chez vous, répondit l'herbe verte. Mettez-vous à l'abri dans votre tanière ou votre abri et restez-y cachés jusqu'au crépuscule du jour à venir. Quand tout danger sera écarté, j'enverrai mes messagers vous avertir.

Les animaux inquiets suivirent sans hésiter les conseils de l'herbe et s'enfuirent aussitôt vers leurs caches au milieu des grands arbres de la forêt.

Le lendemain, lorsque les chasseurs atteignirent le pied de la colline, ils ne virent rien de vivant aux alentours si ce n'est quelques papillons qui voltigeaient en silence dans la plus parfaite désinvolture. Tout le reste du jour les chasseurs cherchèrent le gibier, mais ils ne virent pas un seul cerf, pas un loup gris, même pas un renard ni un lièvre ni même un écureuil. On n'entendait pas un bruit ; même l'air ne charriait aucune odeur de bête.

Les chasseurs.

Enfin, quand le soir tomba, les chasseurs retournèrent à leur campement au pied de la colline. Ils étaient fatigués et ils avaient faim. Ils étaient partis sans emporter de provisions, car ils étaient sûrs de trouver du gibier en abondance.

— Rentrons chez nous, dit le premier chasseur. Cette région est mauvaise pour la chasse et je meurs de faim.

— Non, dit le second chasseur. Attendons demain, c'est certain que nous trouverons du gibier ici.

— Levons-nous tôt demain et nous trouverons certainement une cible pour tirer nos flèches. Ce soir, pour calmer notre appétit, nous mangerons de l'herbe. Regardez devant nous cette colline couverte d'herbe verte et tendre. Elle a l'air délicieuse. Puisque les animaux s'en délectent, pourquoi ne pas en manger aussi ?

— Et si c'était de l'herbe qui murmure ? répliqua le premier chasseur. Vous savez tous que celui qui mange de l'herbe qui murmure perdra à jamais le pouvoir de tuer quoi que ce soit avec ses flèches.

— Voyons, frère chasseur, s'écria le troisième compagnon, tu vois bien que cette herbe ne murmure pas. Le vent d'ouest est levé depuis longtemps ; regarde comme les brins d'herbe sont agités. Et pourtant, nous n'entendons rien, pas le moindre petit son, pas un seul petit grognement.

Tous tendirent l'oreille. En effet, on n'entendait que le doux bruissement des feuilles et le cliquetis des aiguilles de pin que le vent faisait s'entrechoquer. Le vent couchait les brins d'herbe devant eux et les faisait onduler, mais pas un son n'en émanait, c'était l'évidence même.

— Ce n'est pas de l'herbe qui murmure, j'en suis certain, dit avec autorité le chasseur qui avait faim. Allons, mangeons cette herbe verte.

Tous alors, affamés qu'ils étaient, se mirent à cueillir de l'herbe à grandes brassées. Ils la mirent dans un grand chaudron et puis ils la firent bouillir sur le feu. Ils en firent une soupe épaisse et parfumée. Ils se régalèrent de ce repas simple et se sentirent enfin repus. Puis ils se roulèrent dans des peaux et s'endormirent.

Tandis qu'ils dormaient encore, l'heure du crépuscule arriva. L'herbe qui murmure ne dormait pas. De sa voix la plus douce, elle appela les papillons et leur dit :

— Allez chez vos frères les animaux et dites-leur que tout est bien. Dites-leur que, dès l'aube, ils pourront sortir de leur cachette et parcourir les chemins de la forêt comme d'habitude. Les chasseurs essaieront de les atteindre avec leurs flèches, mais dites-leur de ne pas s'effrayer car elles ne pourront pas les tuer.

Les papillons partirent et livrèrent le message de l'herbe aux cerfs, aux loups gris et aux renards. Chacun transmit les paroles de l'herbe aux siens et aux autres. Le lendemain, aux premières heures du jour, les animaux sortirent de leurs abris. Ils virent les chasseurs s'avancer vers eux. Ils eurent peur et voulurent se cacher, mais ils se rappelèrent le message des papillons. Ils restèrent donc sur place à examiner ces êtres curieux qui marchaient vers eux.

Les chasseurs pointèrent leurs flèches vers eux et tirèrent. Les flèches fendirent l'air et tombèrent sur le sol à quelques pas des bêtes. Tout le jour, les chasseurs tirèrent et leurs flèches ratèrent leur cible. Finalement, frustrés et découragés, ils retournèrent à leur campement au pied de la colline.

— Mes frères, dit tristement le premier des chasseurs, c'était de l'herbe qui murmure que nous avons mangée hier. On le voit bien : toutes nos flèches ratent leur cible malgré l'abondance du gibier.

— Nous n'avions pourtant rien entendu, dit le deuxième chasseur, qui avait rassuré les autres avec une trop grande certitude.

— C'est cette herbe qui nous a trompés, dit le troisième.

— Oui, elle nous a trompés. Elle est restée silencieuse quand nous l'écoutions pour nous donner envie de la manger, et voici maintenant que nous avons perdu le pouvoir de chasser. Tous les chasseurs de notre tribu vont rire de nous.

— Alors détruisons cette herbe maléfique, dit le deuxième chasseur, encore plus honteux que ses compagnons. Allons l'arracher pour que jamais plus elle ne puisse réduire à l'impuissance d'autres chasseurs.

— Oui ! mais attendons la nuit, dit le premier chasseur. À ce moment personne ne pourra nous voir. Nous arracherons toute cette herbe sans en laisser un seul brin sur toute la colline.

Les papillons qui se tenaient dans les parages entendirent les paroles des chasseurs. Ils s'envolèrent aussitôt chez les animaux.

— Ohé ! mes frères, dirent-ils, vos ennemis les chasseurs ont décidé de détruire l'herbe qui murmure pendant la nuit. Comment pouvez-vous empêcher ce malheur ?

— Il faut venir au secours de l'herbe qui murmure, dit le cerf. C'est grâce à elle si nous sommes en vie aujourd'hui ; c'est à notre tour de la sauver.

S'adressant au renard, le cerf dit :

— Toi, mon frère renard, n'as-tu pas dans ta tête une façon, un plan pour sauver notre amie l'herbe qui murmure ?

— Je ne suis pas assez vieux ni assez sage pour ça, répondit le renard. Mais je sais à qui m'adresser pour trouver une solution. Ne bougez pas, mes frères, restez sur place ; je vais courir jusqu'aux montagnes noires où habite le manitou du feu. Il est sage et puissant. Je suis sûr qu'il saura nous aider.

On voyait rougeoyer un feu étincelant.

Le renard partit à toute vitesse à travers la forêt vers une longue chaîne de montagnes qui se dessinait au loin. Arrivé à la première montagne il se faufila sous les buissons dans une étroite caverne et suivit un long couloir sombre qui débouchait sur une grotte profonde. Au centre de la grotte on voyait rougeoyer un feu étincelant. Et tout à côté, on distinguait une forme humaine assise sur le sol.

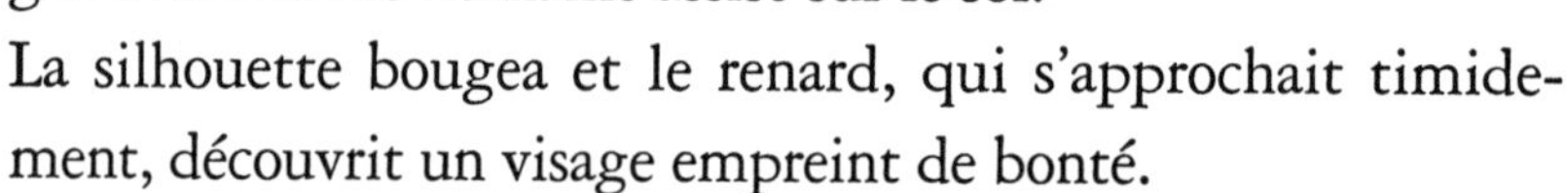

La silhouette bougea et le renard, qui s'approchait timidement, découvrit un visage empreint de bonté.

— Tu viens demander de l'aide ? fit une voix grave et douce. Qu'y a-t-il donc ?

— Des chasseurs projettent d'arracher de terre notre amie l'herbe qui murmure, dit le renard. Peux-tu nous dire, puissant manitou du feu, comment la sauver ? Car nous l'estimons et nous lui devons la vie.
— Mon fils, approche-toi. Vois-tu ces formes qui ressemblent à des pierres noires ? dit le manitou en indiquant des objets sombres qui jonchaient le sol de la grotte. Ces choses proviennent du centre de la terre. C'est Kije Manitou, l'Esprit souverain, qui les y a mises. Avec des pans du ciel de minuit et un millier de rayons de soleil, il a façonné ces pierres noires et les a cachées au plus profond de la terre. Il savait, dans sa sagesse, que l'homme saurait les trouver le jour où il aurait besoin de chaleur et de lumière.
Il poursuivit :
— Je vais mettre ces pierres dans mon feu pendant que tu retournes vers tes frères les loups et les cerfs. Pars vite, va leur dire qu'ils doivent revenir avec toi, ici même. Tout sera prêt quand vous serez de retour. Je vous donnerai alors ce qu'il vous faut pour sauver la vie de l'herbe qui murmure. Ne perds pas de temps. Il faut que tout soit terminé avant le réveil des chasseurs.
Le renard ne se fit pas prier pour repartir. Il fila comme le vent vers la forêt toute proche de la colline d'herbe verte. Quand il retrouva les loups et les cerfs assemblés, il fut chaudement accueilli. Il leur répéta le discours du manitou.

Et tous ensemble ils se mirent en route vers les montagnes noires et la grotte du manitou du feu. Quand ils furent rendus auprès de lui, ils constatèrent que les pierres que le manitou avait placées dans son feu n'étaient plus noires mais rouges et brillantes comme le feu lui-même.

— Mes enfants, dit le manitou, ces pierres sont des charbons ardents. Prenez-les et placez-les en cercle sur la colline tout autour de l'endroit où croît l'herbe qui murmure, votre amie. Ces charbons ne vous brûleront pas pendant votre voyage car je vous accorde ma protection pour la durée de votre marche. Ils ne brûleront pas non plus l'herbe qu'ils toucheront.
Les animaux remercièrent le manitou. Ils saisirent autant de pièces de charbon qu'ils pouvaient en transporter et reprirent le chemin vers la colline. La nuit était sombre et la lune tardait à se montrer. Les chasseurs dormaient toujours.
Les animaux arrivèrent près d'eux et, sans bruit, ils firent ce que leur avait recommandé le manitou : ils placèrent les morceaux de charbon en cercle et se cachèrent derrière les arbres. Puis la lune se montra. Peu de temps après les chasseurs s'éveillèrent. À peine levés, ils remarquèrent l'étrange cercle brillant qui entourait l'herbe. Ils crurent rêver. Ils se frottèrent les yeux et regardèrent encore. On voyait un cercle de feu qui brillait sans montrer de flamme. Les chasseurs furent terrifiés par cette vision ; ils n'osaient pas gravir la colline tant ils avaient peur.
Enfin, le premier chasseur dit :
— Mes frères, retournons chez nous. Cette herbe qui murmure doit être protégée par Kije Manitou lui-même. Nous n'aurions pas dû en manger et nous ne devrions surtout pas la détruire. Retournons prévenir nos frères.
— Tu as raison, dit le second chasseur. Allons avertir nos gens au plus vite.
Aussitôt, les chasseurs ramassèrent leurs effets et s'en allèrent dans la nuit tandis que le cercle de feu continuait de rougeoyer. Quand le jour parut enfin, il n'y avait plus trace des morceaux de charbon, mais sur la colline, là où ils avaient été

placés, un grand cercle brun se voyait distinctement même de la vallée voisine. Et on le voit encore aujourd'hui. Pourtant, même un promeneur attentif ne peut trouver un seul brin d'herbe brûlé sur toute la colline.

Les bêtes de la forêt, dans les moments d'inquiétude, viennent encore demander conseil et réconfort au bon manitou. Souvent, elles empruntent le couloir étroit creusé dans le roc jusqu'à la grotte où brûle le feu étincelant.

En automne, le manitou du feu enseigne aux cerfs comment se cacher dans les collines pour échapper aux chasseurs.

En hiver, quand le froid règne sur le pays, c'est lui qui indique au loup affamé où trouver à manger.

Au printemps et en été, il apprend au renard roux comment brouiller ses pistes et à chacun comment échapper à ses ennemis. Il leur apprend aussi les mille secrets qui permettent à tous de vivre en harmonie avec les arbres de la forêt, l'herbe des collines, l'eau des ruisseaux et toutes les autres merveilles de la nature sauvage. Et jamais les bêtes n'oublient cette nuit où le manitou du feu les aida à sauver de la mort l'herbe qui murmure et les initia au secret du feu incandescent, le feu sans flammes.

Puis, le soir, quand tout est calme, l'herbe verte s'agite encore dans le vent et parle doucement à ceux qui savent l'écouter.

Les Messagers de l'hiver

Texte de Cécile Gagnon.

Ah ! l'hiver ! Il commence parfois fin novembre et dure au moins jusqu'en avril. Les tempêtes peuvent laisser de 40 à 60 centimètres de neige au sol et les températures atteignent parfois - 30 °C. Le vent soulève la neige et la fait poudrer ce qui rend la visibilité nulle sur les routes : c'est ce qu'on appelle la poudrerie.

Mais l'hiver au Québec ne cause pas que des désagréments. Le ciel est si bleu, le soleil si ardent sur la neige que les paysages sont magnifiques. Et les Québécois ont apprivoisé cette saison en passant leurs heures de loisir dehors. Tous les sports d'hiver sont à la portée de la main : ski, patinage, hockey sur glace, raquette, glissades, motoneige et même la pêche qu'on pratique en faisant des trous dans la glace.

À partir de 4 ans

6 min

Maison

Fillette Oiseaux

Dans le petit parc voisin de sa maison, Martine apporte tous les jours des miettes de pain aux oiseaux. Aujourd'hui, il n'y a plus d'oiseaux autour des branches nues. Martine sait que la plupart sont partis dans les pays du soleil et que les autres se cachent à l'abri du froid.

Tout à coup, au-dessus du vieil orme, elle voit venir un grand oiseau bleu qui se pose doucement sur une branche. Il est plus grand que les geais et les gros-becs. Ses grandes ailes sont frangées de vert et il a une crête bouclée sur la tête et un long bec jaune. Jamais Martine n'a vu son pareil. Tandis qu'elle se tient immobile pour l'admirer une voix dit :

— Bonjour !

« Est-ce l'oiseau qui parle ? » se demande Martine.

L'oiseau bleu ouvre ses ailes et soudain la neige se met à tomber. Des centaines de flocons recouvrent sa tête, ses épaules, ses mains. La même voix dit encore :

— Je suis Nivolina, messagère de la neige.

— C'est toi qui fais tomber les flocons ? demande Martine.

— C'est juste ! Regarde !

En battant des ailes, l'oiseau fait naître une vraie chute de neige tout autour de l'arbre. Elle recouvre les trottoirs, les rues, les toits des maisons du village et enfin, les champs, les prés et les forêts au loin. Martine suit des yeux le vol de l'oiseau bleu et regarde le paysage se transformer. Elle applaudit en s'écriant :

— Ah ! c'est toi qui fais l'hiver !

— Ce n'est pas moi toute seule, répond l'oiseau en revenant vers le parc. Si tu veux je vais te raconter comment vient l'hiver.

Dans le nord du pays vit le Grand Esprit de l'Hiver. Chaque année, à cette époque, il envoie vers le sud trois messagers : Nivolina, c'est moi ; Frigo, le messager du froid et Ventou, le messager du vent du nord. À nous trois, on fait l'hiver.
Moi, j'arrive en premier, continue Nivolina. Le froid et le vent, quand la neige n'est pas là, c'est un peu triste. Quand je viens d'abord, les gens sont contents. La neige est douce et réjouit le cœur : elle fait oublier les glaçons et les poudreries.
— Tu as une tâche épatante ! dit Martine à l'oiseau.
— C'est vrai. Mais Frigo, lui, n'est pas très apprécié. Quand le froid s'installe, les gens sont maussades.
Justement un souffle froid fait frissonner Martine. Au-dessus d'elle, un oiseau vert au bec pointu zigzague dans le ciel gris. Il vient se poser sur l'arbre dans un bruit sec de glaçon qui craque.
Martine demande :
— Qui es-tu ?
— Je suis Frigo, le messager du froid.
Martine s'écrie :
— Ah ! Vas-tu poser des glaçons ? J'en voudrais un gros au bord de ma fenêtre.
— Bien sûr que je vais t'en faire un, mais je dois d'abord geler les ruisseaux et les patinoires et mettre du givre aux carreaux !
— L'hiver dernier mes fenêtres étaient pleines de broderies de glace. C'était donc toi ?
— C'était moi ! Mais... tu m'empêches de travailler. Attention ! Je vais te frigorifier !
Martine a beau enfoncer ses mains dans ses poches, ses doigts se glacent. Son nez est déjà rouge. Il va falloir rentrer. Elle quitte le parc à contrecœur, ravie quand même d'avoir

entendu une belle histoire et d'avoir fait la connaissance de deux oiseaux assez exceptionnels. Elle court vers son logis en songeant : « Demain, l'autre messager arrivera sans doute. » Ce soir-là, Martine sort du gros coffre sa tuque*, ses mitaines, sa longue écharpe et son anorak à capuchon. L'hiver ne va pas tarder à arriver pour de bon.

En se réveillant le lendemain, Martine se rend compte que le messager du vent du nord est arrivé à son tour. On l'entend siffler à travers les fentes du toit et de la cheminée. Bravement, elle sort dans l'air glacial et cherche des yeux Nivolina et Frigo. Mais elle ne voit dans l'orme qu'un grand oiseau gris aux plumes ébouriffées. Il saute d'une branche à l'autre. En voyant Martine il lance :
— Tu veux un cyclone ? une tornade ? un ouragan ? Je suis là, Ventou, le messager du vent du nord, pour barrer les routes et ensevelir les maisons. Mais où sont donc les autres ?
Un sifflement aigu retentit dans le ciel. Après quelques minutes, Frigo apparaît et se pose sur l'arbre à quelque distance de Ventou. Ils attendent tous les deux en silence mais l'oiseau bleu n'arrive pas. Ventou siffle encore. Rien.
— Où donc est-elle passée ? s'inquiète Frigo. L'as-tu vue ?
— Nulle part.
Martine qui les écoute se sent toute triste. S'il fallait que la neige ne revienne plus, ce serait épouvantable ! Et voilà qu'elle entend un toc ! toc ! toc ! qui vient d'en haut. Elle lève la tête et regarde partout, puis elle aperçoit un éclair bleu traverser la fenêtre du grenier.
— Nivolina !
Martine court et entre dans la maison ; elle monte au grenier à toute vitesse et là, ouvre la fenêtre.

Martine, Nivolina et Frigo.

— Merci Martine de me secourir, lui dit Nivolina. La fenêtre était entrouverte quand je suis entrée pour me reposer. Mais le vent l'a refermée et je ne pouvais plus ressortir.
— Que je suis contente de t'avoir trouvée. Ventou et Frigo te cherchent.
— J'y vais ! fait l'oiseau qui s'envole vers le parc.
Martine s'élance dehors et retrouve les trois oiseaux près du vieil orme. Les trois messagers sont réunis et ils font leurs projets pour la soirée. Ventou propose :
— Viens avec moi, Nivolina, on va fabriquer une énorme tempête !
Martine les interrompt :
— J'ai quelque chose à vous demander. J'aime bien l'hiver mais trop de froid ou trop de vent, ça empêche tous les enfants de jouer dehors. Trop de neige, ça bloque les chemins et les grands sont furieux. Un peu des trois c'est merveilleux ! Voudriez-vous, cet hiver, essayer de vous entendre ?
— C'est d'accord, disent ensemble les trois oiseaux. À nous trois on fera le plus beau des hivers : pas trop froid, pas trop venteux et avec juste assez de neige.

Une femme changée en loup

Adapté d'un conte inuit.

À partir de 5 ans

1 min

Iglou
Lac
Trou

Femmes
Loup

Nemiak et Kukilik étaient deux vieilles femmes.
Elles vivaient ensemble dans un iglou.
Nemiak partit un matin pêcher à travers la glace d'un lac.
Elle attrapa des poissons et s'en retourna à l'iglou.
Après le repas, elle dit à Kukilik :
— J'ai oublié mon fil à pêche près du trou. Je retourne le chercher.

Elle partit.
Plusieurs heures passèrent et elle ne revint pas.
Kukilik s'inquiéta.
Elle partit à sa recherche.
Elle suivit les traces de sa compagne, sur la neige.
Au bout d'un moment les pistes devinrent plus petites et comme griffues.
En les examinant Kukilik comprit que les pistes de Nemiak étaient devenues celles d'un loup.
Elle se rappela que son amie lui avait dit :
« Quand je serai vieille, je deviendrai un loup ».
Kukilik comprit que le désir de sa compagne s'était réalisé.
Nemiak était devenue un loup.
Kukilik rentra toute seule à l'iglou.

Le Courrier des îles

Texte de Cécile Gagnon, © éditions Héritage, Saint-Lambert (sous le titre Une lettre dans la tempête*).*
Ce qui est raconté dans cette histoire a eu lieu pour vrai. C'était en 1910. Tout a commencé à Havre-Aubert dans l'une des îles de la Madeleine, un archipel de sept îles dans le golfe du Saint-Laurent, à quatre-vingt-huit kilomètres de la côte la plus proche.

À partir de 6 ans

20 min

Île
Maison
Mer

Garçon
Grand-mère
Mère
Père

Nous voici en plein milieu du golfe du Saint-Laurent où les poissons et les homards abondent. À la belle saison, des bateaux de toutes sortes font la navette entre les îles de la Madeleine aux collines verdoyantes et le continent. Mais quand l'hiver arrive, la glace fige les havres et les baies. Les bateaux dorment, immobiles, le ventre sur les cailloux des grèves. Les pêcheurs attendent : la navigation ne reprendra qu'au printemps.

Les buttes rondes des îles sont couvertes de neige. Les maisons de bois aux toits penchés se serrent autour du quai et du magasin général où sont concentrées toutes les activités. Il fait froid ! Les cheminées lancent de longs rubans de fumée dans le ciel d'hiver.

Mais ce n'est pas la neige ni le vent glacé qui vont empêcher les Madelinots de sortir et de s'amuser. Oh ! non. En ce jour de janvier, tous les habitants de Havre-Aubert sont dehors. La course de traîneaux à chiens est sur le point d'aboutir. On s'étire le cou pour tenter d'identifier les premiers arrivants aux visages enfouis sous leurs capuchons.

— Tonnerre ! C'est Tonnerre ! hurle Augustin Bourque, qui reconnaît le chien tirant le traîneau qui vient en tête.

Il y a de quoi s'énerver ! Le vainqueur de la course est son ami François Chevarie, un gamin de neuf ans comme lui ! Les acclamations fusent :

— Hourra ! Bravo François !

Ça alors ! François a battu les grands, bien plus costauds que lui. C'est vrai que Tonnerre est un chien qui n'a pas peur de l'effort. Tout le monde se bouscule pour féliciter le vainqueur. Puis, son père, Léonard, vient vers lui et l'aide à retirer le harnais de Tonnerre qui reprend en jappant bruyamment sa liberté. Puis, le tenant par les épaules et plongeant son regard dans le sien, il dit :

— Je suis pas mal content de toi, fiston !

— Oh ! papa, dit François le souffle haletant, le traîneau a failli basculer quand j'ai tourné sur le chemin près des buttes...
Puis, sa voix devenant grave soudain il ajoute :
— On va envoyer un message à maman ce soir, hein ? Elle va être contente de savoir que c'est moi qui ai gagné... Tu penses... qu'elle est guérie ?
Léonard Chevarie sourit et dit :
— C'est promis, ce soir, on ira ensemble au poste.
— Ah ! si maman était là, dit François en baissant la tête. On aurait fait la fête ! Toi, papa, tu sais faire des crêpes ?
— On va demander à grand-mère. Et puis, tu vas voir, quand maman saura que c'est toi le champion, ça va la faire guérir à toute vitesse, reprend Léonard.
Dans les regards du père et du fils qui se lient un moment s'est glissée une pensée commune. D'un seul coup, la course, le trophée, les bravos se sont effacés et le visage d'Évangéline Chevarie a surgi dans la tête de l'un et de l'autre. Ses grands yeux bleus, ses cheveux noirs attachés sur la nuque... Son mari, son fils tentent de l'imaginer là-bas, à l'hôpital de Québec où elle est partie depuis deux mois déjà faire soigner sa jambe malade.
François et Léonard savent bien que la navigation interrompue, le seul moyen qui les relie à la terre ferme c'est le câble sous-marin par où passe le télégraphe.
Léonard dit tout haut :
— Allons, je paie la traite* à tous les jeunes !
— Ah ! François ! dit sa grand-mère les larmes aux yeux. Je ne peux pas y croire. Tu les as battus ! C'est formidable. Si ta maman te voyait !...
Elle serre son petit-fils très fort dans ses bras et lui donne un gros baiser sonore qui le fait rougir.

— Qu'est-ce que tu dirais si on faisait des crêpes ce soir, hein ? lui dit-elle.

Ils foncent vers le magasin général en criant.

Mais François n'a pas le temps de répondre qu'arrive Augustin Bourque en tête d'une horde de gamins qui le hissent sur leurs épaules en criant des hourras ! Ils foncent vers le magasin général en criant. Le magasin général est une solide maison de planches usées par le vent et bourrée de marchandises les plus variées. On y vend aussi bien des outils, des vêtements que du sucre et de la farine. C'est un lieu de rassemblement typique où tous les ragots, toutes les nouvelles dignes de mention sont colportés. Les vieux pêcheurs y passent leurs journées en silence tandis que sur le perron, les hommes discutent de tout et de rien. Le patron, qui gère l'entrepôt avoisinant et le commerce, est une figure respectée. Les gamins viennent dix fois par jour rôder autour de lui pour voir s'il n'a pas quelque tâche à leur confier.
François et sa troupe de copains font irruption devant le comptoir, réclamant un gros sac de jujubes* de toutes les couleurs !
On entend distinctement tinter les grelots d'un attelage. Est-ce un voyageur ? Le bruit s'arrête devant la porte qui s'ouvre tout d'un coup.
Alors les regards se tournent vers Léonard Chevarie, qui se tient sur le seuil. Son visage est blême. Il dit d'une voix changée :
— Le câble téléphonique est coupé !
Quoi ? Le câble coupé ?
Déjà sans journaux ni courrier, les Madelinots savent que leur seul moyen de communiquer, c'est le câble sous-marin.
Tant que dure l'hiver, c'est leur seul lien avec le monde.

Un silence consterné envahit le magasin général. Les jeunes cessent de mastiquer leurs friandises. François regarde son père, debout devant la porte qu'il a refermée sans bruit. Encore une fois, leurs regards se croisent et se lient...
Puis, une voix brise le silence. C'est celle du patron. Alcide Gaudet s'écrie :
— On ne peut pas rester trois mois sans nouvelles !
D'autres voix se joignent à la sienne :
— Comment avertir Alban Boudreault, dans son chantier de la côte Nord, qu'il est le père de jumeaux ?
— Est-ce vrai que le câble ne peut se réparer, cette fois ?
— C'est juste. Il n'y a rien à faire.
— Il faut absolument trouver un moyen...
François s'approche de son père. Il le tire par la manche et chuchote à son oreille :
— Papa... et pour maman ?
Léonard hésite un moment puis, faisant signe à son compagnon de pêche habituel, Xavier Chiasson, il répond à la question de son fils tout en s'adressant tout haut aux villageois réunis autour du comptoir :
— Moi, j'appareille vers la grand'terre. On va se rendre à Chéticamp. C'est pas loin.
Xavier ajoute :
— Quelques morceaux de glace ne nous ont jamais fait peur !
Les vieux hochent la tête. Un murmure parcourt l'assemblée. Des paroles s'entrecroisent : « C'est risqué... Une tempête vient vite à cette saison... Les glaces... »
François sait bien que son père a la réputation d'être le meilleur navigateur des îles. Ah ! il en a déjà traversé des tempêtes. Et pourtant... D'un geste, son père fait taire les parleurs et dit d'un ton ferme :

— On n'a pas le choix. C'est notre seule chance. Je pars avec Xavier. Vous ne me ferez pas changer d'idée.
Quelques instants plus tard la porte se referme sur deux silhouettes décidées qui descendent vers le quai.
D'habitude, c'est plutôt calme sur le quai en hiver. Mais cette fois, on y sent une grande agitation. Un bateau va partir. François prend part à tous les préparatifs. Quand le jour tombe, il transporte avec Tonnerre les provisions que grand-mère a préparées pour le voyage.
— Grand-mère a dit de ranger les galettes à la mélasse dans un tonneau pour les garder au sec, dit-il.
— Ça c'est une sacrée bonne idée ! lance son père.
Enfin quand tout est prêt, François rentre à la maison, encadré par les deux pêcheurs. L'odeur des crêpes réjouit François mais il pense avec un petit serrement de cœur : « Elles n'ont pas tout à fait le même goût que celles de maman. »
Ah ! la journée a été bien remplie ! Épuisé, le champion n'arrive pas à combattre le sommeil qui le gagne petit à petit. Avant de s'endormir, il demande à son père :
— Papa… si c'est gelé ?
— Ne t'inquiète pas, dit Léonard. Si on ne peut pas passer à cause des glaces, on reviendra. Tu peux dormir sur tes deux oreilles.
Comme prévu, l'*Évangéline* quitte Havre-Aubert aux petites heures du matin. Quand François s'éveille, le bateau est déjà loin.
— Heureusement qu'il fait beau, dit François à sa grand-mère.
— Oui, heureusement. Si ça peut durer ! dit-elle.
Mais à midi, le ciel s'assombrit. Il commence à neiger.

Augustin arrive chez son ami et propose :
— Tu viens glisser sur les buttes ?
Mais François n'a pas envie d'aller glisser. Il convainc son ami d'aller aider à faire du rangement pour Alcide Gaudet. Ils s'en vont tous les deux au magasin sous les flocons qui tombent de plus en plus fort. Le vent tourbillonne. À quatre heures, une vraie tempête de neige se déchaîne sur l'archipel.
— Augustin, viens souper à la maison ! fait François joyeusement.
— Si je restais coucher chez toi ? propose Augustin. Je pourrais te montrer mon fameux tour de cartes.
— Ça c'est une idée de génie ! proclame François, tandis qu'Augustin charge un voisin d'avertir ses parents.
Chez Chevarie, le repas avalé, François et Augustin jouent aux cartes dans la cuisine. On entend les rafales de neige qui fouettent les carreaux et le vent siffler autour de la maison. Grand-mère s'occupe et se tait pour ne pas laisser paraître son inquiétude. Les garçons s'amusent beaucoup et finissent par aller dormir à l'étage.
Dans son lit, François écoute chaque craquement de la maison, chaque bourrasque du vent. Mille pensées le tourmentent : « Qui sait s'il y a aussi une tempête sur la mer ? Est-ce qu'il vente comme ici ? Xavier et papa ont-ils froid ? »
Augustin ronfle mais François n'arrive pas à dormir. Tout à coup, il lui semble que le vent diminue d'intensité. La tempête est-elle finie ? N'y tenant plus, il se lève et va à la fenêtre. Les carreaux sont complètement givrés. « Il faut que j'aille voir en bas, dans la fenêtre qui donne sur la mer », se dit-il. Sans faire de bruit, il se lève dans le noir. Arrivé au bas de l'escalier, il voit la porte s'ouvrir. Une bouffée d'air glacé envahit la maison. Une forme apparaît sur le seuil.

François ne bouge plus. Son cœur se débat comme un fou. Qui vient chez lui, en pleine nuit ? Soudain, il reconnaît son père dont les vêtements lourds sont couverts de neige. Il lance un grand cri de joie et de stupeur qui réveille les autres. Cette nuit-là, chez les Chevarie, personne n'a plus dormi.

Les vagues avaient quatre mètres de haut.

— Les vagues avaient quatre mètres de haut. La neige nous aveuglait et s'engouffrait sous nos capuchons. Mes mains étaient raides comme des glaçons. Je me demande encore comment on a réussi à rentrer…

Dix fois, vingt fois, Léonard et Xavier racontent leur équipée. Les conversations s'animent. Le magasin se remplit un peu plus chaque jour. En plus des employés et des clients, des curieux, des ménagères qui s'inquiètent des approvisionnements, grossissent l'assemblée. Tout le monde se demande comment se sortir de l'isolement où ils sont plongés.

— Il faut qu'on envoie une lettre au député… crie l'un.

— On doit avertir le ministre… dit un autre.

— Sans le télégraphe, comment pourrai-je faire les commandes pour le printemps ? soupire Alcide Gaudet. Il va manquer de la farine…

— Ça fait cinq jours qu'on n'a plus de nouvelles. Qui sait ce qui se passe sur le continent…

Tout à coup, François lance en plein milieu des conversations :

— Nous, il nous faut des nouvelles de Québec… et de maman !

Tous les visages se tournent vers ce petit bout d'homme. Sans se laisser intimider par tous les regards sur lui, François poursuit :

— Pourquoi on n'envoie pas un message dans une bouteille ?

Un éclat de rire salue sa proposition. Puis, quelqu'un dit :
— Hé ! ce n'est pas si bête. Si un gros bateau comme celui de Léonard n'a pas réussi, peut-être qu'un petit y arriverait ?
Alcide Gaudet s'écrie :
— Et pourquoi pas un tonneau à mélasse, un ponchon* comme ça ? On pourrait le gréer...
Tout le monde se met à parler en même temps. L'idée d'envoyer un ponchon* sur la mer est accueillie avec enthousiasme. Chacun y va de ses suggestions.
Enfin, le patron choisit un tonneau solide qu'on s'empresse de nettoyer. Puis, Léonard dit :
— Il faut fabriquer une quille.
— Et un mât avec une voile, ajoute Xavier.
— Ce n'est pas difficile. Je vais vous en coudre une, dit grand-mère Painchaud.
En quelques jours, le tonneau est gréé comme un vrai petit navire en miniature.
— Ta voile est superbe, grand-maman ! dit François.
— Bon ! Maintenant, fait Léonard, il faudrait s'occuper des lettres qu'on va mettre dedans. Alcide, tu écris au ministre ?
— C'est déjà fait. Voici la lettre prête à partir ! dit le patron sortant une enveloppe de la poche de son tablier.
— Parfait ! Alors, vous autres, apportez vos lettres ici demain. On les mettra dedans, on bouchera le tonneau comme il faut et puis, il ne restera plus qu'à le mettre à l'eau ! dit Léonard.
— Tu vas envoyer une lettre à ta mère par le ponchon* ? demande Augustin.
— Oui monsieur, fait François prenant un air important. Il faut que j'aille l'écrire tout de suite. Tu viens ? dit-il à son ami.

— Ah ! t'es chanceux ! soupire Augustin plein d'admiration. Il regarde son ami tracer les lettres avec application. Léonard plie déjà son feuillet et grand-mère prépare l'enveloppe. Puis, tout à coup, elle fixe l'encrier et s'écrie :
— Mais… si l'eau rentre par les fentes du tonneau, les lettres vont être mouillées. Et l'encre…
François arrête d'écrire et lève les yeux.
— Grand-mère a raison, dit Léonard. Je n'y avais pas pensé.
François regarde les mots qu'il vient de tracer : « J'ai gagné la course de traîneau avec Tonnerre et puis, papa… »
L'eau pourrait vraiment tout effacer ? Alors ça n'aurait servi à rien…
— Un tonneau, ce n'est pas aussi étanche qu'un bateau… continue grand-mère, surtout qu'il n'y aura personne pour écoper à bord…
Mais Léonard l'interrompt en lançant d'une voix joyeuse :
— Eh bien ! c'est simple ! On va mettre les lettres en conserve, comme le homard !
— Ah ! oui, comme le homard ! approuve François soulagé. Et il termine rapidement sa lettre, en échangeant des coups d'œil complices avec Augustin qui tamponne ses lignes avec le buvard.
Les deux garçons suivent Léonard qui rouvre la conserverie. Alcide et Xavier les rejoignent avec le ponchon* gréé. Comme le trou du tonneau est petit, on fait des boîtes sur mesure. Ah ! qu'elles ont de drôles de formes ces boîtes. On n'en voudrait pas dans le commerce ! Mais pour y insérer des lettres roulées, elles sont épatantes !
Enfin, les boîtes sont toutes à l'intérieur. Léonard pose un bouchon solide et étanche. Ça y est ! tout est prêt.
François et Augustin transportent ensemble le tonneau au

magasin avec Tonnerre, qui accompagne le cortège de jappements joyeux.

Quand ils arrivent, on les salue avec chaleur. Depuis quelques jours, tous les Madelinots attendent ce moment.

— Oui, le vent est stable. C'est un nordet, fait un vieux pêcheur.

— Il va durer plusieurs jours, affirme un autre en scrutant pour la millième fois l'horizon.

— Ah ! C'est justement ce qu'il nous faut ! jubile Léonard.

— On met le ponchon* à l'eau ! annonce Xavier à la ronde.

— On y va ! crient François et Augustin, entraînant toute leur bande de copains vers la dune.

Une bonne partie des villageois s'y rend aussi.

Léonard, tenant fièrement le tonneau, enjambe les glaces amoncelées sur le bord. Il avance dans l'eau glacée avec ses grandes bottes. Puis, il dépose le ponchon* dans l'eau. Toute l'assemblée retient son souffle. Xavier pousse la frêle embarcation à l'aide d'une gaule. Puis, le vent gonfle la petite voile et hardiment, le petit tonneau s'en va vers le large.

— Hourra ! Bravo ! crient les gens.

Tonnerre aboie comme un fou et soudain il se lance à la poursuite du tonneau, nageant avec ardeur dans l'eau glacée.

François a toutes les peines du monde à le faire revenir sur la grève sans qu'il ramène le ponchon* avec lui.

Le vent gonfle la petite voile.

Maintenant, il reste à savoir si le petit tonneau rempli de mots précieux va se rendre à bon port. Tous le suivent des yeux jusqu'à ce qu'il ne soit plus qu'un petit point sur l'eau grise. Quand la foule commence à se disperser, Simon dit à son père :

— Quatre-vingt-huit kilomètres ce n'est pas si loin, hein papa ? Cette fois, crois-tu que ça va marcher ?

Léonard regarde longuement son fils. Ils savent bien tous les deux que le succès de cette mission leur tient plus à cœur qu'à tous les autres. Quoi répondre ? Seuls le vent et la mer pourraient le faire à sa place. Alors, Léonard prend la main de son fils dans la sienne et ils rentrent à la maison en silence.

Une dizaine de jours plus tard, sur le continent, la mer dépose un bien curieux bateau sur la plage de galets. Le maître de poste s'empresse de distribuer les lettres qu'il contient.

Quelques jours plus tard, dans un hôpital de Québec, une infirmière dit :

— Évangéline Chevarie, il y a une lettre pour vous.

— Pour moi ? fait la jeune femme étonnée.

« Ma chère femme, si tu lis cette lettre, c'est que le ponchon* aura réussi son voyage », lit la malade.

Bientôt, l'histoire du courrier d'hiver et de la débrouillardise des Madelinots fait le tour du pays. L'exploit est sur toutes les lèvres ; même les journaux racontent les détails de l'arrivée du tonneau sur le rivage de Port Hastings. Mais les gens des îles, là-bas, ne savent pas que leurs voix ont enfin été entendues. Alors la vie continue sans nouvelles de la « grand'terre ». Chacun attend que l'hiver finisse tout en conservant un petit coin d'espoir dans son cœur. Puis, un matin, le premier jour de mars en se rendant à l'école avec Augustin, François voit une fumée au loin sur la mer.

— Hé ! Regarde ! Un bateau ! s'écrie-t-il.

— C'est bien le premier depuis trois mois, fait Augustin.

— Penses-tu qu'il vient ici ? demande François soudain excité.

— J'en sais rien. Peut-être…

Vite, les deux gamins courent au magasin avertir la compagnie. Ils crient :

— Un bateau ! Un bateau en vue !

— Venez voir !

Alcide Gaudet attrape ses jumelles et descend au quai.

— C'est un vapeur, annonce-t-il.

Soudain le bateau modifie sa course pour se diriger droit sur Havre-Aubert. Les gens sont fébriles.

— Ça ne peut être que le gouvernement qui l'envoie... Si tôt dans la saison, dit Xavier.

— Alors, dit Léonard, c'est que le ponchon* est arrivé...

— Papa ! s'écrie François. Penses-tu qu'on aura des réponses aux lettres... des nouvelles... de maman ?

Le bateau s'approche de plus en plus. Alcide ne quitte pas ses jumelles et bientôt il dit :

— Attention, je vois le nom sur la coque. c'est écrit... H... a... *Harlow.* C'est le *Harlow* ! Un gros navire !

François ne tient pas en place. Il se fraye un chemin au premier rang des curieux en trépignant d'impatience malgré les appels au calme de sa grand-mère et de son père. Ah ! qu'il met du temps à arriver ce vapeur !

Le *Harlow* se rapproche de plus en plus. François examine, en plissant des yeux, les silhouettes qu'on distingue à peine sur le pont du bateau. Elles sont emmitouflées de gros manteaux et leur haleine les entoure de nuages blancs. L'une d'elles aura-t-elle une lettre pour la famille Chevarie ?

Le navire est près d'accoster. François n'en peut plus d'attendre. Puis, tout à coup, l'une des silhouettes sur le pont crie son nom en découvrant son visage. Le cœur de François ne fait qu'un bond dans sa poitrine. Il vient de reconnaître le visage qui se cachait sous le gros capuchon fourré. Il crie :

— Maman ! Maman !

Quelques minutes plus tard, les passagers descendent à terre. Jamais un bateau n'a été aussi bien accueilli aux îles. Et dans la foule de ceux qui sont venus accueillir les passagers, la famille la plus comblée est sans contredit la famille Chevarie. Toute leur angoisse et leur inquiétude s'est évanouie en voyant sur la passerelle Évangéline guérie et souriante.

François, blotti dans les bras de sa maman, ne se lasse pas de l'entendre répéter :

— Alors, mon petit champion… ne pleure plus… Je ne partirai plus jamais !

Jamais plus les Madelinots ne restèrent isolés comme en cet hiver de 1910. Sur le vapeur qui ramenait Évangéline Chevarie vers les siens, il y avait aussi l'envoyé du ministre. Il venait préparer l'installation d'une station de télégraphie sans fil qui commença d'opérer l'automne suivant. Dorénavant l'archipel perdu au milieu du golfe était relié en permanence avec la « grand'terre ».

Dialogue

Texte de Gilles Vigneault (voir l'introduction de Conte-fable*), extrait du recueil* Bois de Marée, *© Nouvelles Éditions de l'Arc, Montréal, 1992.*

À partir de 7 ans

1 min

Campagne

Arbres
Enfants

Un arbre parle à l'autre
Il est question d'oiseaux
Parfois de vent, de pluie
Plus rarement de neige
Mais de ciment souvent
Le sol se rétrécit
Et puis l'asphalte aussi
Qui met tout à l'étroit

Un arbre parle à l'autre
Il est question de nids
Du soleil et du froid
Du bûcheron jamais
Quelquefois de la foudre
Mais des enfants toujours
Avec leurs barbaries
Et leurs étonnements
Qui font l'été partout

Un arbre parle à l'autre
Qui sent monter de loin
Dans le petit matin
De la fin février
La fumée encor chaude
De trente cheminées
Il paraît que les ormes
Depuis quelques années
Cherchent la compagnie
De certain sureau blanc

Un arbre parle à l'autre
En écoutant passer
Deux vieux qui s'en racontent
J'avais bien vingt-cinq ans
J'étais avec mon père
Il a dit : « Mon garçon
On va planter un pin
En l'honneur de ta mère
Aurais-tu oublié
Que c'est demain sa fête ?

On va le mettre ici
À dix pieds du gros frêne
Avec la balançoire
Et la maison d'enfants. »

Un arbre parle à l'autre
Il est question de temps.
Sans qu'une branche bouge,
Sans qu'un rameau frémisse,
Il est question de temps.

Plumeneige

Texte de Cécile Gagnon.

Les enfants d'ici adorent construire des bonhommes de neige. Mais ces personnages de neige deviennent parfois de vrais compagnons.

À partir de 4 ans

4 min

Jardin
Maison

Bonhomme de neige
Chien
Fillette

Ce village, là-bas, c'est Plumetis.

À Plumetis habite une petite fille. Elle s'appelle Stéfanie. Ce matin, dans son jardin, Stéfanie roule la neige en boule. La boule a grossi en roulant. La boule est devenue si grosse que Stéfanie ne peut plus la bouger.

Puis, Stéfanie roule une autre boule plus petite qu'elle pose sur la plus grosse, non sans peine.
— Ouf ! C'est lourd !
Enfin, Stéfanie roule une plus petite boule : celle-là est ajustée sur les deux autres.
Stéfanie examine son travail. Elle sourit à toutes les bonnes idées qui lui passent par la tête. Puis, elle court à la maison chercher ce qu'il faut pour habiller son bonhomme de neige.
Stéfanie revient avec un vieux chapeau, une écharpe verte. Elle pose le chapeau sur la tête du bonhomme, enroule l'écharpe autour de ses épaules. Elle gratte sous la neige pour trouver trois cailloux pour faire des yeux et un nez.
« Pour la bouche, qu'est-ce que je vais prendre ? » se demande Stéfanie. Elle court encore à la maison et revient avec une ficelle rouge et une plume. Avec la ficelle, Stéfanie dessine une bouche qui sourit. Elle pique la plume sur le vieux chapeau.
— Bonjour Plumeneige, dit Stéfanie à son bonhomme.
— Fais-moi des bras, dit Plumeneige.
Stéfanie s'étonne, puis se dit : « Pourquoi pas ? »
Elle tape la neige avec ses mitaines et fait deux bras à Plumeneige.
— Fais-moi des mains, dit Plumeneige.
Stéfanie, avec des boules de neige, fait des mains au bout des bras de Plumeneige. Des mains avec cinq doigts bien ronds.
— Maintenant fais-moi des jambes, Stéfanie, demande Plumeneige.
Stéfanie tape encore la neige et fait des jambes à Plumeneige.
— Fais-moi aussi des pieds, dit Plumeneige.
Stéfanie fait des pieds à Plumeneige.
— Veux-tu des chaussures aussi ? demande-t-elle.

— Mais oui, dit Plumeneige, des chaussures pour marcher.
— C'est bien, comme ça je ne fais pas les orteils, dit Stéfanie en riant.
— Veux-tu me donner un bâton, Stéfanie ? dit Plumeneige.
Stéfanie ramasse au fond du jardin une vieille branche cassée par le vent.
— Merci, dit Plumeneige, et il s'en va, son bâton à la main.
Stéfanie est toute triste. Pourquoi s'est-il sauvé ?
— Plumeneige, reviens ! appelle-t-elle.
Mais Plumeneige s'éloigne sans se retourner.
Stéfanie rentre à la maison tête basse. Le lendemain, Stéfanie retourne au jardin.
« Si je faisais un ami pour Plumeneige, il reviendrait peut-être. »
Et elle se met tout de suite au travail. Avec la neige qu'elle roule en boule, cette fois, elle fait un chien. Il a une petite queue et de grandes oreilles en neige.
Tout à coup, le chien fait « oua-oua » et il s'en va lui aussi. Stéfanie est désolée.
— Reste, reste ! appelle-t-elle. Je ne t'ai même pas encore donné de nom.
Mais le chien en neige court, court dans le chemin qui va vers la forêt.
Le lendemain, Stéfanie retourne jouer dans la neige.
« Il faut que je fasse quelque chose sans pattes qui ne pourra pas se sauver », se dit-elle.
La neige a durci. La neige ne se roule plus en boule.
Avec sa pelle, Stéfanie fait des blocs de neige. Elle construit… une maison en neige.
Mais construire une maison, c'est long.
Pendant des jours et des jours, Stéfanie travaille à sa maison.

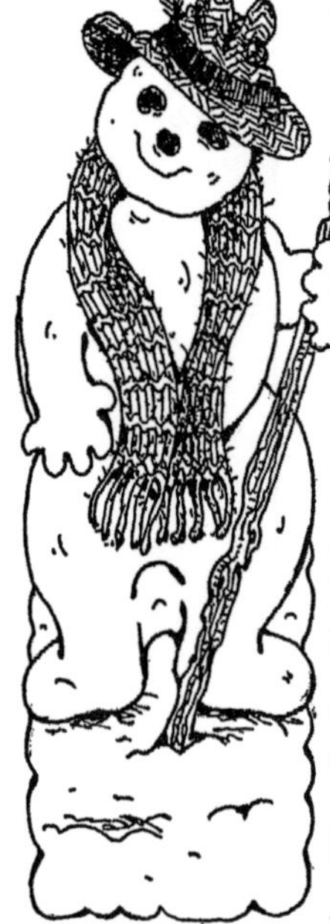

Plumeneige.

Elle construit les murs, le toit, la cheminée, une porte qui s'ouvre.
Puis elle met dedans, un lit, un banc, une table, en neige.
Un matin, Stéfanie trouve la porte de sa maison de neige fermée.
Elle regarde par la fenêtre.
Sur la table en neige, il y a un chapeau avec une plume. Sur le banc en neige, il y a une écharpe verte.
Près du lit, il y a un gros bâton.
Et dans le lit, il y a Plumeneige qui dort.
Voilà ce qui lui manquait ! Une maison.
Plumeneige est resté tout l'hiver dans la maison en neige. Il était très heureux.
Mais le chien, on ne l'a plus jamais revu.

Le Petit Capuchon rouge

Texte de Jasmine Dubé, © éditions du Raton Laveur, Saint-Hubert, 1993. Jasmine Dubé est comédienne. Elle est aussi co-fondatrice et directrice artistique du théâtre Bouches Décousues *à Montréal, pour lequel elle écrit les pièces.*

Elle a publié bon nombre d'albums et de romans pour les jeunes. Cette histoire est-elle inspirée de sa région natale, la Gaspésie ? En tout cas elle nous entraîne au bord de la mer pour nous raconter l'aventure toute marine d'un certain capuchon rouge.

À partir de 4 ans

6 min

Mer

Fillette
Grand-mère
Poissons

Il était une fois une petite fille qui s'appelait Clotilde et qui habitait dans une grande ville.
Très loin de là, vivait sa grand-mère, très loin au bord de la mer. Clotilde l'aimait beaucoup. Malheureusement, elle ne la voyait pas souvent.
Cette année-là, pour son anniversaire, Clotilde eut une drôle de surprise : sa grand-mère lui rendit visite et lui offrit un joli poisson rouge. Clotilde le baptisa aussitôt Capuchon.
Tout le temps qu'elle resta chez sa petite-fille, grand-mère raconta des histoires. Elle parla de la mer, des énormes vagues qui venaient se fracasser sur les rochers, des falaises, du sable fin et des galets. Clotilde et Capuchon ouvraient toutes grandes leurs oreilles et leurs ouïes.
— L'été prochain, viens donc passer tes vacances chez moi, dit grand-mère. Nous irons pêcher, nous baigner, ramasser des coquillages… et nous construirons des châteaux de sable !
Clotilde se blottit contre sa grand-mère. Puis la grand-mère repartit chez elle, au bord de la mer.
Les jours passèrent. La fillette et le poisson rouge devinrent des amis inséparables. Clotilde emmenait Capuchon partout où elle allait : il dormait sur sa table de nuit, il regardait la télé avec elle. Parfois, Clotilde l'invitait dans son bain, mais seulement quand il n'y avait pas de mousse et que l'eau n'était pas trop chaude.
Et Clotilde comptait les jours. Et Capuchon rêvait, rêvait… Il rêvait de voir la mer. Bientôt ce fut les vacances.
— Youppi ! s'exclama Clotilde.
— Bloup ! bloup ! fit Capuchon en virevoltant dans son bocal.

Et zioum ! Et route vers la mer ! Tchou ! tchou !
Dès leur arrivée, grand-mère les emmena à la plage.
— Comme c'est grand la mer ! s'écria Clotilde.
— Bloup ! bloup ! approuva Capuchon en ouvrant de grands yeux de poisson.
Clotilde enleva ses chaussures et mit ses orteils à l'eau, sous l'œil jaloux de Capuchon qui aurait bien aimé, lui aussi, faire un petit tour dans les vagues.
Le lendemain, Clotilde et sa grand-mère partirent pour le quai avec leur canne à pêche.
— Qu'est-ce qu'il y a dans ton panier, grand-maman ? demanda Clotilde.
— J'ai apporté des galettes au beurre pour la collation*, dit grand-mère avec un sourire gourmand.
Clotilde installa Capuchon à côté d'elle.
— Regarde bien, chère enfant, dit grand-mère ; tu mets un ver au bout de ton hameçon et tu lances ta ligne à l'eau. Si un poisson mord, tu tires la cordelette et tu sors ton épuisette.
Pendant ce temps, Capuchon regardait la mer. Il était fasciné par cette immense étendue d'eau. Ah ! la mer ! Capuchon en avait tant rêvé que, n'y tenant plus, il bondit hors de son bocal. Et... plouf ! dans l'eau !
Capuchon était heureux comme un poisson dans l'eau. Il s'émerveillait de tout ce qu'il voyait : des algues qui ondulaient, des coquillages qui brillaient, des reflets du soleil qui coloraient l'eau de vert, d'or et de bleu.
Il rencontra des poissons nageant à la queue leu leu. Il y avait deux harengs, trois éperlans, un flétan, un bébé béluga, un poisson-scie, deux poissons-chats...
— Où allez-vous ? demanda Capuchon à trois esturgeons.

— Nous allons faire de la plongée sous-marine au milieu des grottes.
— Oh ! je peux vous accompagner ?
— D'accord, mais ne traîne pas en chemin, le loup pourrait te manger, répondit un capelan.
— Le loup ? Quel loup ?
— Mais le loup de mer, voyons ! répondirent en chœur une sole et une sardine.
— Ah !
Capuchon nageait derrière les morues. Il avait du mal à suivre ses nouveaux amis, lui qui n'était pas habitué aux courants marins. Soudain, un drôle de poisson sortit de derrière un récif de corail.
— Hello petit poisson rouge ! Que fais-tu par ici ? On ne t'a jamais vu auparavant.
— Je suis venu voir la mer, répondit Capuchon.
— Oh ! tu es un petit touriste !
— Et toi, qui es-tu ? demanda Capuchon.
— Je suis Loulou, le loup de mer.
— Le loup de mer ? dit Capuchon, effrayé.
— N'aie pas peur, je ne suis pas méchant. La preuve, c'est qu'on me trouve dans les meilleurs restaurants ! Ha ! ha ! ha ! ricana le loup en serrant les ouïes de Capuchon.
— Excusez-moi… je… je dois partir.
— Attends ! Attends ! Faisons connaissance ! Je ne voudrais surtout pas que notre rencontre se termine en queue-de-poisson ! Ha ! ha ! ha !
— Comme vous avez de grands yeux !
— C'est pour mieux te voir mon enfant ! répondit le loup.
— Et comme vous avez de grandes ouïes !
— C'est pour mieux t'entendre, mon enfant !

Capuchon nageait derrière les morues.

— Et comme vous avez une grande bouche !
— C'est pour mieux te manger, mon enfant ! J'adore les petits poissons ronds et rouges comme toi et j'ai une faim de loup !
Sur ces mots, le loup s'élança sur Capuchon qui, effrayé, se mit à nager le plus vite qu'il put.
— Bloup ! bloup ! Au secours ! Le loup me poursuit ! Bloup !
Capuchon se cacha derrière une algue. Mais le loup rusa. Il s'avança à pas de loup et, hop ! il ne fit qu'une bouchée du petit poisson !

Le loup se pourléchait encore les babines quand une crevette passa par là.
— Quelle horreur ! j'ai vu un ver de terre qui pendouillait au bout d'une ligne.
« Un ver de terre ! Quel magnifique dessert ! » pensa le loup. Et, se précipitant sur le ver, sloup ! il l'avala d'un seul coup ! Aussitôt, le loup hurla de douleur.
— Aouhhhhhh ! Aouhhhhhh !...
— Tu t'es fait avoir, mon loup ! dit un homard qui avait tout vu.
Le loup de mer n'eut pas le temps de riposter. Il fut tiré hors de l'eau. Clotilde le recueillit dans l'épuisette qu'elle tenait bien solidement.
— Un loup de mer ! s'exclama grand-mère. On a pêché un loup de mer, Clotilde !
Clotilde était fière d'avoir attrapé un si gros poisson mais bien triste d'avoir perdu son petit Capuchon. Aussi, quand grand-mère ouvrit le ventre du loup de mer, quelle ne fut pas leur surprise d'en voir sortir Capuchon !

— Capuchon ! Mon petit coquin ! Moi qui croyais que je ne te reverrais plus jamais !

— Bloup ! bloup ! glouglou ! répondit Capuchon, tout tremblotant.

Ce soir-là, pour le souper, Clotilde et sa grand-mère se régalèrent en mangeant le loup de mer. Capuchon, lui, l'œil rond et content, riait sous cape. Il avait vu la mer, mais il était bien heureux de retrouver la rondeur de son bocal ! Bloup ! bloup !

Jules Tempête

Texte de Cécile Gagnon, © éditions Héritage, Saint-Lambert, 1991.

Quand arrive une tempête de neige, les machines qui déblaient les routes et les chemins se mettent en branle. Elles sont énormes et font beaucoup de bruit. Les opérateurs des souffleuses et des chasse-neige font figure de héros au même titre que les pompiers ou les astronautes. Jules Tempête, au volant de sa souffleuse, est l'un de ces héros.

À partir de 7 ans

6 min

Maison
Village

Enfants
Homme

Moi, Prosper, j'ai toujours vécu dans la maison Lépinard sur la colline.

J'aime le silence et la vie tranquille au coin du feu. Mais depuis la mort de mon maître Gédéon Lépinard, les choses se sont affreusement gâtées. D'abord, Gédéon a laissé en héri-

tage sa maison à ses deux fils Omer et Onil. Ils s'y sont donc installés avec femmes et enfants.
Omer Lépinard et sa femme, Reine, et leurs deux rejetons : Rose et Roch.
Onil Lépinard avec sa femme, Line, et leurs deux rejetons : Lise et Luc.
Pensez donc ! Huit personnes vivant ensemble sous le même toit. C'est intenable ! Alors la chicane a pris. Parce que chacune des familles avait décidé de déloger l'autre.
Je ne savais plus où aller me cacher pour échapper aux coups et aux hurlements.

Un jour, au début de l'hiver, la neige s'est mise à tomber. Une véritable tempête s'est élevée. Mais, dans notre village, heureusement, habite Jules Tempête.
Jules Tempête c'est un homme important : l'hiver, c'est lui qui passe la souffleuse. Il n'y a pas un banc de neige à son épreuve.
Ce jour-là, Jules est parti, tout content, dégager les routes du canton. La tempête augmentait et bientôt on n'y voyait plus rien.
Les écoles ont fermé, les magasins aussi. Le village vivait au ralenti. Ah ! je croyais bien avoir un peu de répit, mais chez Lépinard, les batailles n'arrêtaient pas. Loin de là !
Au contraire, on aurait dit que la tempête les encourageait. Ça criait, ça piochait, ça fracassait la vaisselle. Du matin au soir et du soir au matin ce n'était qu'une pluie d'injures :
— Saligauds ! Cruchon fêlé !
— Pots de colle !
— Torchon puant !
— Guenille ! Vieux chameau !

Sur les chemins, Jules Tempête, sûr de lui, continuait de diriger sa souffleuse à travers les tourbillons blancs.

Les tempêtes de neige, c'est toujours un peu mystérieux : on ne sait pas trop quand ça commence et quand ça s'arrête. Et surtout, qui peut dire d'où ça vient au juste ?

Jules avait perdu son chemin.

Madame Scribien s'est mise à crier :

— C'est à cause des chamailles continuelles des Lépinard ! Un châtiment du ciel !

Jules avait beau avoir mis ses lunettes, il était ébloui par la blancheur des flocons qui tourbillonnaient autour de lui. Il tournait, tournait sans trop savoir où il était rendu.

Et moi, dans la maison Lépinard, j'essayais de survivre en me bouchant les oreilles. On était justement au plus fort de la chicane.

Toute la famille d'Omer avait les cheveux violets ! Eh oui, Lise et Luc Lépinard avaient trafiqué la bouteille de shampooing. C'était le coup numéro dix-huit de leur liste de supplices garantis pour faire déguerpir les indésirables.

— Chiure de mouches !

— Cornichons !

— Ordures ! criaient ceux qui s'étaient fait prendre.

Mais la famille d'Omer n'allait pas quitter les lieux pour autant. Tous se sont consultés et ont comploté pour trouver une riposte qui chasserait à coup sûr la famille d'Onil. Occupés comme ils l'étaient, ils ne s'étaient même pas rendu compte de ce qui se passait au dehors. On peut affirmer sans hésiter que la température était le dernier de leurs soucis.

Jules Tempête avait perdu son chemin et il était à la veille de perdre la boule. Il parlait et riait tout seul. Rencontrant un bonhomme de neige abandonné par les enfants, il lui cria :

— Hé ! le gros, qu'est-ce que tu fais dehors ? C'est pas un temps pour se promener !
Puis, au moment où Omer et Reine Lépinard comprenaient qu'ils venaient de se brosser les dents avec de la colle folle au lieu du dentifrice, la souffleuse et Jules Tempête fonçaient vers le village.
— Papa et maman ne pourront plus jamais ouvrir la bouche, gémissait Roch.
— Ils vont mourir de faim ! ajoutait Rose en pleurant.

Jules Tempête n'entendait rien, ni les cris ni les coups de bâton. Dans un immense tourbillon de neige il se dirigea vers la maison Lépinard et la trancha en deux.
Si vous aviez entendu le vacarme ! Moi, j'ai filé dehors malgré le froid et la bourrasque, parce que je n'en pouvais plus.
Le vent et la neige se sont engouffrés dans les trous. Les Lépinard se sont tus et, sans plus attendre, se sont mis à rafistoler les murs déchiquetés. Le bruit des marteaux et des scies a remplacé celui des cris. Et à la fin du jour, tout était réparé. Les maisons étaient refermées. Oui, les maisons. Parce qu'au lieu d'une seule maison, eh bien, il y en avait deux ! Deux maisons Lépinard.
Alors la famille d'Omer en a pris une. La famille d'Onil a pris l'autre.
Et, tenez-vous bien, on n'a plus entendu un seul éclat de voix, une seule petite injure sortir de la bouche des Lépinard.
— Enfin ! ai-je soupiré.
Mais je suis resté dehors parce que j'avais trop peur que ça recommence
Aussitôt après, la tempête s'est calmée. La neige a diminué et le ciel s'est dégagé. Madame Scribien a fini par rentrer chez

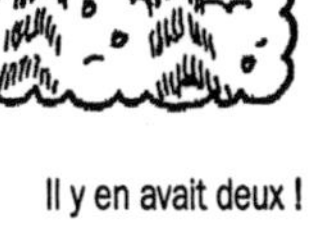
Il y en avait deux !

elle en bougonnant toujours. Mais l'affaire ne s'est pas arrêtée là. Oh ! non.

La nuit venue, on attendait le retour de Jules Tempête. Les heures passaient et il ne rentrait pas. Deux jours plus tard, il n'était toujours pas revenu. Bien sûr, on avait beaucoup parlé du pays mystérieux où se créent les tempêtes de neige. Est-ce là que Jules était parti ? On a retrouvé la souffleuse au bord du bois, sans Jules...

Puis, on a raconté que tout le temps qu'avait duré la tempête, une forme étrange voyageait dans le ciel. Une forme qui allait et venait, semant rafales et poudrerie.

Madame Scribien l'avait bien dit que les tempêtes étaient des phénomènes mystérieux reliés au comportement des gens... Mais elle n'a pas su, cette fois, expliquer la disparition de Jules Tempête.

Le personnage blanc a-t-il emporté Jules dans son pays magique ? C'est possible. Moi, ce que j'ai retenu de cette histoire de tempête et de chicane, c'est que tout va toujours beaucoup mieux quand on habite chacun chez soi.

Je me suis fait un petit coin, juste à moi, et je compte y passer des jours heureux, à l'abri de toutes les sortes de tempêtes, le reste de cet hiver.

Le calme règne autour des maisons Lépinard. Plus de cris ni de coups.

Des bruits ordinaires, de la musique, et souvent les cousins jouent ensemble dans la neige. Ils échangent en riant leur fabuleuse collection de gros mots et de jurons. De quoi faire pâlir d'envie tous les gamins du village.

Si Jules Tempête ne revient pas, je me demande qui va dégager les routes lors de la prochaine tempête.

Fier Champignon du bois

Texte de Cécile Gagnon, adapté d'un conte amérindien, extrait du recueil L'herbe qui murmure, *© éditions Québec/Amérique Jeunesse, collection* Clip, *Boucherville, 1992, 94 p.*

À partir de 4 ans

5 min

Forêt

Champignon
Écureuils
Insectes

Sur la plus haute branche d'un bouleau blanc à l'orée de la forêt vivait Lappiltawan ou Fier Champignon du bois, le polypore du bouleau. Tous les animaux de la forêt connaissaient l'existence de Fier Champignon du bois. Les insectes de toutes les familles l'appelaient « mon cousin » et lui rendaient souvent visite. Tous les matins, au lever du jour, il chantait une petite chanson :

Lappiltawan
Lappiltawan
Welchlatonebit.

Ce qui voulait dire :

Fier Champignon du bois
Fier Champignon du bois
Bouche qui rit.

C'était une chanson un peu étrange, mais pour tous les habitants de la forêt, elle annonçait le début de la journée.
— Lève-toi ! Lève-toi, criait le merle.
— Le jour est là, là, là ! disait la mésange.
— Pressez-vous ! Éveillez-vous ! Levez-vous, criaient les oiseaux en chœur.
— Au travail ! hurlait l'écureuil roux.
Et tous les membres de sa grande famille, Écureuil gris, Écureuil noir, Polatouche, Petit Tamia, se mettaient à la recherche de faines, de glands et de noix.
— Que serions-nous sans Fier Champignon du bois ? demanda Bourdon à la guêpe. Chaque matin, au lever du jour, il nous réveille avec sa chanson, et quand le soleil descend derrière les montagnes, il chante encore pour nous signaler l'arrivée de la nuit.
Bourdon, qui n'avait pas grand-chose à faire, s'envola vers le bouleau. Il alla dire à Fier Champignon du bois combien sa

présence était essentielle à la survie de tous, ce qui le fit rougir de plaisir de tous les pores de son chapeau.

Un jour, Écureuil roux interrompit sa cueillette de faines, de glands et de noix pour grimper jusqu'en haut du bouleau où vivait Fier Champignon du bois.

— Depuis quand vis-tu ici ? demanda-t-il.

— Depuis aussi loin que je me souvienne, répondit Fier Champignon du bois.

— Ça fait trop longtemps, dit Écureuil roux, qui voulait le chasser pour habiter le grand bouleau blanc avec sa famille. Il se mit à ronger la grosse branche où se tenait Fier Champignon du bois.

— Ne fais pas ça ! s'exclama Fier Champignon du bois. Cette branche est ma maison. C'est ici que je veux vivre et chanter.

— Trouve-toi un autre arbre, dit Écureuil roux en redoublant d'ardeur.

— Non ! Je ne peux pas déménager. Personne n'entendra ma chanson si je change de domicile.

— Pas d'importance ! s'écria Écureuil roux, tout en continuant de ronger la branche.

Fier Champignon du bois prit peur. Il appela :

— Au secours ! Au secours ! Venez à mon aide ! Je veux rester dans le bouleau blanc et chanter ma chanson.

Ses cris furent entendus par une famille de guêpes qui avait construit son nid au bout de la branche où vivait Fier Champignon du bois. Les guêpes accoururent et, voyant ce qu'Écureuil roux était en train de faire, elles l'attaquèrent avec rage et le piquèrent si fort qu'il perdit pied et roula par terre.

— Va-t'en ! Va-t'en, et laisse Fier Champignon du bois tranquille, crièrent les guêpes, sinon nous te piquerons jusqu'à la mort !

Les guêpes attaquèrent Écureuil roux.

La nouvelle de cette attaque ne tarda pas à se répandre dans la forêt. Les écureuils affolés décidèrent de convoquer une réunion du conseil.

— Comment les guêpes ont-elles osé attaquer Écureuil roux ? lança Écureuil gris.

— Parce qu'Écureuil roux a tenté de déloger Fier Champignon du bois de sa maison dans le bouleau blanc, répliqua l'un des tamias.

— Tais-toi ! Petit tamia ! lança Polatouche. Personne ne veut ton opinion.

— Il ne faut pas croire tout ce qu'on entend, dit Écureuil noir. Les guêpes sont des menteuses.

— Écureuil roux aussi est un menteur, répliqua un autre tamia.

— Si vous continuez à dire des stupidités, dit Polatouche aux tamias, on vous chasse du conseil de guerre !

Les tamias se turent et les écureuils votèrent pour déclarer la guerre. Ils commencèrent par accomplir leur rituel, c'est-à-dire qu'ils dansèrent la danse de guerre, et lorsqu'elle prit fin, ils se dirigèrent vers le bouleau blanc où vivait Fier Champignon du bois.

Par bonheur, le tronc de ce bouleau blanc n'était pas très gros. Seulement deux ou trois écureuils pouvaient y grimper ensemble. Les autres membres du conseil de guerre devaient attendre en bas.

Quand Fier Champignon du bois vit les écureuils se bousculant et se poussant au pied de son arbre, il pensa que sa dernière heure était arrivée.

— À l'aide ! À l'aide ! À l'aide ! se mit-il à crier.

Soudain, couvrant les voix et la rumeur des bousculades, on entendit un bruit sourd, un murmure persistant et continu.

Les insectes étaient aussi sur le sentier de la guerre !
Les guêpes avaient, elles aussi, réuni leur conseil et tous, guêpes, frelons, abeilles, bourdons, mouches noires et maringouins étaient en marche. En armée serrée, ils fondirent sur les écureuils.
— Laissez Fier Champignon du bois tranquille ! hurlaient-ils. Il n'a fait aucun mal. Éloignez-vous de sa maison ! Ouste !
Et ils enfoncèrent leur dard dans la peau des écureuils, piquant et bourdonnant sans relâche jusqu'à ce que ces derniers s'enfuient.
Là-haut dans le bouleau, Fier Champignon du bois observait les combattants et attendait. À la fin les insectes dirent :
— N'aie plus aucune crainte, petit cousin. Nous serons toujours là pour te défendre et te protéger.
Ce soir-là, à la tombée du jour, Fier Champignon du bois chanta sa petite chanson comme toujours :

Lappiltawan
Lappiltawan
Welchlatonebit.

ou :

Fier Champignon du bois
Fier Champignon du bois
Bouche qui rit.

Et tous les êtres de la forêt reconnurent le signal annonçant l'arrivée de la nuit et comprirent que Fier Champignon du bois était toujours vivant et bien à l'abri, haut perché dans son grand bouleau blanc.

Encore aujourd'hui Fier Champignon du bois chante toujours au lever et au coucher du soleil, mais seuls les habitants de la forêt peuvent l'entendre et comprendre son message.

Compte et raconte

Index alphabétique des titres

Pour savoir combien de fois vous aurez raconté chaque histoire, mettez une croix dans les cases concernées.

Alexis le Trotteur ☐☐☐☐☐☐☐☐☐ 360
Astuces de Pois-Verts (Les) ☐☐☐☐☐☐☐☐☐ 288
Auguste Le Bourdais ☐☐☐☐☐☐☐☐☐ 349
Baleine (La) ☐☐☐☐☐☐☐☐☐ 300
Barbaro-les-grandes-oreilles ☐☐☐☐☐☐☐☐☐ 261
Beau Danseur (Le) ☐☐☐☐☐☐☐☐☐ 224
Belle Perdrix verte (La) ☐☐☐☐☐☐☐☐☐ 34
Cadeau de la sirène (Le) ☐☐☐☐☐☐☐☐☐ 74
Chasse-Galerie (La) ☐☐☐☐☐☐☐☐☐ 238
Comment l'orphelin
devint un grand chasseur ☐☐☐☐☐☐☐☐☐ 296
Conte-fable ☐☐☐☐☐☐☐☐☐ 92
Coucher de soleil ☐☐☐☐☐☐☐☐☐ 96
Courrier des îles (Le) ☐☐☐☐☐☐☐☐☐ 407
Diable des Forges (Le) ☐☐☐☐☐☐☐☐☐ 246
Diable Frigolet (Le) ☐☐☐☐☐☐☐☐☐ 233
Dialogue ☐☐☐☐☐☐☐☐☐ 421
Drôle de Noël de Robervalkid (Le) ☐☐☐☐☐☐☐☐☐ 151
Fantôme de l'avare (Le) ☐☐☐☐☐☐☐☐☐ 339
Fantôme de l'érablière (Le) ☐☐☐☐☐☐☐☐☐ 336
Femme changée en loup (Une) ☐☐☐☐☐☐☐☐☐ 405
Fier Champignon du bois ☐☐☐☐☐☐☐☐☐ 439
Grand Pin et Bouleau ☐☐☐☐☐☐☐☐☐ 202
Gustave refuse d'hiberner ☐☐☐☐☐☐☐☐☐ 81
Halte du Père Noël (La) ☐☐☐☐☐☐☐☐☐ 115

Herbe qui murmure (L') 391
Hotte du colporteur (La) 269
Jean de la Lune 363
Jos Montferrand 355
Jules Tempête 434
Jument de Ti-Jean (La) 256
Kugaluk et les Géants 181
Légende des brûlots (La) 199
Légende du huart (La) 174
Léo et les presqu'îles 376
Léon 88
Loup-Garou (Le) 314
Madeleine de Verchères 346
Maria Chapdelaine 368
Messagers de l'hiver (Les) 400
Mistapéo et la mousse à caribou 216
Naissance des oiseaux (La) 172
Nanabozo vole le feu 209
Oiseau vair (L') 68
Oiseau-Vent (L') 206
Passager clandestin (Le) 323
Père de Noëlle (Le) 110
Petit Bonhomme de graisse (Le) 284
Petit Capuchon rouge (Le) 428
Petit Coyote et le Sirop d'érable 194
Pinashuess 160
Plumeneige 424
Poisson de Noël (Le) 138
Pourquoi la grenouille a de longues pattes 213
Premier Été sur la toundra (Le) 168
Prince du gel (Le) 188

Princesse au grand nez (La)	14
Procès d'une chenille	83
Quand les oies vont en voyage	78
Quatre-poils-d'or-dans-l'dos	278
Retraite du Père Noël (La)	156
Rikiki	125
Ruban magique (Le)	25
Sarah et Guillaume chez le Père Noël	147
Secret de Moustique (Le)	185
Sorcier du Saguenay (Le)	42
Ti-Jean et le Cheval blanc	57
Ti-Jean, le violoneux	62
Tonnerre des eaux	218
Traversée du père Dargis (La)	320
Trésor du buttereau (Le)	330
Tuque percée (La)	229
Ukaliq au pays des affaires perdues	308

Par ordre d'apparition

Index des personnages

Aigle

La Belle Perdrix verte 34
Conte-fable 92

Animaux

La Halte du Père Noël 115
L'Herbe qui murmure 391
Pinashuess 160
Le Premier Été sur la toundra 168

Arbre

Dialogue 421

Baleine

La Baleine 300
Ukaliq au pays des affaires perdues 308

Barbaro

Barbaro-les-grandes-oreilles 261

Bonhomme de neige

Plumeneige 424

Bouleau

Grand Pin et Bouleau 202

Boxeur

Jos Montferrand 355

Bûcheron

La Hotte du colporteur 269

Caribou

Mistapéo et la mousse à caribou 216

Castor

Conte-fable 92

Champignon

Fier Champignon du bois 439

Chasseur

Comment l'orphelin devint un grand chasseur 296
L'Herbe qui murmure 391
Kugaluk et les Géants 181

Chef

La Légende du huart 174

Chenille

Procès d'une chenille 83

Cheval

Ti-Jean et le Cheval blanc 57

Chien

Le Passager clandestin 323

Plumeneige 424
Le Poisson de Noël 138
Sarah et Guillaume chez le Père Noël 147
Cocher
Le Passager clandestin 323
Colporteur
La Hotte du colporteur 269
Cow-boy
Le Drôle de Noël de Robervalkid 151
Curé
Les Astuces de Pois-Verts 288
Auguste Le Bourdais 349
Diable
Le Beau Danseur 224
La Chasse-Galerie 238
Le Diable des Forges 246
Le Diable Frigolet 233
La Tuque percée 229
Dieu
La Légende du huart 174
Écureuil
Fier Champignon du bois 439
Enfant
Dialogue 421
Jules Tempête 434
Pinashuess 160
Érable
Grand Pin et Bouleau 202
Fantôme
Le Drôle de Noël de Robervalkid 151
Le Fantôme de l'avare 339
Le Fantôme de l'érablière 336
Le Passager clandestin 323
Le Trésor du buttereau 330
Fauvette
Le Premier Été sur la toundra 168
Femme
Le Diable Frigolet 233
Une femme changée en loup 405
La Hotte du colporteur 269
Léo et les presqu'îles 376
Rikiki 125
Feu follet
La Traversée du père Dargis 320

Fille
Le Beau Danseur 224
Madeleine de Verchères 346
Fillette
Les Messagers de l'hiver 400
La Naissance des oiseaux 172
Le Père de Noëlle 110
Le Petit Capuchon rouge 428
Plumeneige 424
Quand les oies vont en voyage 78
Fils
Jean de la Lune 363
La Légende du huart 174
Le Petit Bonhomme de graisse 284
Le Trésor du buttereau 330
Frère
L'Oiseau vair 68
Le Poisson de Noël 138
La Princesse au grand nez 14
Le Ruban magique 25
Sarah et Guillaume chez le Père Noël 147
Ti-Jean, le violoneux 62
Garçon
Comment l'orphelin devint un grand chasseur 296
Le Courrier des îles 407
Léo et les presqu'îles 376
Le Passager clandestin 323
Ukaliq au pays des affaires perdues 308
Géant
Kugaluk et les Géants 181
La Légende des brûlots 199
Mistapéo et la mousse à caribou 216
Le Ruban magique 25
Le Sorcier du Saguenay 42
Tonnerre des eaux 218
Grand-mère
Le Courrier des îles 407
Le Petit Capuchon rouge 428
Grenouille
Pourquoi la grenouille a de longues pattes 213
Herbe
L'Herbe qui murmure 391
Homme
La Baleine 300
Le Cadeau de la sirène 74

La Chasse-Galerie 238
Le Diable des Forges 246
Le Fantôme de l'érablière 336
Jos Montferrand 355
Jules Tempête 434
Rikiki 125
La Traversée du père Dargis 320
La Tuque percée 229

Indien
Jean de la Lune 363
La Légende des brûlots 199
Madeleine de Verchères 346
Petit Coyote et le Sirop d'érable 194

Insecte
Fier Champignon du bois 439
Procès d'une chenille 83

Jeune fille
Léo et les presqu'îles 376
Le Loup-Garou 314
Maria Chapdelaine 368
Nanabozo vole le feu 209
Le Sorcier du Saguenay 42

Jeune homme
Alexis le Trotteur 360
Auguste Le Bourdais 349
Le Fantôme de l'avare 339
Le Loup-Garou 314
Maria Chapdelaine 368
L'Oiseau-Vent 206
La Princesse au grand nez 14

Jument
La Jument de Ti-Jean 256

Lapin
Nanabozo vole le feu 209

Lièvre
Coucher de soleil 96
Pinashuess 160

Loup
Une femme changée en loup 405
La Naissance des oiseaux 172

Loup-garou
Le Loup-Garou 314

Lutin
Le Père de Noëlle 110
La Retraite du Père Noël 156

Rikiki 125
Sarah et Guillaume chez le Père Noël 147
Manitou
Nanabozo vole le feu 209
Le Premier Été sur la toundra 168
Tonnerre des eaux 218
Mari
Le Diable Frigolet 233
Marin
Auguste Le Bourdais 349
Le Trésor du buttereau 330
Martre
Le Premier Été sur la toundra 168
Matelot
Quatre-poils-d'or-dans-l'dos 278
Médecin
Quatre-poils-d'or-dans-l'dos 278
Mère
Le Courrier des îles 407
Maria Chapdelaine 368
Le Petit Bonhomme de graisse 284
Moustique
Le Secret de Moustique 185
Neveu
Le Prince du gel 188
Oie sauvage
Quand les oies vont en voyage 78
Oiseau
Léon 88
Les Messagers de l'hiver 400
L'Oiseau vair 68
L'Oiseau-Vent 206
Oncle
Le Prince du gel 188
Ours
Coucher de soleil 96
Gustave refuse d'hiberner 81
Léon 88
La Naissance des oiseaux 172
Parents
Le Trésor du buttereau 330
Ukaliq au pays des affaires perdues 308
Patron
Le Diable des Forges 246

Pêcheur
La Baleine 300
Léo et les presqu'îles 376
L'Oiseau-Vent 206
Père
Alexis le Trotteur 360
Le Beau Danseur 224
Le Courrier des îles 407
Jean de la Lune 363
Nanabozo vole le feu 209
Père Noël
Le Drôle de Noël de Robervalkid 151
La Halte du Père Noël 115
Le Père de Noëlle 110
La Retraite du Père Noël 156
Sarah et Guillaume chez le Père Noël 147
Pin
Grand Pin et Bouleau 202
Poisson
Le Petit Capuchon rouge 428
Le Poisson de Noël 138
Poule d'eau
Pourquoi la grenouille a de longues pattes 213
Prince
Barbaro-les-grandes-oreilles 261
La Hotte du colporteur 269
Prince du gel
Le Prince du gel 188
Princesse
Barbaro-les-grandes-oreilles 261
La Belle Perdrix verte 34
L'Oiseau vair 68
La Princesse au grand nez 14
Ti-Jean et le Cheval blanc 57
Ti-Jean, le violoneux 62
Raton laveur
Léon 88
Reine
Le Ruban magique 25
Renard
Coucher de soleil 96
Roi
Barbaro-les-grandes-oreilles 261
La Jument de Ti-Jean 256
L'Oiseau vair 68

La Princesse au grand nez 14
Le Ruban magique 25
Ti-Jean, le violoneux 62
Seigneur
Rikiki 125
Servante
Les Astuces de Pois-Verts 288
Serviteur
Les Astuces de Pois-Verts 288
Sirène
Le Cadeau de la sirène 74
Sœur
Le Passager clandestin 323
Le Poisson de Noël 138
Le Ruban magique 25
Sarah et Guillaume chez le Père Noël 147
Sorcier
Le Sorcier du Saguenay 42
Sorcière
Le Petit Bonhomme de graisse 284
Ti-Jean
La Belle Perdrix verte 34
La Jument de Ti-Jean 256
Ti-Jean et le Cheval blanc 57
Ti-Jean, le violoneux 62
Tonnerre
Le Secret de Moustique 185
Violoneux
Le Beau Danseur 224
Voleur
Quatre-poils-d'or-dans-l'dos 278

Montre en main

Index en fonction du temps de lecture

1 minute

Dialogue 421
Une femme changée en loup 405
La Naissance des oiseaux 172

2 minutes

Le Cadeau de la sirène 74
Gustave refuse d'hiberner 81
Mistapéo et la mousse à caribou 216

3 minutes

Alexis le Trotteur 360
Comment l'orphelin devint un grand chasseur 296
Conte-fable 92
La Légende des brûlots 199
Léon 88
Madeleine de Verchères 346
L'Oiseau-Vent 206
Pourquoi la grenouille a de longues pattes 213
Quand les oies vont en voyage 78
Le Secret de Moustique 185
La Traversée du père Dargis 320

4 minutes

Le Drôle de Noël de Robervalkid 151
Le Fantôme de l'érablière 336
Nanabozo vole le feu 209
Le Petit Bonhomme de graisse 284
Plumeneige 424
Le Premier Été sur la toundra 168
La Retraite du Père Noël 156
Sarah et Guillaume chez le Père Noël 147
Tonnerre des eaux 218
La Tuque percée 229

5 minutes

Le Diable Frigolet 233
Fier Champignon du bois 439
Grand Pin et Bouleau 202
Jean de la Lune 363
Jos Montferrand 355
Kugaluk et les Géants 181
Ti-Jean et le Cheval blanc 57
Ukaliq au pays des affaires perdues 308

6 minutes

Le Beau Danseur 224
Jules Tempête 434

La Jument de Ti-Jean 256
Les Messagers de l'hiver 400
Le Père de Noëlle 110
Le Petit Capuchon rouge 428
Petit Coyote et le Sirop d'érable 194
7 minutes
Pinashuess 160
Le Prince du gel 188
Procès d'une chenille 83
Quatre-poils-d'or-dans-l'dos 278
Ti-Jean, le violoneux 62
8 minutes
Auguste Le Bourdais 349
Le Loup-Garou 314
L'Oiseau vair 68
Le Passager clandestin 323
Le Trésor du buttereau 330
9 minutes
Le Fantôme de l'avare 339
La Légende du huart 174
10 minutes
Les Astuces de Pois-Verts 288
La Baleine 300
La Belle Perdrix verte 34
La Chasse-Galerie 238
Le Diable des Forges 246
La Hotte du colporteur 269
Maria Chapdelaine 368
11 minutes
Barbaro-les-grandes-oreilles 261
12 minutes
La Halte du Père Noël 115
Le Poisson de Noël 138
Le Ruban magique 25
13 minutes
L'Herbe qui murmure 391
15 minutes
La Princesse au grand nez 14
16 minutes
Coucher de soleil 96
19 minutes
Rikiki 125
20 minutes
Le Courrier des îles 407
Léo et les presqu'îles 376
21 minutes
Le Sorcier du Saguenay 42

Du plus petit au plus grand

Index en fonction de l'âge

3 ans

Gustave refuse d'hiberner	81
Léon	88
Le Père de Noëlle	110

4 ans

Le Cadeau de la sirène	74
Fier Champignon du bois	439
Les Messagers de l'hiver	400
Mistapéo et la mousse à caribou	216
Nanabozo vole le feu	209
L'Oiseau-Vent	206
Le Petit Bonhomme de graisse	284
Le Petit Capuchon rouge	428
Pinashuess	160
Plumeneige	424
Quand les oies vont en voyage	78
Sarah et Guillaume chez le Père Noël	147

5 ans

Alexis le Trotteur	360
Barbaro-les-grandes-oreilles	261
Comment l'orphelin devint un grand chasseur	296
Le Fantôme de l'érablière	336
Une femme changée en loup	405
La Halte du Père Noël	115
La Jument de Ti-Jean	256
La Légende des brûlots	199
Petit Coyote et le Sirop d'érable	194
Pourquoi la grenouille a de longues pattes	213
Le Premier Été sur la toundra	168
La Princesse au grand nez	14
Procès d'une chenille	83
La Retraite du Père Noël	156
Ti-Jean, le violoneux	62

6 ans

Les Astuces de Pois-Verts	288
La Baleine	300
Le Beau Danseur	224

La Belle Perdrix verte 34
Coucher de soleil 96
Le Courrier des îles 407
Le Fantôme de l'avare 339
L'Herbe qui murmure 391
La Hotte du colporteur 269
Kugaluk et les Géants 181
La Légende du huart 174
Le Loup-Garou 314
Madeleine de Verchères 346
L'Oiseau vair 68
Le Poisson de Noël 138
Le Prince du gel 188
Rikiki 125
Le Ruban magique 25
Le Secret de Moustique 185
Ti-Jean et le Cheval blanc 57
La Traversée du père Dargis 320
La Tuque percée 229

7 ans

Auguste Le Bourdais 349
Conte-fable 92
Le Diable des Forges 246
Le Diable Frigolet 233
Dialogue 421
Le Drôle de Noël de Robervalkid 151
Grand Pin et Bouleau 202
Jos Montferrand 355
Jules Tempête 434
Léo et les presqu'îles 376
Maria Chapdelaine 368
La Naissance des oiseaux 172
Le Passager clandestin 323
Quatre-poils-d'or-dans-l'dos 278
Le Sorcier du Saguenay 42
Tonnerre des eaux 218
Le Trésor du buttereau 330
Ukaliq au pays des affaires perdues 308

8 ans

La Chasse-Galerie 238
Jean de la Lune 363

Glossaire

Abri de trappe : abri rudimentaire qui permet de se mettre au sec en faisant le guet.
Bambocheur : ivrogne, ou simplement celui qui aime fêter.
Banc de neige : congère.
Batêche : juron.
Bazi : disparu.
Berlot : traîneau à coffre muni de deux sièges.
Bleuet : myrtille.
Blonde : jeune fille courtisée.
Bois carré (faire du) : tailler des madriers à la hache à partir d'arbres entiers.
Bourrée : grande quantité.
Brocher : tricoter.
Brunante : tombée de la nuit.
Buttereau : petite butte.
Califourchon : derrière.
Capot : manteau.
Carcajou : blaireau du Labrador ou glouton qui vole les proies dans les pièges. Par analogie : voleur.
Caribou : boisson faite d'un mélange de vin et d'alcool.
Censitaire : paysan qui doit payer une redevance annuelle au seigneur.
Chamane : celui qui avait le pouvoir d'entrer en contact avec le monde surnaturel. Connaissant les amulettes, les incantations et les tabous, il pouvait agir sur les gens et sur les choses.
Collation : goûter.
Corde (de bois) : pile de bois.
Côte (faire) : faire naufrage.
Cotillon : danse.
Crapoussin : diminutif de crapaud.
Cretons : patés faits de graisse et de viande de porc hachée.
Débriscaillé : déformé ; fatigué.
Décapoter (se) : enlever son manteau (capot).
Dégreyer (se) : enlever ses vêtements d'extérieur.
Demi-minot : la moitié d'un minot, mesure valant huit gallons (environ dix-huit litres).
Écarde : instrument à carder la laine.
Égarouillé : hagard.
Éloize : éclair.
Endêver : impatienter ; ennuyer.
Épeurance : histoire qui fait peur.

Épinette : conifère des forêts du Québec.
Escarper : gravir.
Faraud : celui qui porte de beaux habits et en est fier ; jeune homme qui fait la cour à une jeune fille.
Fifollet : feu follet.
Flandrin : homme grand d'allure gauche.
Goudrelle : planchette ou lame de métal en forme de gouge qui conduit l'eau d'érable de l'arbre à la chaudière.
Habitant (faire l') : être mesquin en affaires.
Harlapatte : danse.
Jamaïque : rhum.
Jujube : friandise très sucrée.
Minot : mesure valant huit gallons (environ trente-six litres).
Mitan : milieu.
Mouille à siaux (il) : il pleut beaucoup.
Orignal : élan d'Amérique.
Oriole : sorte d'oiseau plus petit que le rouge-gorge.
Ouananiche : saumon d'eau douce.
Pécan : animal de la famille des martres.
Pince : bout d'un canot d'écorce.
Placoteux : bavard.
Ponchon : petit tonneau.
Poudrerie : neige fine soufflée par le vent.
Quartier : grâce.
Quêteux : mendiant.
Ramancheur : rebouteux.
Rang : partie du territoire d'une municipalité rurale.
Ratoureuse : rusée.
Reel : danse vive et animée.
Rigodon : danse.
Ripousse : coup de vent.
Rôtie : tranche de pain grillée que l'on mange beurrée.
Sachem : sage d'une nation amérindienne.
Sagamité : bouillie de maïs des Amérindiens.
Tasserie : partie de la grange où l'on tasse le foin ou la paille.
Tire : sirop de sève épaissi qui forme un caramel.
Traîne : luge.
Traite (payer la) : consommation que l'on offre à des amis dans un débit de boissons.
Tuque : bonnet en laine tricotée.
Ulu : couteau à deux manches et à la lame courbée.
Voleuse : danse.

Bibliographie

Ouvrages

Barbeau Marius, *Il était une fois*, Beauchemin, Montréal, 1935.

Beaugrand Honoré, *La Chasse-Galerie et autres légendes*, Beauchemin, Montréal, 1900.

Boivin Aurélien, *Le Conte fantastique québécois au* XIXe *siècle*, Fides, Montréal, 1987.

Boulizon Guy, *Contes et Récits canadiens d'autrefois*, Beauchemin, Montréal, 1961.

Centre franco-ontarien de folklore, *Les Vieux m'ont conté*, Bellarmin, Montréal, et Maisonneuve et Larose, Paris, 33 volumes.

Chiasson Anselme, *Légendes des îles de la Madeleine*, Éditions d'Acadie, Moncton, 1976.

Chiasson Anselme, *Le Diable Frigolet et vingt-quatre autres contes des îles de la Madeleine*, Éditions d'Acadie, Moncton, 1991.

De Gaspé Philippe-Aubert, *Le Chercheur de trésors*, 1878.

Émond Maurice, *Anthologie de la nouvelle et du conte fantastique québécois du* XXe *siècle*, Fides, Montréal, 1987.

Fréchette Louis, *Contes I, La Noël au Canada*, Fides, Montréal, 1974.

Fréchette Louis, *Contes II, Masques et Fantômes*, Fides, Montréal, 1976.

Hémon Louis, *Maria Chapdelaine*, Grasset, Paris, 1924.

Larouche Jean-Claude, *Alexis le Trotteur*, Éditions du Jour, Montréal, 1971.

Leclerc Félix, *Adagio*, Fides, Montréal, 1943.

Leclerc Félix, *Allegro*, Fides, Montréal, 1944.

Lemay Pamphile, *Contes vrais*, Beauchemin, Montréal, 1903.

Maxine, *L'Ogre de Niagara*, Beauchemin, Montréal, 1945.

Melançon Claude, *Légendes indiennes du Canada,* Éditions du jour, Montréal, 1967.

Rouleau Charles-Edmond, *Légendes canadiennes*, Québec, 1901.

Sulte Benjamin, *Jos Montferrand*, Beauchemin, Montréal, 1919.

Taché Joseph-Charles, *Forestiers et Voyageurs*, Fides, Montréal, 1946.

Vigneault Gilles, *Contes du coin de l'œil*, Éditions de l'Arc, Montréal, 1966.

Vigneault Gilles, *Bois de marée*, Nouvelles Éditions de l'Arc, Montréal, 1992.

Poésie

Blouin Louise, *De Villon à Vigneault,* Éditions Pierre Tisseyre, Montréal, 1994.

Royer Jean, *Le Québec en poésie*, Gallimard, coll. Folio Junior, Paris, 1987.

Périodiques

Journal of American Folklore, depuis 1915.

Les Archives de folklore, Université de Laval, Québec, depuis 1946.

Bulletin de recherches historiques, Société de recherches historiques, Montréal, 1922.

Les Cahiers des dix, Société des Dix, Montréal, 1936-1983.

Mémoires et Comptes rendus de la Société royale du Canada, Ottawa, 1907-1967.

Anthropological bulletins, National Museum of Canada, Ottawa.